教育部哲学社会科学研究重大课题攻关项目“我国学校教育创新研究”成果
“守望者的凝思：读懂学校、读懂校长”系列论丛

守望者的凝思
读懂学校
读懂校长
系列论丛

主编 裴娣娜

绽放和谐快乐之光

——北京大学附属小学教育创新研究

ZHANFANG HEXIE KUAILE ZHI GUANG

尹超 等 著

教育科学出版社
·北京·

绽放和谐快乐之光

——北京大学附属小学教育创新研究

基于学校教育变革性实践的反思与建构
——中国基础教育改革创新之路

裴娣娜

学校教育创新是目前世界各国基础教育改革中一个具有战略意义的重要问题。如何变革学校教育观念，培养具有创新精神和实践能力的高素质人才，是世界各国共同关注的问题。事实证明，以创新挑战危机，谁最先把握了时代发展变化的需求，谁就掌握了发展的主动权。

“守望者的凝思：读懂学校、读懂校长”系列论丛，是“十一五”期间教育部哲学社会科学研究重大课题攻关项目“我国学校教育创新研究”的研究成果，是对改革开放三十多年来中国基础教育阶段学校教育创新发展的思路、策略及方法基本脉络的全面系统的反思梳理。这套论丛有着独特的时空定位，限定在我国改革开放以来学校办学层面的改革与创新，采取自下而上的分析思路，是对学校已有的基于变革性实践的学校现代发展经验的总结提升。系列论丛中一本本研究性的专著翔实地记录了这些学校的校长基于不同的办学实际带领各自团队所走过的学校发展之路，这些学校的办学理念及经验经过了时间积淀和实践的检验，是富有鲜明特色、带有中国本土气息的原创性实践。

反思总结来自实践的学校创新经验，从中解读并汇集学校教育创新力指标，从而为进一步探讨学校教育创新发展理论模型与实践模式的建构、形成有较强的实践操作策略奠定坚实的基础。因此，我们的研究，以反思与建构为主线，聚焦“两个读懂”：读懂学校、读懂校长。这套系列论丛所呈现的不仅是每个学校独特的“我”，更重要的是通过一个个独特的“我”集合形成的具有一定典范意义的学校变革性实践的基本认识。

一、学校教育创新理论反思与现实建构的战略性意义

进入21世纪，面对世界各国对于经济社会可持续发展目标的诉求以及日益激烈的国际竞争对高素质人才提出的更高要求，面对工业社会和信息社会发展的要求，面对极不平衡的区域性社会经济发展以及多元文化价值取向、伦理道德问题、文化生态危机等一系列严峻挑战，中国基础教育的改革与发展进入一个十分关键的时期，正是社会转型凸显了中国学校教育创新发展的主题。

教育创新是学校教育发展的根本动力。学校需要变革，学校必须变革，变革的目的在于坚持“以人为本”的科学发展观，办好让人民满意的学校。学校教育创新研究的重要意义在于以下三个方面。

（一）为构建优质高效的学校办学模式提供一种理论分析框架

学校教育创新研究旨在对中国学校教育创新发展进程中的若干重要问题作出理性的思考和科学的回答，探索适应社会发展和人的自身发展需要的、优质高效的学校教育发展模式与育人模式。通过教育学、心理学工作者的跨学科研究，跨校际的教育工作者协同研究，以及理论与实践工作者的合作研究，为有中国特色的基础教育改革和发展提供思路，为构建优质高效的学校教育提供一种理论准备和分析框架，为促进青少年儿童全面发展提供一种新的教育方式，为教育行政部门和教育机构的相关决策与措施的制定提供科学依据。因此，这一研究成果是中华民族的，也是世界的；既有本土性，又有国际的普遍意义。

（二）通过典型个案研究，呈现我国当前具有特色的和有代表性的学校教育创新发展实践模式、评价指标、推进机制及成功经验

系列论丛的内容强调以下三点。

一是以学校教育改革与发展为中心线索，阐明项目学校从学校教育价值观念的重新定位到学校教育体系的全面更新，从改造教育过程到改

变教育教学各个环节中的方法与手段，从全方位地营造育人环境到创造性地开拓各种教育教学模式，从而提升学校整体的综合实力，形成学校教育创新的思路和特色的历程。

二是尝试揭示学校教育创新主体的培育与生成过程。论丛力图在深层次上揭示创新主体如何建构一种创新的观念、思想与目标，从而进一步生成为具体的办学行为的复杂过程。

三是表明学校创新发展是基于学校自身条件的特殊性，展现我国中小学校现代发展的多样化发展形态，同时也展现我国中小学校长追求持续发展和创建一流教育的特色与智慧。

（三）通过解读，将学校办学理念与行为提升到自觉和自为层面，进一步促进学校教育创新的实践探索

通过对不同学校教育创新力形成与发展过程的审视，有效促进科学的质量意识、特色意识的确立，提升对学校办学特色和学校潜在的创新能力的认识。

当然还应看到，项目研究成为高师院校集教育科研、人才培养、为基础教育改革提供咨询服务三种职能于一体的重要平台，从而对参与研究的高等院校在凝练学术方向、汇聚学术队伍、开展高水平学术交流等方面同样发挥重要作用。

通过研究，我们认识到，尽管学校发展存在差异，但有一点是共同的。那就是随着国家教育体制改革的推进，学校作为办学主体，面临前所未有的生存和发展的压力。实质是，变革的时代要求学校通过变革进行根本性的转型。我国的中小学校，正是顺应时代发展的潮流，不失时机地抓住发展机遇，凭借校长的胆识和战略思想，挖掘学校的优势和潜力，形成应对变革的自我更新机制，提升学校整体的综合实力，从而走出竞争中的劣势处境，构筑起了学校新的竞争优势。创新已成为学校发展的内在生命力。

论丛的撰写是一个大工程，不仅推动了学校对自我办学理念、举措的反思，而且为项目研究在理论的概括提升上提供了丰富厚实的思想资源。研究具有开拓意义，而且是原创性的，是项目研究重要的标志性

成果。

二、项目研究的共识与思考

作为一项国家级的高端科研项目，论丛从实践研究层面反映了研究成果的创新性及实践效益，我们概括为以下几个主要方面。

（一）回应了我国社会转型时期政治、经济、文化变革关于教育的现实诉求

一个具有强大生命力的思想和理论的孕育形成与发展，关键在于它对所处时代改革中重大的理论和实践问题的回答。始于20世纪末的中国社会转型，将现代化、市场化、社会主义改革三重重大的社会变革浓缩在同一时空，构成了一场极特殊复杂又波澜壮阔的社会变迁。正如有的学者所指出的，社会变迁的核心在于人的生存方式的变化。

正是当前中国社会的现代转型，从根本上决定了中国基础教育学校创新发展的主题，而回应中国社会的现代化发展与基础教育改革提出的新矛盾、新问题，在很大程度上又进一步决定了中国学校教育创新发展过程中关注和研究的问题。

现代教育的本质在于解决人自身的发展与价值问题，是人的发展的潜在可能的现实实现，而不是把人作为社会的被动客体来塑造。人的个体与群体的发展是现代教育的出发点和归宿，是使学校实现跨越式超常发展的生命力，是激发教育工作者潜在创造力的原动力。将这一主题置于中国社会的特殊语境中，置于中国基础教育现代化发展的历史进程中，置于多元文化的多种价值选择并存的环境中，从而形成了目前研究的论域（范畴）和主线。这就是在学校教育中，关注学生的文化生存环境和活动方式，关注学生的生存状况和生命价值，尊重学生的主体地位和主体人格，培养学生自主性、主动性和创造性，使他们在掌握人类优秀文化基础上学会学习、学会创造。这一价值目标定位，从根本上反映了学校教育创新发展研究主题从工具理性到价值理性的转化。

学校教育的创新发展，不仅是对工具化的教育追求、人的发展目标偏离、主体缺位的反动，而且是对迷茫的教育理论、观念的价值澄清。正是敏锐地抓住了时代的挑战，回应了时代发展的需求，才形成了学校

现代发展的视阈，导致学校教育进行结构性调整而实现了功能、形态上的根本性转变。

（二）形成我国学校教育创新的基本理论分析框架

1. 学校教育创新是学校教育主体，通过新的创意、新的构想、新的思维和行为方式、新的教育技术和手段，对原有不合理的理论观点、思想方法、技术手段进行突破和超越，在学校变革与发展中更有效地实现教育目的的一种创造性活动。这一定义强调通过创新性活动，构建有变革创新能力的学校教育，从而突破种种阻碍学校改革与发展的限制，使学校实现根本性的变革。

2. 学校教育创新的基本内涵是以科学发展观为核心的现代教育理念，是一种勇于变革的实践活动，是一种先进的学校文化，是一种在不断回答每一时代提出的重大问题的过程中获得发展的内在生命力。创新是一个过程，创新的实质在于变革、超越和发展。

3. 学校教育创新的目标是促进高素质人才的培育成长和学校的现代发展。(1) 培养学生的自主性、主动性和创造性，使他们具有正确人生观、价值观，基础扎实，有创新精神、独立思考和实践能力，从而最大限度地实现每个人的个性与才能的发展。(2) 形成锐意改革、张扬个性、鼓励探索、宽容失误的有特色的学校教育创新文化。(3) 创建具有生成性的学校生态制度与管理系统。(4) 营造内外部良好育人环境。(5) 塑造具有"生成"意识、"理论"气质、"变革"能力的校长。

（三）初步构建学校教育创新力评价指标

学校教育创新力评价指标，旨在用统计体系构建学校教育创新的内涵与本质。通过研究，我们初步构建了由四个要素组成的学校教育创新力评价指标体系：办学理念、办学目标组成的价值目标系统；课程开发、课堂教学、班级建设组成的育人模式系统；人事制度、组织管理制度组成的制度与管理系统；战略性谋划能力、领导者品格组成的校长领导力。通过四个子系统以及系统的优化组合，学校不断调整内部结构，扩大自组织的功能，成为一个自我更新、自我发展的有机体，成为一个具有强适应能力的教育生态系统，以期达到提高质量、增长效益、有序运行的效果。

（四）形成学校育人模式创新的基本思路和举措

立足于读懂变革性实践，我们将“优质高效的学校教育发展模式及育人模式”作为探讨的重要内容。汇集众多学校的实践探索，形成的基本思路是：依据学校的培养目标及办学方略，重点在育人模式的创新。

1. 学校课程系统的创新

取得的主要突破如下。

第一，以人为本的课程目标的创新以及课程功能的创新。

基础教育的课程功能，由普及功能与选拔（筛选）功能、个体功能与社会功能、适应功能与超越功能之间的矛盾关系所构成。然而应试教育在将“课程考试化”的同时，也造成基础教育课程功能关系的错位、扭曲和失谐。学校课程开发首先要正确处理不同功能之间的矛盾，课程的设置应关注学生学习能力、实践能力和创新能力的培养，并坚持能力培养的层次性。

第二，课程领导力的提升以及基础教育课程结构与形式的变革。

课程领导力指学校按照一定的办学定位、培养目标进行课程开发建设，全面提升学校教育质量的能力。课程领导力的内涵，指校长领导教师团队创造性地实施国家课程计划的能力，合理开发和整合教育资源建设校本课程的能力，组织学校课程实践的决策、引领和调控能力。

针对以学科课程为主课程形态的弊端，我们探索新的课程结构体系的构建，使分科课程与综合课程、必修课程与选修课程、普通教育课程与职业技术教育课程相结合，并设置旨在指导学生进行专题研究性学习的综合实践课程、地方自主选择的课程，体现灵活性、多样性和选择性，从而为不同地区、不同学校以及学生发展提供更大的选择余地。

学校课程结构与形式的变革，大致呈现为以学生素养发展目标为依据，按照课程功能和学习领域知识的重新整合来构建学校课程结构，以及基于学校办学特色的体现对国家规定的课程进行重组和改造几种不同的思路，展现了中国课程存在形态的丰富多样性。

课程建设的创新，还表现在面向社会、生活实践的课程内容的创新以及校本课程开发中的创新。

2. 学校教学系统的创新

学校教学创新发展研究聚焦于从多视角讨论学科教学本质，学生的学习与创造性思维的培养，发展性教学策略，教学内容改革，课堂教学质量观与有效教学的水平评估，教师专业化发展等问题，并形成了若干有创意的认识。

第一，确立现代教学观，关注学生的文化生存环境和活动方式，实现学生的发展。

第二，学生的学习具有选择性、研究性、体验性和反思性，教学设计应体现学生学习的内在机制及学习特点。

第三，教学内容的选择与设计，重在理解和掌握知识，加强学科知识的整合，面向生活实际，体现教学的实践性以及文化性。

第四，通过教与学的行为分析，实施以主体参与、合作学习、差异发展、体验成功为内涵的发展性教学策略。

第五，确立体现学生发展的课堂教学质量观，进行有效教学的水平评估，促进教与学方式变革，使学生会学习、会创造。

第六，揭示现代课堂教学的基本特色，形成教学的不同流派与风格。教师应有发展意识、反思意识、效率意识、特色意识。教学系统要创新就要读懂教师，要培养一批学科带头人并形成教学风格与特色。

3. 学校德育系统的创新

主要包括以下几点。

第一，对德育功能的重新理解。

以“人在社会中生活”为主线，揭示德育的正义功能、意义功能与幸福功能。旨在培养具有独立人格、民主意识、人权理念和公共责任的公民基本特质。对意义的追寻，构成了人之独特的存在方式。通过人性化、个性化和创造性，使人的自由本性得以充分展呈。

第二，构建了“经验—体悟”定向的德育创新体系。

强调通过经验和体悟过程来培养受教育者的价值取向体系，并通过行为实践经验及内在的自我调整和重构的体悟过程，形成稳定的行为驱动体系，并在此基础上逐步养成稳定的行为习惯，形成固化为内在的自觉价值取向体系和外在的习惯化行为方式的稳定品德特点。

第三，在分析当今中国德育实践及其根本性挑战基础上，形成学校德育创新的几个基本命题：

(1) 批判德育中的工具论立场，确立“人是目的”的核心理念；

(2) 道德教育的逻辑起点、核心是价值取向与行为习惯；

(3) 通过对道德教育内容与形式加以审美化改造，实现“价值引导”与“道德主体的自主建构”的统一；

(4) 德育实践需要创造性地拓展有促进意义的资源，引导学生积累经验与重构性体悟（体验）。

项目研究实现了15所高校的跨校际、10个专业方向的跨学科整合，以及高校理论工作者、地方教育行政领导干部、中小学实践工作者多方研究力量的整合，组成优势互补的科研群体协作攻关①，从而使研究体现原创性、过程性和整合性。

三、论丛撰写的特色

论丛从历史、现实和未来三个视角把握总体，每一部专著内容框架由三部分组成。第一部分是学校发展历史及传承文化传统的审视，第二部分是全书主体，以学校教育创新力指标为依据，对学校办学的目标与价值系统、育人模式系统、制度与管理系统以及校长领导力几个方面的改革创新进行全面系统总结，第三部分是学校未来发展的设想。

每部专著的撰写前后历时2—3年，是一个再研究再思考的过程。我们深感每所学校、每位校长本身就是一个故事，而每部专著的问世也

---

① 15所高等师范院校分别为北京师范大学、西北师范大学、哈尔滨师范大学、南京师范大学、华中师范大学、河南大学、东北师范大学、天津师范大学、广西师范大学、首都师范大学、山东师范大学、四川师范大学、上海师范大学、浙江师范大学、江西师范大学鹰潭分院；3所科研机构分别为中央教育科学研究所、天津教育科学研究院、四川省教育科学研究所；7个区域性教育行政部门分别为北京市海淀区、湖北武汉市武昌区、四川成都市、河北石家庄市桥东区、深圳市南山区、甘肃省兰州市、四川阿坝藏族羌族自治州理县的教育行政部门；参加项目研究的中小学共有95所。

是一个故事。要保证著述的质量，关键在于如何对每所学校多年积淀的丰富鲜活的实践研究成果进行筛选、整理与提升，而不仅是对事实材料的罗列。

反思论丛撰写的全过程，在以下几方面呈现出其独特性。

1. 起点高位。立论于“中国具有进行原创性研究的优势，这种优势潜力的挖掘，主要在于充分调动深厚的本土资源、经验和智慧”这一论断，立论于学校的现代发展实质是变革性实践的判断，所以采用从变革实践的经验中提升的研究范式，定位于读懂学校、读懂校长、读懂变革性实践。

2. 立足研究。每本书的问世，是一系列的选择、提炼、重组、建构的过程。经过多次研讨碰撞，几上几下的反复修改，凝结的是每所学校对变革性实践的基本认识，同时也渗透了热情参与和关注基础教育改革发展的有识之士的心血，它是用“心”写出来的。

3. 理性思考。遵循“问题—思路—举措”这一叙事逻辑，尽可能处理好反思与建构、理论的概括提炼与实际问题的阐述解释、继承与超越、共性与个性的关系，认真搜索和挖掘创新点，在这个过程中不断提升研究意识和研究能力。

4. 个性特色。教育研究需要宽容、尊重和理解。二十余所学校有不同的身份和角色，每位校长也有不同的成长背景和工作风格，正是每个独特的“我”带来了丰富和生动，而在每个个别中展现的是学校锐意改革、开拓创新的可贵精神，因为高尚的心灵都是相通的。

本论丛是教育部哲学社会科学重大攻关项目的研究成果，我们在此谨对教育部社科司批准立项，对社科司杨光司长、张东刚副司长，基础教育司王定华副司长，以及社科司的同志们给予本项目研究的关怀和指导表示衷心感谢。以德高望重的顾明远教授为首的项目指导专家组——谈松华、郭振有、卓晴君、张民生、文喆、谢维和、朱小蔓、周满生、吕达、曹志祥、杨银付等专家，他们四年来对项目研究发表了富有启发性的重要见解并对项目研究寄予了殷切的期盼，他们的很多重要思想和观点对项目研究产生深远影响，我们将铭记在心。

论丛出版之际，我们还要特别感谢教育科学出版社，感谢李东总编辑以及教育科学出版社的所有编辑出版人员。教育科学出版社热心奖掖学术与创新，他们不仅为论丛的出版付出了辛劳，更难能可贵的是对论丛出版予以无偿支持，从而使我们的成果远离了“文化包装”之嫌而保持了学术研究的纯洁，他们的支持和鼓励是我们做好这一论丛的重要动力。

对中国基础教育学校创新发展这一具有战略性、全局性问题的探讨和研究还刚刚起步。《国家中长期教育改革和发展规划纲要（2010—2020年）》（以下简称《教育规划纲要》）描绘了未来10年我国教育改革发展的宏伟蓝图，特别强调“改革创新是教育事业发展的强大动力”。我们将遵循《教育规划纲要》的指示精神，继续不懈地探索，以求在学校教育创新问题上不断取得新的认识。我们深知，在中国基础教育改革的大潮中我们是“之一”而不是唯一，若干重要的理论与实践问题还需要进一步的展开、充实、挖掘和进行深层次的理性思考。我们坚信，在这条教育改革创新之路上，我们会越走越踏实。

目 录
CONTENTS

在继承中创新发展

有幸成为北京师范大学裴娣娜教授领衔的教育部哲学社会科学重大课题攻关项目“我国学校教育创新研究”的项目成员学校，这不仅让我们这些一线实践工作者有比较多的机会分享教育专家们的理论智慧和学术见地，而且以裴娣娜教授为首的专家们还带领我们对各自学校作了一次追溯之旅，这不是一次漫无目的、悠闲自在的旅行，而是一次探究之旅、发现之旅，呈现在读者眼前的《绽放和谐快乐之光》这本书就是我们对北京大学附属小学百年办学历程和现代发展探究、发现的成果。

《绽放和谐快乐之光》这本书作为“我国学校教育创新研究”重大课题研究成果“守望者的凝思：读懂学校、读懂校长”丛书的一部分，我们呈现给读者的是北大附小人在教育这块沃土上矢志耕耘、积极创造的成果，这些成果是经过了时间的积淀和实践的检验，是带有一定的原创性、且具有本土气息的创造。这本书也许没有经过“形象包装”那样耀眼，但它一定会有在丰富鲜活、创造性的实践基础上所凝练出的思想内涵和理论品位，从而蕴涵着无限的生命力和学术价值。

如果我们把一所蓬勃发展的学校比做一条生生不息、奔腾不止的大河，大河之所以永远生生不息、奔腾不止，是因为它不断有新的源泉注入，那么一所充满旺盛生命力的学校何尝不是这样呢！北大附小虽然已经走过了百年历程，但她今天仍然活力无限、光芒四射，就是因为在北大附小发展的历史长河中总有一股股新的源泉涌入，为她不断带来新的血液。这也就是我们经常所讲的继承传统与创新发展的关系。北大附小作为我国最著名的高等学府北京大学的附属学校，北京大学爱国、进步、科学、民主的文化传统已经深深地印刻在北大附小师生的思想与行为中，已经成为一种文化因子反映在北大附小的管理中、教育教学工作中，成为学校的一种特色文化。

但是，学校的发展还必须与时俱进。进入21世纪以后，随着国家教育体制改革的推进，学校作为办学主体，北大附小面临前所未有的生存和发展的压力。如何顺应时代发展的潮流，不失时机地抓住发展机遇，挖掘学校的优势和潜力，变压力为动力，从而走出竞争中的劣势处境，这首先是对校长胆识、智慧和能力的深刻考验！面对压力与挑战，作为校长，我带领全体教职工迎难而上，积极谋求创新的思路，因为唯有创新才是学校发展的真正动力，从而实现发展的根本目的。自2002年新一届北大附小领导班子承担起学校发展的重任以来，学校从硬件到软件都有了崭新的发展，如今的北大附小，古朴、典雅、现代的教学楼与满园绿树交相辉映，形成一座绿树成荫、鸟语花香的生态园；爱国、进步、科学、民主的文化传统与专心地学习、痛快地游玩的当代教育理念相得益彰，形成一座学生们和谐快乐发展的学习乐园。“国内领先，世界一流”的发展定位、“以人为本、和谐快乐发展”的办学思想凝聚着北大附小人奋进的智慧和力量！

应该说，如今的北大附小社会知名度越来越高，影响越来越大，这是历代北大附小人共同努力创造的结果，也是社会各方面大力支持的结果。作为北大附小的一员，从学校一毕业就进入北大附小，至今在这里我已经从教26年，能走上北大附小校长的岗位，是老一代北大附小人培养了我，是所有北大附小人支持了我，所以，我深深地爱着这里，爱着这里的一切。作为校长，我用六种角色诠释了校长的领导力，其实，我最想表达的是，校长除了是“有权”之人，更重要的是要做“有情”、“有识”之人，这是我在管理工作中践行的基本理念。

行文至此，按照常规，该到答谢的时候了。但由于为这本书作出贡献的人实在很多，我生怕挂一漏万，所以，在这里，我只好说，感谢所有为这本书付出过智慧和辛劳的人！请理解我这样一种表达谢意的方式。

由于是一本针对北大附小创新发展的个案研究，书中纰漏之处在所难免，敬请读者批评指正。

在本书即将出版之际，写下以上这些文字，是为序。

尹　超

2010年7月

第一章 积淀百年的历史名校

悠悠岁月，沧桑百年。在一个世纪的磨砺中，北京大学（后文中简称“北大”）犹如一面永不褪色的旗帜在华夏神州巍然屹立，在中国高等学府中首屈一指。早在20世纪初期，蔡元培就任北京大学校长时，他力行改革，提倡百家争鸣，使北京大学的面貌为之一新，成为我国新文化运动的发源地。而她的附属小学堂，即现在的北京大学附属小学（后文中简称“北大附小”或“附小”）沐浴她的恩泽，英姿勃发，成为中国基础教育的一朵奇葩。纵观北大附小百年的发展历程，我们大致可以将其划分为四个时期：即初创起步期（1906—1952年）、曲折发展期（1952—1982年）、蓄势待发期（1982—2002年）、开拓奋进期（2002年至今）。

一、初创起步期（1906—1952）

教育实习基地，教学实验园地

1906年，京师大学堂（北京大学前身）教育系为建立实习基地，建立了京师大学堂附属高等小学堂。

20世纪上半叶，四个美英基督教教会在北京开办了一所著名的教会大学——燕京大学，校长司徒雷登（美），校址在现北京大学处。燕京大学建立了附校，包括小学部和初中部，隶属于教育系。附校除教学外还肩负研究、实验、示范和教育系学生实习的任务。教育系一直希望设立一所实验学校作为学生实习之用，但限于校址狭小，直到1923年春才与汇文大学合办了附属小学，称燕大附小。1926年燕大教育系迁到海淀，教员王素意博士组织筹划，在成府蒋家胡同西口的一个四合院里，设立了示范性的三年级小学和幼稚园，王素意任校长，后来扩充到六个年级。当时燕大教职员子女多在成府小学读书，1927年12月，成府小学因经费拮据停办，所有学生均转入燕大附小。1929年，在燕大适楼（现北大俄文楼）的东南方（约在现北大图书新馆处）落成燕大附小新校舍，校舍是一座北京典型的三合院，坐北朝南没有院墙。房子的格局是灰瓦红窗、北房高台阶带耳房，高低错落成三进，与庭院式的临湖轩及其他燕园相类似的中式建筑保持着一致的古朴典雅。教室干爽、清洁、明亮，设备齐全，并设立了初中部。

1949 年初，北平（现在为“北京”）解放。1952 年夏，燕大在院系调整中被撤销，燕京大学附属小学正式更名为北京大学附属小学（注：1952 年大学院系合并时燕大附中归清华大学，燕大附小归北京大学附属小学），共有 9 个班，学生有 370 人，实行六年学制。

在整个创建过程当中，北大附小始终承担着两种重要使命，即作为燕大教育系学生教育实习基地和作为开展教学实验的园地，并在这个过程中，其“生动活泼，别具一格，推陈出新，全面发展”的办学特点逐步凸显。

1906 年京师大学堂开办附属高等小学堂的直接目的，就是为教育系建立教育实习基地。教育系的师生们在此开展教育教学研究，教学实践活动。当时开设的课程有：修身、国语（说话、读书、作文、写字）、算术（笔算、珠算）、常识、唱游、美术、劳作等。学生入学时按其年龄、能力分别编班。

燕大创始人之一高厚德博士很重视教育实习，为了学生的实习、实验、研究和示范，在他主持教育系期间，将附小作为学生的实习基地。因此学校办学之初的各个方面深受他教育思想的影响。第二任系主任周学章博士也对教育实验不遗余力。在他的设计和指导下，附小先后做过两种小数乘法的实验、繁简体字在教学效率与学习效率的实验、珠算笔算加法实习效率实验等。夏仁德博士在任教育系主任期间，常来附小听课，研究语文数学教学方法，检查二年级至四年级学生的视算、听算能力，检查后作小结并进一步研究如何提高学生计算能力。

推陈出新，全面发展

作为燕大教育系的实验学校，教育系运用当时最新的教育理论和教学思想来指导附小的教学实践，使学校的教学很有特色：第一，启发式教学。夏仁德博士主张改变过去那种教师讲学生听的传统方式，要启发学生课前准备问题，课上自由提问。学生思维非常活跃，创造性得到发挥。第二，直接教学法。附小最具优势的课程是英语课，因为教师均为燕大英语系毕业的高材生或来实习的高年级学生。教师很少用中文进行语法的枯燥讲解和分析，而是直接说英语句子，学生在“听”与“说”的反复训练中，掌握句子结构和语法。著名物理学家、附小校友谢希德说：“我要深深感谢附小和附中的就是给我打下了较好的英语基础，使我终身受益匪浅。”第三，以美育完成德育。根据教育系主任廖泰初教授所讲的“蔡元培先生提倡的以美育完成其道德的思想”，聘请燕大音乐系的学生兼任附小教员，还请到北师大音乐系毕业生杨瑞霞等任附小专职音乐教师。其结果是附小处处有歌声，有集体活动时，整齐嘹亮的歌声使人振奋，改变了学生的精神面貌。第四，以体育培养正当爱好。附小的课程中，比较突出的有体育和球类。学校聘请后来成为特级教师的韩化南任教，经常参加校际比赛、区运会和燕大运动会。不少人被选入北京市冰上运动代表队。当年电影“冰上姐妹”中的小演员林盈就是附小校友。体育既增强了学生体质，也把学生兴趣和精力引导到正当活动轨道上。第五，活化课本知识和提高动手能力。各门课程都有新颖别致的授课方法。第六，灵活调整课外作业。学校为高材生准备补充教材，为学习后进生安排补习。综上所述，附小当时的教学特点可以概括为“生动活泼，别具一格，推陈出新，全面发展”。三十年代附小学生、音乐家全如玢说：“整个感觉当时在学习上没有多大压力，可是学得也很好。”

燕大附小有一支优秀的教师队伍。以 1936 年时的资料为例：附小教员一半是师范毕业，一半是中学毕业。附小的级任教师可教本班的各种课程，同时中学教员到附小兼部分课程，还有燕大教育系等毕业生实习，故教学质量相应地很高。

附小的课程设置基本上是依照政府教育部门颁布的课程标准和采用规定的课本，但由于其教育实验的需要，也与其他普通学校有所不同：首先，附小的公民课、卫生课不重书本知识，而重道德训练和习惯培养，并备有数种调查表已被考察；其次，一二年级以唱游课涵括音乐、体育，三年级以上才分开体育、音乐；再次，低中年级设置常识课（社会、自然）和工作课（劳作、美术）；最后，早期附小从三年级就开设英语。

附小招生原则是以少为宜，以利于教学和管理。规定初中班额 25 人，小学 20 人。刚开办时，学生只有 14 人，以后逐年增多，每班最多时达到 40 人。附小的学生主要是燕大教职员子女，教授子女几乎都在此读书，有些是中国现代名人后裔。另外，也有部分清华教工子女和海淀、成府一带的学生。这段时期燕大附小培养的毕业生大约有 660 人。虽然不多，但其中人才济济，如著名物理学家、原复旦大学校长、院士谢希德，著名音乐家全如玢，原香港大学校长马临，中国军用飞机设计师、两院院士顾诵芬，中国女篮国手周懿娴等。

二、曲折发展期（1952—1982）

从 1952 年夏燕京大学附属小学正式更名为北京大学附属小学开始，北京大学附属小学开始了新的旅程，同时，新中国教育的帷幕开始徐徐拉开。

贯彻《五四决定》，狠抓教育质量

1949 年初，北平（现在为“北京”）解放。附小在业务上接受海淀区文教科的领导，在教学上参与海淀中心教学区的活动，共同观摩教学、集体备课等，相互切磋以提高质量。在业务方面，主要学习苏联的“新道德教育”和“学习是儿童创造性的劳动”理论，在教学方式上强调启发学生的思考能力，讲究“教师选择补充的原则”，即根据教材需要选择补充相关内容学习；教学方法灵活多样，如用话剧、对话问答、讲故事、唱歌、图片等方式来教学，质量很高。

1952 年夏，燕大在院系调整中被撤销，燕京大学附属小学正式更名为北京大学附属小学。学校共有 9 个班，学生 370 人，实行六年学制。这一时期，国家非常重视提高国民文化素质，作为解放初期国内儿所著名的大学，北京大学争先响应国家号召，从基础教育抓起，使附小得到了进一步的发展。学校坚决贯彻执行《小学生守则》《小学奖励处分试行办法（草案）》。20 世纪 50 年代，学校明确提出“培养学生勇敢、活泼、健壮及创造精神”。据 1952 年 10 月学校计划显示，学校建立会议制：每学期召开校务会四次（报告工作，讨论计划）；教导会议两周一次，研究学生教育（包括个别生教育）、教学情况等；教学互助组会议每周一次，集体研究备课；经济审核委员会每月开会一次，审核学校经济账目等。附小对教师要求较高，规定“对孩子实行教育时先想‘这点我是否做到了’”。由于燕大的民主传统对学校影响很大，当时师生之间、教师之间、学校与家长之间的关系十分融洽。校长张秀真（1952—1956）因为年轻，被许多教师爱称为“小孩”，学生则称其为“小孩先生”。

1954 年，中共中央转发北京市委《关于提高北京市中小学生教育质量的决定》，简称《五四决定》。决定的中心是提高教育质量，为此提出了六项具体措施。主要包括：明确提出必须使提高教育质量成为学校中广大师生共同努力奋斗的目标，教育局、各个学校和每个教师都要制订提高教育质量的计划；提高教育质量的关键是领导、教师深入钻研教材和教学大纲，为此要组织力量编写教学指导和教学参考资料，用以促进教师的业务学习；对教师的工作要有系统的标准考核，根据学生成绩的优劣和进步速度的快慢来评定教师的工作成绩，同时切实改变对学生成绩考核不严，入学、升级、毕业标准不统一和过低的现象，入学、升级、毕业均须有严格标准；要贯彻全面发展的教育方针，使学生切实做到“身体好、学习好、工作好”；教育系统的领导干部应切实钻研教育业务，成为名副其实的内行；加强党对教育工作的领导，加强对教师的政治思想教育和教师队伍中党、团组织的建设。《五四决定》还强调，提高教育质量必须采取稳步的方针，防止不适当地加重师生的课业负担。

《五四决定》在当时引起很大反响。《人民日报》转发了《五四决定》。中央人民政府教育部向全国各大行政区教育局、各省市教育厅、局通报了北京市委的《五四决定》，指出《五四决定》“是很好的”，希望各地参照北京市委的决定，采取有效措施，积极稳妥地提高中小学教育质量。中共中央批转了北京市委关于《五四决定》的报告，认为北京市委采取的措施“是正确的、必要的”。北京市广大中小学教师对市委决定尤其感到兴奋，认为这是党对中小学教育的关怀，抓住了工作中的关键问题，教师们要求提高教学的劲头大大提高。

为了贯彻落实市委的《五四决定》，市教育行政部门采取了一系列具体措施：市教育局制订了提高教育质量和发展中小学教育的较长期的计划；1954 年和 1955 年两个暑期，市、区教育部门组织几百名优秀教师和专家，编写出约650 万字成套的中小学学科的“授课计划纲要”和“教学参考资料”，印发全市中小学使用、参考；实行全市统一考试和严格招生录取标准的制度，制定了中小学生成绩考查和操行成绩评定暂行办法等地方法规。为了提高教师队伍的整体素质，还大力组织教师进修：利用暑假开办中学各科进修班，为小学教师开办业务讲座；组织教师采取各种方式进行业务进修，如参加函授大学、在教师进修学院进修、通过广播讲授进修等。还建立了教学研究组织，教育局分别设立中、小学教师研究组，并针对各学科教学中存在的问题，举办业务报告会、经验交流会。

学校也把提高教师业务水平和学生的学习质量作为压倒一切的中心工作。为此，北大附小采取了不少措施：第一，领导重视，身体力行。除了各负其责外，规定校长、主任、大队辅导员都要各兼一门课，深入教学一线；第二，安排有经验的教师带徒弟，使青年教师业务水平得以很快提高；第三，采取“抓两头带中间”的方法，根据教师文化水平和工作经验，安排各年级教师；第四，组织教师开展“六好”评比，即讲课好、备课好、批改好、辅导好、思想好、校务工作好；第五，为提高部分教师的文化水平和业务能力，从 1959 年开始，学校开办文化进修班；第六，评价方法也由百分制逐步过渡到五分制。这时期附小教学有几个特点：重视直观教学法；强调“当堂学会”原则；重视实践；以丰富多彩的课外活动推动教学质量提高。

这一系列措施取得了成效。学校领导干部把主要精力放在教育领导方面，重视学生的全面发展。广大教师认真钻研教材，互相学习的气氛浓厚，在教学方法、教学环节上采取了一系列切实可行的措施，启发学生学习的积极性，并巩固所学的知识。学生的学习质量、思想道德水平、身体素质等也都有了明显的提高。

抢抓机遇，加快发展

1959 年，随着北京大学在发展中扩大教学用地的需要，北大附小被迁至北大燕东园南片的王家花园。此地位于北大边缘，极为安静，同时园内苍松翠柏，果木成林，花草繁茂，还有古建。新校于 1959 年动工，1960 年暑假，学校正式搬迁到新校园。新校舍一律为灰色平房，兼有红柱游廊，共有教室 25 间，开辟了专用教室，改善了体育设施，在当时，附小的校园环境、教学设备、体育设施等都堪称一流。随着附小的快速发展，学校的领导机构和管理制度逐步完善，师资力量不断提高。

1960 年春，北大党委制订“小学、中学、大学本科、研究生院”四级办学的远景规划，这给附小的新发展带来难得的机遇。附小的学生不断增加，至 1963 年，学校已经是 22 个班 1051 名学生的大校了。附小以“加强对学生的共产主义教育和道德品质、纪律教育，确保学生共产主义风格逐渐成长，真正成为全面发展的新人”为办学指导思想。重视政治教育，激发爱国主义情感，尤其重视劳动观点和集体主义观点的培养。附小对学生进行品德教育，采取了一系列有力的措施：第一，经常进行“五爱”教育（爱祖国、爱人民、爱科学、爱劳动、爱护公共财物）；第二，加强少年先锋队组织的领导与教育，培养学生“做革命接班人”的思想；第三，引导学生接触社会、服务社会；第四，选举家长委员会主席团，每学期召开 1—2 次主席团会议；第五，高度重视小学生的社会公德教育，当时附小学生尊老爱幼、拾金不昧、爱护公物蔚然成风；第六，开展丰富多彩的少先队活动及课外活动。

十年浩劫，遭受重创

始于1966年的“文化大革命”，给中国人民带来深重灾难。教育首当其冲，深受其害，学校成为“重灾区”。这一期间，各校都批判了“修正主义教育路线”，矛头直指党政领导干部和广大教师。领导干部以“走资本主义道路的当权派”、“叛徒”、“特务”等罪名遭受批斗，广大教师则被诬蔑为“反动学术权威”、“阶级异己分子”、“臭老九”等而受到同样的折磨。教育工作遭受极大破坏，违背了教育规律，破坏了教学秩序，教学质量严重下降。附小也不例外。1967年10月，北大附小开始“复课闹革命”。实行军事编制，年级改称“连”，班级改称“排”。在宣传队的领导下，1970年5月28日，“掀起教育革命的群众运动”开始了。在教学上，宣传队强调“社会主义文化课，课课有政治，事事有斗争，离不开‘纲‘和’线’”。为了搞“教育革命”，宣传队组织教师到工厂农村劳动，接受教育。十余名教师自己编写、排版、插图，自编了《数学》《语文》《英语》《俄语》《革命文艺》等，组织学生学习。课程安排为天天读、政治（高年级）、革命传统、语文、算术、革命文艺、军体、常识、外语、劳动等。那时，每次考试之前，师生要共同学习革命理论，“忆苦思甜，批判修正主义教育路线”；考试方法是师生共同出题，部分开卷，部分闭卷；考试后，用自报公议、“四评”（宣传队、家长、教师、学生一起评）、“三定两补”（定表现、定成绩、定态度，补思想、补成绩）的方法进行学生评定。

1971年5月，在海淀街道组织的统考中，附小成绩很不理想。分析原因有四：学生过多、初中毕业的青年教师过多、学生在校时间长、运动反复太多。针对这种情况，附小于1972年初成立教改组，“革委会”分工三人抓教学，其中一人到三年级蹲点。为了提高教学质量，学校采取以下措施：第一，强化集体备课，变每周两次为每周三次，从时间上给予保证，加强老教师的传帮带；第二，学习外校经验，组织各年级各科教师到外校听课，回校后座谈讨论；第三，开办青年教师文化业务学习班。由于北大附小隶属北京大学，仍然不能得到市区分配的师范生指标，而学生急剧增加，青年教师中有一批初中生，不能适应教学要求。学校试办了文化业务学习班，请中老年教师教授汉语拼音，补习小学算术、初中数学等，并传授教学经验。教师们在教学上更加努力，经常备课到深夜，周日还给学生补课。经过努力，学生及格率大幅提升。

1973 年以后，随着《一张发人深省的答卷》《一个小学生的来信和日记摘抄》的发表以及“马振扶事件”等，教学工作又一次受到冲击，形势再次恶化。

“文化大革命”期间，少先队停止活动，红小兵取而代之。1969 年 12 月 26 日，学校建立红小兵团。活动主要是大批判、讲用会、报告会、追悼先烈和“拉练”。最远的一次拉练，师生们走了 22 天，几乎走遍北京区县。

当时，学校贯彻“教育与生产劳动相结合”的指示，四至六年级学生每学期要到农村集中劳动一周，参加本校半日劳动一周。教师则每年要参加两个月劳动。按照“学校办工厂”“一切有土地的大中小学，应该设立附属农场”的精神，1970 年，附小接管了生物系实验园地，开办小农场。时有稻田 1.5 亩，果园 8 亩（苹果树 170 棵），菜地 2 亩，是学生们的学农基地。学校还办了食堂，同时创办了五七纸盒工厂，工厂可容纳 45 名学生学工（糊纸盒）；之后，工厂转而生产硅堆，当年创收 34 万余元，在学校西面建起两层小楼。1975 年后，五七工厂停办；同年，学校的果园、稻田逐渐被大学收回，用于修建物理楼、仪器厂、印刷厂。

“文化大革命”期间，学校规模继续扩大。因为“学制要缩短”，从 1975 年开始实行五年制。由于中学教育资源不足，五年级毕业生只能留在小学，成为“初中戴帽班”。这种状况在 1979 年恢复六年制以后结束。但附小在“文化大革命”期间，始终坚持北京大学敢为人先，坚持真理的精神，顶着压力坚持开设外语课程，学校规模继续扩大。

拨乱反正，恢复正常教育秩序

1976 年，“文化大革命”结束，学校进入拨乱反正时期。工宣队可学龙暂时代理书记，工宣队撤离后，副书记李朝纲曾主持工作。1978 年，北京大学正式任命部队复转干部贾宏博为校党支部书记，汪惠莲、肖长春为副校长，董振平、孙金英为教学主任。该届党政班子工作至 1983 年。

1978 年 12 月，党的十一届三中全会的召开极大地解放了人们的思想。北大附小党支部号召全校教工团结一致、艰苦奋斗，争取在两三年之内打一个翻身仗，改变附小现状。为此，党支部决定：第一，书记亲自抓教学，把提高教育质量的问题列入重要议事日程。第二，教学干部（正副教导主任）把 5/6 的时间用于学教学、想教学、议教学、抓教学。第三，所有干部要经常性听课，沉到教学中，真正围绕教学开展学校工作，使教学工作从组织上得到保证。同时，附小打破封闭状态，主动与区教研部门联系，积极参加海淀区教研活动，争取在海淀区做课机会，以锻炼教师队伍。为提高学生阅读水平，附小与四季青公社合作，编选了《小学生阅读文选》，受到海淀区各校师生的欢迎。1979 年，北大附小的教学研究工作开展得如火如荼。每学期组织的集体听课达到 10 余次，教研组研究课都在 20 节以上。经过努力，课堂教学有了明显改进。教师在课堂上做到了“有讲有练”，部分教师做到“精讲多练”，充分利用 45 分钟，加强基本功训练，初步解决了过去“教师讲学生看，教师满堂灌”、“学生又听又看，就是不练”的局面。到 1980 年统考，附小已经进入海淀区前 10 名。

北大附小的美术、音乐、体育教学始终在海淀区保持着领先地位。美术课除了运用课本之外，还辅导学生写生，学生创作的不少作品，受到市区少年儿童组织的好评和奖励。1979 年度第一学期，在海淀区书法比赛中，北大附小名列榜首。音乐课在学习乐理和歌曲的基础上，强调“美的教育”。体育课具有悠久的声誉，开始承担接待市区和外省市的观摩任务。

三、蓄势待发期（1982—2002）

1982 年 11 月，北京大学任命董振平为北京大学附属小学校长，从而结束了附小长达16年没有校长（“文化大革命”10年，1976年后由从部队转业来校的党支部书记领导学校）的历史。北大附小面临着师资匮乏，教师队伍的专业化水平有待提高等新的挑战。学校亟须一支精湛的懂教育的教师管理团队和教师团队。为了尽快解决问题，学校采取了以下举措。

抓干部、教师队伍，为学校发展蓄积力量

学校实行校长负责制，党支部起保证作用。党政一把手同心同德把握办学方向，自觉把自己置于全体教职员工、学生与家长的监督之中。校长始终任用能人把关，行政班子坚持例会、学习、生活会制度，参加专业进修，养成自学习惯，不断提高自身修养，全心全意为学校的发展、为学生的成长和教师的成功服务，形成了团结、勤奋、廉洁、创新的工作作风。

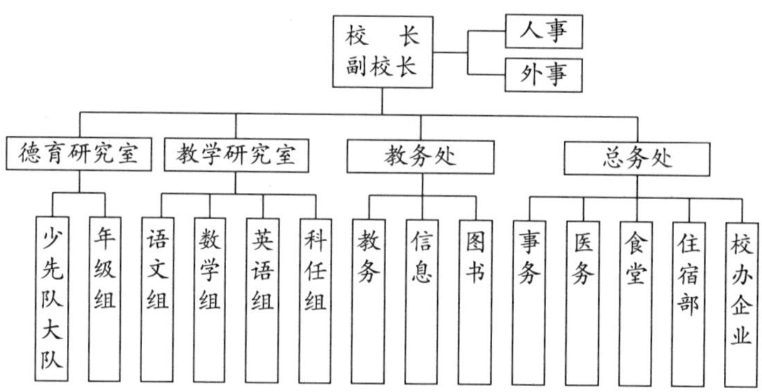

图1　学校管理示意图

截至1998年，依据国家的法律法规，学校对干部教师的行为、结构工资的细则与奖惩、教育教学的具体要求等都作了明文规定，增强了依法办学治教的意识，通过规范、科学的管理，形成“人人有事做，事事有人做”主动有为的局面。

为了提高附小教师师资水平，1983年，学校联合清华附小举办了业余中师班（后并入第三师范中师班），使近20名教师达到当时任教

的合格学历。此后，学校克服困难，通过调课提供进修时间、报销部分学费、给予奖励、送出进修等方法，激励教师提高学历。这样，附小教师的学历由20世纪80年代初低于海淀区平均水平，到90年代初高于海淀区平均水平。

此后，社会上教师开始流动，北大附小凭借良好的声誉，再加上1996年起北大批准附小从大专院校进本科生，学校则严把进人关，让有志者、有智者、有识者汇集学校，有力地促进教师队伍整体水平的提高。

尝试教学改革，走科研兴校之路

高效率、高质量课堂教学是学校教育之根本，是学生身心和谐发展、生活愉悦的保证。附小历来重视课堂教学研究，教学理念不断更新。20世纪90年代，附小确立了这样的理念即"教学中既重视显性的方面，即知识的掌握、能力的培养，又重视隐性的方面，即教给学生本学科具有元认知作用的思想意识、具有智能价值的学科思维能力和具有人格建构作用的各学科品质，把美育、德育寓于整个教学活动中。"课堂上创设心理自由和心理安全的氛围，让学生"自己思索，自己做主"，"用自己的头脑来想，用自己的眼睛来看，用自己的手来做"，引导学生冲破思维定势，体验学习的辛劳和成功的快乐。学校形成了"民主、和谐、求实、创新"的教学特色。

1985年，学校实验《现代小学数学》教材，该教材内容灵活，重视数学思想方法的渗透，有利于培养学生思维品质，由最初实验到1988年在全校铺开，此教材我们使用至今。进入21世纪，教育部推行多版本教材，学校同时尝试人教版、北京版和北师大版语文教材。英语从1998年起，一直使用清华"一条龙"教材。

从1985年起，附小教师自编教材开设计算机课，自此每一个附小毕业生都会计算机的简单操作，学校信息技术教育始终走在全国前列。

附小逐步重视教科研工作，走"科研兴教强校"之路。20世纪80年代中期我们把"培养学生思维品质"和"人人承担育人任务"作为研究课题。到20世纪90年代后，学校参加"学习困难儿童心理因素的鉴定、研究和培养”“小学生学习策略及其实验研究构想”“小学生主体实验”“小学生数学学习主动性与心理素质发展的研究”“回宫格习字法”等国家重点课题的研究及海淀区教科所的“创新教育”群体课题。在专家的指导下，我们坚持理论和实践紧密结合，使教师开阔了视野，认识水平迅速提高，职能观、教学观、师生观、人才观、质量观有了转变，能力不断加强。1996 年，学校参加“学习困难儿童心理因素的鉴定、研究和培养”科研课题，对全校学生进行了 70 项心理素质测试，为 48 名学生开设了“乐观人生课程训练”。学校深刻认识到心理健康是学生成人成才的基础，率先在小学开设了心理导向课。

四、开拓奋进期（2002 年至今）

2002 年 7 月，北大附小新一届领导班子组建，随之召开了为期三天的教职工代表大会。在深入研讨的基础上，全体教职工达成共识：进入新世纪的北大附小，要在继承和发扬百年优良办学传统的基础上，适应北京大学“建设世界一流名校”的发展目标，努力把学校建设成为“以人为本，和谐快乐发展”（办学理念）的“国内领先，世界一流”（办学目标）的名校。为实现这样的办学目标，我们从改善办学条件和建设一支卓越的教职工团队入手。

大力改善硬件环境，保障学校快速发展

我们立足于北大附小现状，对校情进行了系统的分析，最终决定扬长避短，充分利用我们得天独厚的自然资源和人力资源，对学校进行重新整合，整体规划，使其硬件资源得到充分改善。

北京大学于 2002 年 12 月 31 日批准了附小自筹资金兴建 11 666.6 平方米的教学楼及学生宿舍楼的建设方案。2002 年暑假，附小二层周转房开始动工，同年 11 月完工。2004 年暑假，新教学楼建设启动。2005 年暑假，对老教学楼和专用教学楼从内到外地改造和装修，增加用电负载等，使新旧教学楼浑然一体，达到和谐统一。2005 年新学年，

学生全部搬进了被誉为全国第一座生态教学楼的新楼上课，一年四季不出教室就能呼吸到清新的空气。2006 年翻修 20 世纪 20 年代司徒雷登时期建筑的三座欧式小楼。2007 年，操场和地下车库建成，结束了附小长达 11 年无操场的历史。红色的橡胶跑道环绕着绿色足球场，美丽的操场成为了孩子们锻炼身体的乐园。有 100 多个停车位的双层地下车库，不仅满足了现在的需求，而且预留了空间，还为学校举行各种教育教学活动提供了方便。

因应信息技术的发展，学校又投入巨资，改善学校内部设施，完成了校园网络平台建设（www. bdfx. pku. edu. cn），实现千兆光纤接入和校区无线网络覆盖、重建北大附小信息中心（增加教师备课室 1 间、机器人教室 1 间、学生机房 2 间、中心机房 1 间、电视广播制作室 1 间、电教室 1 间、多功能小讲堂，重建 GKE 教室、NC 教室）；完成所有教室和专业教室的音视频、网络终端建设，增建科学实验教室 4 间、音乐教室 6 间、美术专业教室 4 间；逐步完善现有的教学设施、网络设施、教学硬件和软件设施，能容纳 500 人的现代化的小讲堂更是为我们教研、会议、提供了方便的场所。

近年来，附小的硬件设施有了质的飞跃，校园巨变。

打造卓越团队，形成学校持续发展动力

2006 年，附小有 152 名教职工，这样一支队伍需要一种内在的精神支撑，一种自发的驱动力。团队的领导和管理者，则需要站在理论高度上，以战略的眼光来充实附小精神的内涵，也就是团结、凝聚、豁达、开拓、向上、进取的精神，并使之浸润在校园的每一个角落，成为附小人共享的精神宝藏。为此，附小领导班子坚持从以下几方面努力。

坚定不移地实行校务民主

学校管理团队共 10 人，老中青相结合。市区学科带头人、中青年骨干教师和中学高级教师以及获得市区级荣誉的有 7 人，9 人为大学本科学历，其中特级教师 1 人、双硕士 1 人。坚持每一个班子成员都是管

北大附小80年代西侧教室

北大附小新校园鸟瞰图

图2 北大附小校园

理的主体，都是学校的顶梁柱。这样既能广泛地听取各种意见，吸纳多方面信息，使学校方向明确，又能使每个班子成员感受到自己的价值，从而充分发挥聪明才智，创造和谐合作的领导集体。

努力激活和优化内部人事管理体制

学校慎重对待教职工队伍的优化重组，实行全员聘任合同制。教师的转岗、解聘，学校“给时间，留余地，垫台阶”，并且“一碗水端平”，因此做到了人人心服口服，没有留下任何“后遗症”，也很好地强化了竞争意识、责任意识；其二，结构工资方案涉及每一个教职员工的切身利益，学校坚持科学的态度，通过深入细致的调查研究，坚持民主运作，调动员工的参与，稳步推进，使工资调整方案逐步完善。北大附小实行的一系列人事制度改革，规范了管理，调动了积极性，加大了竞争力度，促进了学校管理水平、教育教学水平的提高，形成了成熟的有生命力的人事管理制度。

精心打造情系附小的团队精神

在一个好的团队里，生命影响着生命，心灵融会着心灵。人，只有在自由和愉悦的状态中，潜在能力和创造精神才能得以发挥。学校靠制度和条律管理是必要的；但是，建立在文化底蕴的影响和集体价值认同基础上的隐性管理，才是更持久更有效的。学校长期坚持以人为本的管理理念，实行以“人和”为契机的宽松、民主、和谐的管理模式，用浓浓的“情”字连接附小人的心。

让每一个教师实现自己的人生价值

以人为本，就是关注人的发展，努力促进每个人提升，激励和帮助教师实现自我成功是我们最重要的工作之一。校长和主管教育教学的干部，每学期无论多忙，听课都不会少于100节，做到对每个教师的业务水平心中有数。我们为每一位教师的发展创造条件，规划蓝图，为他们充分发挥自己的潜能、形成自身教育教学特色出谋划策。我们强调教师根据自己的特质，选准突破口，努力成为独一无二的自己。我们的教师不是要“照亮别人熄灭自己”，而是要在照亮别人的同时自己闪烁出更加耀眼的光芒！

北大附小，这所历经百年沧桑的名校，在她的身上深深地印刻着不同时期的历史烙印。虽然百年的路程起伏不平，但始终蕴涵着向前发展的力量。这力量源自北京大学传承的“敢为天下先”的文化因子，亦即创新发展的品格。这种文化因子，这种品格，已经融化在北大附小的血脉中，使得这所历经沧桑的百年老校，仍然充满着蓬勃发展的生机，成为学生倾心、家长向往、社会美誉度高的一所名校。

附：

经过全校师生的努力和奋斗，学校取得了喜人的成绩，并得到了社会的广泛认可和肯定，学校声誉年年提高。学校先后被授予了以下荣誉：

《现代小学数学》教学实验全国示范学校

中华古诗文经典诵读工程全国特色校

全国中华古诗文诵读先进学校

国家基础教育课程改革试验先进单位

全国“六一”杯电脑大赛先进集体

北京市校园环境建设示范校

北京市教科研先进学校

北京市德育示范学校

北京市星星火炬奖

北京市金帆艺术学校

北京市金鹏学校

北京市科技活动先进校

北京市科技教育先进校

北京市健康促进学校

北京市红十字会先进学校

海淀区全面育人先进校

海淀区首批教学管理示范校

海淀区首批教育科研先进校

海淀区首批教育现代化试点校

海淀区德育工作先进校

海淀区校园文化示范校

海淀区信息化建设先进校

海淀区青少年校外教育研究发展中心科技创新研究智能机器人研究基地校

海淀区艺术教育先进校

海淀区科技先进校

海淀区国防示范校

海淀区艺术传统项目学校

海淀区少先队特色工作示范校

海淀区雏鹰大队

首都师范大学初等教育学院教育实践研究基地

第二章 人本、和谐的办学思想与治校方略

办学思想是学校和谐发展的灵魂，确立什么样的办学思想，影响着学校的办学特色。北大附小作为国际著名高等学府北京大学的附属学校，一直以把学校办成一所与北大地位相称的著名小学为目标。

早在20世纪80年代初，附小就提出“教育不仅是为了学生的今天，更是为了学生的明天”的办学理念。20世纪90年代，附小又把办学思想总结为：“全面贯彻党的教育方针，力求通过民主和谐的学校管理、自主探究的课堂教学、丰富多彩的课余活动、以美育人的校园环境，创设宽松充实的学校生活，最大限度地开发学生的资质和潜能，使之具有良好的品德和个性，身心健康，快乐地学习和生活，为持续发展打好基础。”

2002年7月，北大附小新一届领导班子正式成立。我们在继承发扬北大附小先进教育理念和光荣传统的基础上，紧跟北京大学“建设世界一流名校”的发展目标，提出并确立了北大附小“国内领先，世界一流”的办学方向及“以人为本，和谐快乐发展”的办学理念和“宽松、民主、和谐、激励”的管理理念。

一、“国内领先，世界一流”的发展目标

学校发展定位是在综合分析学校发展环境、发展因素和发展条件的基础上所作出的符合学校发展规律且具有创造性、指导性的科学预测和前瞻性把握。它是学校未来的奋斗方向，在学校生存、发展、壮大的过程中起着关键作用。北大附小“国内领先，世界一流”的定位目标是在一定的背景和条件下提出的，它引领着全校师生为了学校的明天而不懈努力。

从国际来看，世界经济已经进入了全球化时代，而经济的全球化以人力资源的国际化作为支撑，要求培养更多的具有国际视野、通晓国际规则、能够参与国际事务和竞争的国际型人才。人才市场需求的杠杆必然推动教育向国际化发展，国际化的教育将更多地以国际标准来衡量学校教育的质量，从而对中国的各类学校和办学机构在培养规格、课程标

准和教学质量上提出更高的要求。在这一背景下，我们的教育应当具有全球战略，开放自己以适应日新月异的变化；我们的学校必须树立国际视野，敢于改革和创新，走出自我，迈向世界。

从国内来看，一方面，随着经济社会快速发展，社会对人才的需求越来越多样化，人民群众对教育的选择也体现出多样化的趋势，这对教育提出了更高的要求，不能适应这一形势变化、不能满足社会和人民群众需求的教育形态最终必然会被淘汰。另一方面，在国家的高度重视和关注之下，我国各级各类教育都在如火如荼地进行着改革。作为教育主阵地的学校也都在不断加强自身建设、提高学校办学质量，学校之间的竞争越来越激烈。

在这种国际国内形势下，一所学校要立于不败之地并不断发展，必须对自己有一个科学的定位，要制订一个长远而鼓舞人心的发展目标。也正是基于此，我校大胆地提出了争创“国内领先，世界一流”的奋斗目标。

一所学校对自身发展目标的定位不能是远离实际的空想，它必须建立在一定的条件和实力基础之上，包括学校的文化积淀、声望、综合办学实力等。在新的时代，我们之所以将学校发展定位为“国内领先，世界一流”，是由于学校经过百余年的发展已经具备了挑战这一目标的实力。

首先，北大附小作为一所具有百年历史的老校，它位于北京大学百年学府之中，继承北京大学自由、民主之风，承载着北大人和全社会对基础教育的深沉期待，必须有更高的目标和追求。其次，作为北京大学的附属小学，它有着得天独厚的自然资源和人力资源。经过百年的发展和积累，它有着深厚的文化底蕴，并创出了特色，有着广泛而深厚的影响力。这些都为它争创世界一流奠定了很好的基础。另外，北京大学这个国内一流、世界知名的学府自身也不断激励着附小师生奋勇前进，使全校师生努力将学校办成一所与北京大学相匹配的一流小学。

在时代的召唤下，在雄厚的基础之上，北大附小为自己确立了“国内领先，世界一流”的发展目标，以不断提高学校的知名度、美誉度及核心竞争力。

何谓“国内领先，世界一流”？这也许是一个见仁见智的命题。我们结合北大附小的发展实际，把它界定为三个维度：即办学理念的先进性、办学条件的适宜性和学校文化的独特性（见图3）。

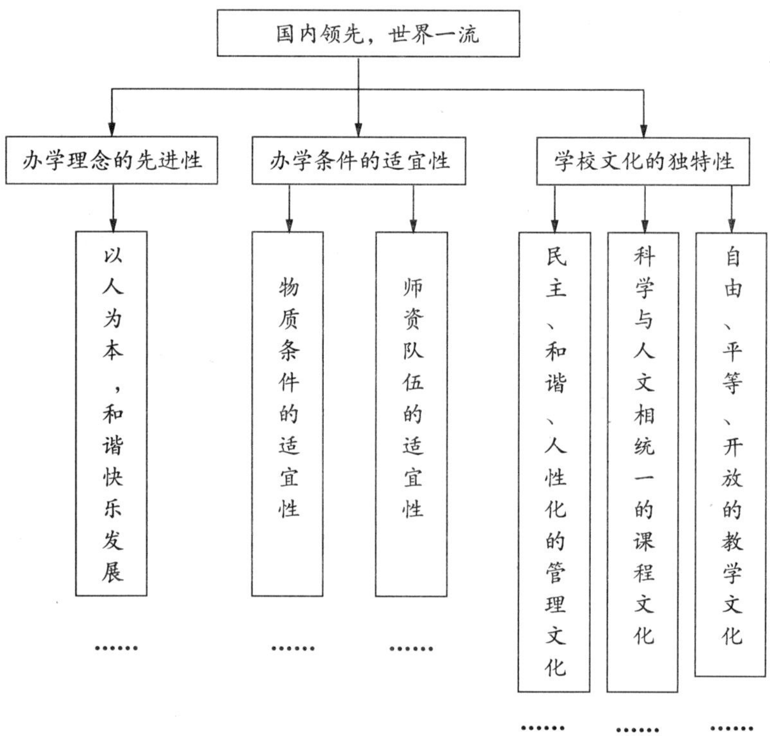

图3 “国内领先，世界一流”维度示意图

先进的办学理念

办学理念是一个学校发展的灵魂。北大附小确立了“以人为本，和谐快乐发展”的办学理念。首先，“以人为本”已经成为党和政府的执政理念，这是我们要坚定不移地贯彻的。其次，无论是马克思主义关于人的全面发展的教育学说，还是我国素质教育思想与实践，其核心都是促进学生全面、和谐发展，亦即身体素质与心理素质和谐发展，科学素养与人文素养和谐发展，知识、能力及态度、情感、价值观和谐发展。

快乐是人的一种生存状态，一段时间以来，我国应试教育盛行，教育的功利主义价值取向甚嚣尘上，片面强调孩子不要输在起跑线上，孩子由苦学导致厌学。而强调孩子的快乐发展正是针对应试教育这种弊端提出的，具有非常强的针对性。

适宜的办学条件

办学条件的适宜性。办学条件包括校舍、教育教学设施等物质条件和师资条件，这是学校得以运行的保障。无论是物质条件还是师资条件，我们认为，适宜的才是最好的。在校舍建设上，我们坚决反对追求奢华，也不简单地提“追求一流”，而是要求一切以适用、耐用为标准，在格调上要与北大相匹配，既古朴典雅、充满人文色彩，又具有现代气息，同时还要与校园成百棵不同种类的树木相映成趣。作为教师队伍建设，一定学历要求是必需的，但更重要的是要让所有教师认可并实践北大附小的办学理念。在教师性别结构上，配备一定的男性教师比例是非常需要的。

独特的学校文化

学校文化是在学校长期发展过程中孕育形成的，反映着学校的精神面貌。北大附小的学校文化有其独特性。在管理文化上，追求民主、和谐、人性化。现代学校管理强调民主管理、分布式领导、道德领导等，其基本精神就是要尊重教职工主体性、参与性和创造性。虽然在学校中规章制度不可或缺，但是以尊重人、关心人为基本价值取向的情感管理，对促进学校和谐发展是不可替代的。在课程文化上，追求科学与人文相统一。科学主义与人文主义相统一是现代课程的重要价值观。科学主义追求“工具理性”，人文主义追求“价值理性”，只有两者的统一，才能造就科学素养与人文素养和谐发展的人。在教学文化上，追求自由、平等、开放。在课堂教学方面，关键是如何对待学生与教师、学生与知识（课本）的关系。在传统课堂里，教师是权威，课本是权威，而学生对待教师要“听话”，对待课本要“接受”，严重地压抑了学生的主体性。这样的课堂不是我们所希冀的，我们要追求的是学生主体、教师主导，课本不是固化封闭的，而是开放的这样一种课堂。

办学理念的先进性、办学条件的适宜性和学校文化的独特性是相互联系的统一的整体，办学理念是核心，办学条件是保障，学校文化是办学理念的实践载体内容和具体表征。

二、“以人为本，和谐快乐发展”的办学理念

学生发展是学校办学的最高目的，也是学校一切工作的出发点和落脚点。在“一切为了学生的发展，一切为了学生的明天”的思想指导下，北大附小确立“以人为本，和谐快乐发展”的办学理念，就是要全面贯彻国家教育方针，面向全体学生，树立全方位育人观，在教育中充分尊重学生的主体地位，使其在自由愉悦的氛围中享受学习，最终实现全面而富有个性的发展。

以人为本

党的十七大报告指出：科学发展观的第一要义是发展，核心是以人为本，基本要求是全面协调可持续发展，根本方法是统筹协调。树立科学的教育发展观，更应该坚持以人为本的教育理念，以实现人的全面发展为目标，努力办人民满意的教育。

所谓以人为本，是指要把人作为主体来理解，突出人在活动中的主体地位，强调人的主体性的发挥；要关注人自身的生活世界，重视人的自由而全面的发展。要把人作为一切事物和活动的最终根据与本质来认识，强化人的意识，树立人是全部历史的首要前提的观念。以人为本的理念，不仅主张人是发展的根本目的，回答了为什么发展、发展“为了谁”的问题；而且主张人是发展的根本动力，回答了怎样发展、发展“依靠谁”的问题。“为了谁”和“依靠谁”是分不开的。人是发展的根本目的，也是发展的根本动力，一切为了人，一切依靠人，二者的统一构成以人为本核心思想的完整内容。

坚持以人为本的教育理念，在学校层面，我们注意以下三方面的问题：第一，以学生为本，面向全体学生，努力促进学生的全面发展和进步。以人为本的科学发展观，要求学校首先要回答“为了谁”的问题。无疑，学校一切工作的出发点和落脚点都是为了学生。第二，以师为本，全心全意依靠教职工办学。教职工是学校的真正主人，他们自身的发展与进步程度、是否热爱教育事业、工作是否积极等都在很大程度上影响着学生及学校的发展。学校必须依法治教，民主管理，发扬光大教职工的主人翁精神，激发大家的工作热情。第三，转变学校管理模式，为师生创建一个民主、和谐、人性化的环境。

和谐

和谐，意为融洽、调和，是一种恰到好处的、协调的、圆满的状态。从社会学角度看，和谐直接表现为各方面的利益关系得到妥善协调，使社会共同体处于融洽状态。就教育系统来说，和谐体现为一种教育生态的平衡，它至少涉及校园内外两大系统要素。就内部环境来说，它体现为校园内教育主体与教育对象之间的和谐相处；就外部环境来说，学校应与家庭、社区和谐相处。

和谐发展是指发展处于恰到好处的、协调的、圆满的状态，这种状态是消除矛盾，缩小差异，实现稳定、有序、协调的良性发展状态，是一种理想的发展状态。学校的和谐发展主要是指学校协调、均衡、有序发展的形态。它不仅包括学校内部各种要素、各种关系处于一种相互依存、相互协调、相互促进的发展状态，也包括学校与社会、学校内部和个体自身的和谐发展。具体来说，学校和谐发展表现为：学校与社会的和谐发展、学校内部的和谐发展、个体自身的和谐发展。

学校与社会的和谐发展。学校教育必须与社会发展相适应，这是教育的基本规律，这种“相适应”，其实就是一种和谐关系。另一方面，学校必须与周边环境、与社会和谐发展。学校教育不是真空，学校必须从封闭走向开放，消除与社会的距离与隔阂，在服务与引领的双重使命下，成为整个社会中最具活力、最能代表先进文化的机构。

学校内部的和谐发展。这主要是指学校内部各个关系之间良好的互动发展状态，包括人与环境、人与制度、教师与学生、群与群、学科与学科、教育教学与后勤服务、组织与组织的和谐发展等。

个体自身的和谐发展。在学校中，个体自身的和谐发展包括学生个体和教师个体自身的发展。第一，学生个体的和谐发展。这主要是指让每一位学生都得到全面、协调、持续、自主的发展。第二，教师个体的和谐发展。指教师的全面协调发展，包括教师思想素质、专业能力、师德素养、教学水平、科研等各方面的不断提升。

快乐

快乐是人的一种精神上的愉悦，是一种心灵上的满足。素质教育的最高境界就是要让孩子们在快乐中全面成长，快乐成长就是生动活泼、主动地发展。

在学校教育中，“快乐”要求我们以学生的愉快发展为本。“为本”，强调学校一切工作都是为了学生愉快发展；“发展”是指全体儿童的发展，是每一个儿童全面和谐的、主动的、生动活泼的、终身持续的发展；“愉快”，是指多种类、多层次积极的情绪体验，是学生持续发展的情感动力，是生动活泼主动发展的外在特征，也是学生发展中追求的目标。

为促使学生快乐地成长发展，我们关注以下五个方面：第一，创设愉快合作的课堂教学；第二，开展多彩自主的教育活动；第三，建立友爱融洽的人际关系；第四，营造优美文明的校园环境；第五，让家长、单位、社会参与到学校教育中，实施统一协调的三结合教育。

“以人为本，和谐快乐发展”的办学理念向我们昭示了一个道理：基础教育的目的不是单纯地要把一个人培养成什么样的人，而关键是他能成为什么样的人，我们如何创造“适合的教育”，充分提供促进一个人发展的条件，挖掘人的潜能，使人最大限度地为明天的发展奠定基础、创造条件。在这一理念的指引下，多年来，我们不断进行改革创新，调动一切积极因素，激发全校的创造活力，使学校的领导者、教职工、学生等各类主体各归其位、各司其职、各尽其能、各得其所，而又相互协调、和谐相处。学校各方面的制度健全、管理有序、安全稳定；校园中，物理环境与人文环境相得益彰；各种设施摆放有度、各种建筑错落有致……学校形成了内和外顺、协调发展的和谐校园，为师生们创设了全面、自由、协调、整体优化的育人氛围。

在学校教育实践中，学生的发展是学校教育的出发点和归宿，也是衡量学校教育质量的重要标准。以学生为本，促进学生和谐快乐发展是建设和谐校园的关键，也是落实以人为本的科学发展观的重要体现。而教师是落实理念、实施素质教育的关键，提升教师的专业素养、促进学校教师的和谐发展是促进学校可持续发展的重要举措。关于教师的发展，本书在第六章对其进行了专门叙述。所以，这一部分主要从学生个体的发展来展示北大附小对“以人为本，和谐快乐发展”理念的实践（见图4）。

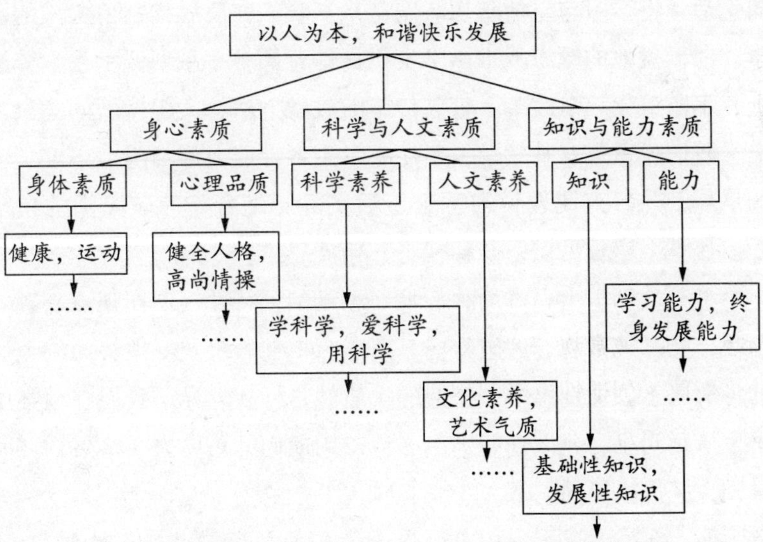

图4　学生以人为本，和谐快乐发展建构图

和谐快乐的课堂：引导学生享受学习

学生在学校的主要任务是学习，走出校园之后，还要终身学习。因此，我们认为，小学阶段最重要的教学任务是让孩子们学会学习，学会享受学习。对学习的兴趣和热爱比成绩本身重要得多。把学习的主动权还给孩子们，努力创设和谐的教学氛围，是他们享受学习、感受快乐的关键。课堂教学是学校实施素质教育的主渠道，是学生全面和谐发展的最主要环节，学校从多方面入手为学生营造了和谐快乐的课堂环境。

第一，创设和谐的教学氛围。我们非常重视发扬教学民主，把课堂教学变成师生共同探讨、共同受益的过程。在我们的课堂上，学生可以畅所欲言地提出不懂的问题、不同的看法，可以收集各种资料论证自己的观点，可以自由平等地与老师讨论，甚至辩论。我们的老师为了调动孩子们参与学习的积极性，经常“放下架子”，转换角色。民主、平等、和谐的课堂气氛，保护了孩子求知的积极性，点燃了孩子们创造的火花。

第二，坚持课堂教学与生活实际相联系。让生活走进课堂，让课堂走向生活，将学习与生活密切联系起来。我们在反思批判填鸭式的课堂教学、铺天盖地的题海战术、学生机械性背诵等一系列课堂教学弊端基础上，不断深化教学改革，打破传统的教学方法，大胆做新的尝试。课堂上，我们既重视双基教学，又注重学生各种能力和情感、态度、价值观的培养，并努力使教学与学生生活实际相结合，冲破课堂的狭窄空间，以使学生增长见识、开阔视野、拓展思维。

第三，鼓励学生思维的独特性。思维的独特性表现在观点新颖、别出心裁，能打破常规、冲破常模，不受习惯性思维及习惯势力约束。独到的见解属于创造性思维，创造的实质就是标新立异。我们在教学中鼓励学生质疑问难，允许他们别出心裁，用他们的角度去观察事物之间的差异，大胆提出不同见解。

第四，在教学过程中积极引导学生想象。想象也是一种创造思维，具有创新的内涵和特质。在教学中，我们尽量唤起学生头脑中储备的有关表象，引导他们或延伸故事情节，或补充课文内容，或深化文章主题，从而加速他们再造想象向创造想象的转化。

第五，在课堂教学中使每个孩子受到激励。和谐教学体现在对课堂效果的追求上。我们认为教师在课堂上最大的成功是激发全体学生的求知欲望和学习兴趣。教师的眼睛要看到每一个学生，教师的语言要激励每一个学生。教师要引导他们在主动地参与、积极地研讨中寻求答案，尽情地展示自己的才能，充分地表达自己的思想，勇敢地阐述自己的观点，真诚地表露自己的感情。教师要从每个孩子的回答中发现他们的闪光点，既要表扬学习好的孩子，更要鼓励和欣赏学习一般的孩子。

下面是一位老师和学生的真实感受和真情流露。

在“没规矩”中成长

教师　　任　辉

她（学校）努力地让我幸福，让我能够在“没规矩”中自由自在地快乐成长，同样她也希望我能让我的学生无拘无束中快乐地成长，我自然义不容辞。

学生直呼为师者的名号，似乎在外人看来“没规矩”，但我每接一个新的班级，我总是把名字写在黑板上让学生知晓，告诉他们，直呼老师的名字或称老师都可以，只要他们愿意。我认为，当自己的言传身教教会他们做事做人时，我就是值得他们尊重的师者，当我与他们分享悲喜时，我就是他们身边那个能够直呼其名靠着肩膀倾诉的友人。

在课堂中，学生可以无须举手就可以发表意见，可以自由去欣赏别人的作品并讨论，可以推翻老师的意见……这似乎实在是“没规矩”。但如果这一切能够让更多的学生积极参与课堂活动，让他们真正投入其中，乐而忘返的话，何乐而不为呢？因此，我允许他们自己任选座位，自由结合，互相配合完成任务；允许他们时时讨论、交流，发表意见……我慢慢地发现：孩子们在自由中学会了知识，学会了分享、合作，孩子们与我越来越融洽，我们的课堂气氛越来越好，课堂教学效果也随之越来越“尽如人意”。

孩子们千差万别，有的思维敏捷，动手能力强；有的善于发言陈述，语言表达能力强；有的活泼开朗，善于交际；有的文静内向，秀外慧中。在“没规矩”中，我发现了孩子们不同的特质：他善于组织领导，他善于规划，她善于整理记录，她善于发言讲解……每个孩子都是一块金子，每个孩子都拥有巨大潜能……

我的老师我的班

六（6）班　　张一多

沃（沃丽梅）老师是我们的数学老师，她是个满面春风、热爱生活的老师，我们都亲切地称她为“沃主席”，那是把她直接拉进我们学生圈，她是头儿。我觉得沃老师的课有时不像数学课，很多故事和生活的趣事充盈其间，让我和同学们会突然间觉得那个数学话题挺有意思。上“圆”这个章节时，她一进课堂就开问：“你们知道伏羲和女娲吗?”“知道”，全班回答。“那你们看过伏羲和女娲图吗?”“看过”，五六个人回答。“谁能告诉我他们手里拿着什么?”鸦雀无声，没人回答。“你们看……”，天啊，女娲手里竟然拿着规和圆，这是我们怎么也想不到的，我瞪大了眼睛，心里有一百个为什么……那一节课，我对“圆”的兴趣立刻被勾了上来，自然就没有学不好的道理了。你瞧，我们的数学课穿梭到几千年前，还联系着古文化，有意思吧!

说起最热闹的课，那还要数英语课堂最“风流”了！那里经常成为我们展示和演出的平台。范冰老师就像一位总制片兼明星女主角，她常常带着各种道具，扮演各种场景里的角色，把我们的英语学习融入到场景里，范老师用场景、动作和手势教给我们很多花样背单词，学句子，我从来都没有感觉到学英语难，有时还有点骄傲——“It is piece of cake !”（小菜一碟）。我出演的最有意思的角色是我们根据《白雪公主》和《哈姆雷特》改编的六（6）班版本《黑王子》，我手握长剑，一口流利的英语，置身于剧中，俨然就是个地道的英国小王子，沉醉在同学们的喝彩声里……这是我的骄傲，也是范老师的骄傲……

我们班的课堂，热情高涨，发言积极，为此我们上过无数节研究课，同学们竟然会因为在课上没有机会发言，而在课后找老师理论，多狂热！每年的新年联欢会是我们班最热闹纷繁的时候，大家都自编自导使出绝招，真是八仙过海各显神通……

校本课程：拓展学生和谐发展的空间

我们以校本教研为起点，以校本培训为中介，将校本管理贯穿始终，努力开发校本课程，促进教师和学生的共同发展。从 1984 年起，附小教师编写的《LOGO 语言》《QBASIC 语言》和《小学信息技术》一直是学生信息课使用的校本教材。目前，学校从时代对人的不同信息素养的要求出发，正与清华大学出版社合作开发编辑 WPS 系列学生教材。2005 年，重点开发具有学校特色的乐高机器人系列教材和电子制作系列教材。特别是多年来附小开展的“三层次数学教学试验”是《国家课程标准》基本理念的最好体现，它主张“人人学有价值的数学，人人都能获得必需的数学，不同的人在数学上得到不同的发展。”一是作为基础的数学课堂教学，满足所有学生的需求，使全体学生达到教学的基本要求；二是数学思维训练，满足部分学生要求，进行专项的数学思维能力培养；三是数学兴趣小组，满足少数学生的需要，进行奥林匹克数学知识的集中学习。关于两个层次的数学学习，学校编写了校本教材：《小学数学思维训练》《北大奥数少年》。校本课程的开发促使教师始终在研究、探索的状态下工作，用心去思考，教学服从于社会的发展和学生的呼唤。

以美育德：让学生知识与素养和谐并进

长期以来，北大附小坚持以美育德的优秀传统。

（1）营造快乐和谐的育人环境

北大附小地处清代王家花园，占地面积 24800 平方米，是一所拥有百年历史、环境优雅的绿色校园。园内苍松翠柏、花木繁茂。一栋呼吸着时代气息的生态教学大楼，与明清古建、欧式别墅交相辉映，传统与现代完美融合，处处充满儒雅气息，彰显着百年老校的厚重、大气与祥和。

校园的植被，经过精心设计与巧妙搭配，舒展出一卷花季交替、色彩变化的生动画面。春天，海棠、刺梅争奇斗妍，丁香、梨花暗香叠送；夏天，合欢、梧桐树影婆娑，榆树、国槐郁郁葱葱；秋天，枣树、柿树硕果累累，黄栌、银杏浓淡相宜；冬天，马尾松、白皮松苍翠依旧，油松、侧柏傲立雪中。近几年，学校又增添了400多棵绿竹、十多棵龙爪槐和玉兰树，还有大量的珍珠梅、榆叶梅、金银花、迎春花、红瑞、连翘、大叶黄杨等灌木，使学校真正成为四季常绿，三季有花的“绿色校园”。庭院深深，曲径通幽，红廊绿影，古木繁花，少年学子穿行其间，风吹叶动，书声琅琅，构成校园最富生机的风景。

北大附小校园之大气堪称一绝，所到之处，妙笔生花，从庭院的绿化到教学楼的设计，无不体现了自然、科学、文化的和谐统一。

学校的整体规划和建设以人为本、崇尚科学、崇尚自然。被誉为全国第一幢科技含量很高的生态教学楼，被学生们形象地称为“会呼吸的教学楼”。在校园建设过程中，学校不仅对校园内百多棵古树原封不动，保持其自然状态，形成生态教学楼倚树而建、错落有致的独特格局；而且还专门为保留在教学楼内的一棵古松量身定制设计建筑方案，使其独秀一支，兀立在阳光大厅之中，尽显“生态”特色，让清流美石伴其左右，几尾金鱼畅游其间，显现出灵动的生气……这样的育人环境，独具匠心，动静相宜，形成了天人合一、恬静雅致的境界。

从室外到室内，处处可以看到附小师生对自然的亲近。走进各个教室，从陈列的物品到绿植花卉的摆放都巧用心思、新意迭出，不仅美化了环境，丰富了学生的植物养护知识和动手能力，还营造出了轻松、和谐又极具班级文化特色的学习空间。

清新雅致的校园，为孩子们提供了释放自由身心、健康快乐成长的空间，是学生陶养身心的乐园。

（2）组织丰富多彩的活动

附小一直致力于传授文学、艺术等表达人们崇高愿望的人文知识，

图 5　学校是孩子们展现天性的生态乐园

塑造每个人潜在拥有的人文精神。学校有多项传统的群众性文体活动。近八年，学校举办了《大红绸舞起来》《花枝俏》《国粹飘香》《北大少年唱响奥运》《京腔京韵中国娃》《博雅乳燕飞，京韵扬国粹》等多次大型演出。演出中没有一个学生是纯粹的观众，人人参与，个个展示。2004 年“六一”儿童节，我们在北大礼堂举办隆重的《大红绸舞起来》综艺会演，原全国人大常委会副委员长、全国妇联主席顾秀莲等领导参加了我们的活动，并亲自接受附小孩子为“献给西部母亲水窖工程”捐赠的 7 万余元。大会从始至终台上台下两千多师生互动，全场洋溢着激情。顾主席拉着校长的手久久不放，激动地说：“没有想到活动规模这样大，节目这样好，北大附小这样出色。”我们的演出在中央教育台全程播出，凤凰卫视、北京电视台和多家报纸纷纷报道。

附小 50 多个兴趣小组，吸纳了全校多数学生，保证了学生全面发展与学有特长的和谐。三朵民族艺术“小花”——民歌合唱团、民族舞蹈团、娃娃京剧团奏出新的乐章，先后到法国、日本、新加坡等国家演出，传播中华民族的灿烂文化。诵古诗文活动长期开展，每个学生都是古诗文诵读团的成员。学校连续被授予“全国诵读中华古诗文示范校”。

科技活动是附小的一道亮丽风景线。代表现代科技发展的电脑机器人、计算机、车模、电子制作、航模、无线电测向等活动开展得有声有色，多次代表北京市参加国内国际大赛获得金奖。学校的棒球、篮球、武术等课外小组也是虎虎有生气，多次赴外交流。

北大附小网站在师生们的共同努力下，办得颇有特色，深受学生与家长的喜爱。2003 年 4 月 16 日，温家宝总理到附小视察时，对学校网站给予了充分的肯定。网站现已成为“中国少年儿童信息研究基地”的示范窗口，并获得北京市“优秀网站奖”的光荣称号。

多种活动的开展，为孩子们打开了多彩的学习生活世界。他们在获得个性发展的同时，也在潜移默化中接受人文思想的陶冶，丰富自己的情感世界。我们相信，小学时代形成的兴趣特长，必将对孩子们今后的人生发展之路产生重大影响。

家校携手，开放办学：促学生全面健康发展

苏联教育家苏霍姆林斯基曾说：“只有学校教育，而无家庭教育，或只有家庭教育，而无学校教育，都不能完成培养人这一极其细致、复杂的任务。”可见，只有家庭教育和学校教育密切配合，才能促进学生的健康成长。因此，北大附小采取多种措施，帮助家长实施家庭教育，并不断畅通家校交流的渠道，多维联合，构建家庭与学校教育的互动格局。

第一，定时召开形式新颖、内容多样的家长会。家长会上，教师和家长会针对学生的学习状况、个性特点以及身体状况等进行交流，有时还会组织学生也参与到交流当中，开展三向交流。同时，除了每学期定时召开全校家长会以外，学校还会在特殊时期专门召开新生入学家长会和六年级家长会。通过这些交流，使教师了解学生在校行为和态度的各种背景，以更好地对学生开展教育。

附：家长的话

为北大附小喝彩——家长会有感

家长会上，孩子老师的话语给我留下了极其深刻的印象。摘录部分“名言”如下：

每个星期都请你抽出时间来“欣赏”孩子的作业；

如果孩子给你打电话让你送作业本，你千万不要给他送。我会让他们写“说明”；

我们不跟其他学校比作业量，我们更重视作业的效果，更重视作业的针对性；

少留重复的家庭作业，徒劳无用。要让孩子沉下心来，投入地看书；

不要在孩子面前表现出大喜大悲！比如孩子考了100分你比谁都高兴，看到孩子不好的分数，你比孩子还难受；

不要怕孩子出错，要把错误看成财富；

不要责怪孩子不好的成绩，要让孩子敢于把问题暴露在你面前；

体育课比我班主任的语文课更重要！我绝不会占用体育课来上语文课；

别为鸡毛蒜皮的小事烦恼，要心胸开阔，学会宽容。不愉快的事情赶快忘记；

快乐是自己创造的，是自己寻找的，不是别人送的；

……

这些引起我深深共鸣的、至今为之感慨的诸多理念与做法，使我为与北大附小结缘、为孩子能在北大附小度过他/她的童年时代而感到由衷的喜悦。从老师们的话语中，我们看到的是他们极高的专业素养和专业精神，以及他们在工作、生活上的相当高的幸福指数（谈起他们自己的孩子，同样是两眼放光哦）。在他们的眼里，没有后进生，没有差生，有的是学生们每一天的成长给他们带来的快乐。我确信，他们给予学生的，不只是知识的增长、能力的提升和做人的道理，更是生命成长的快乐以及积极乐观的人生态度。所有这些不正是我们所努力追求的吗?

由此，我为北大附小喝彩！为北大附小这一大批优秀的、有着先进教育理念的老师们喝彩！

第二，建立家长学校。结合学校的工作计划和家长的需求，学校经常聘请专家为家长做各种讲座，向家长传授关于家庭教育的意义、如何对孩子进行品德教育等家庭教育知识。如我们聘请了中科院的张梅玲教授、北京师范大学心理学院钱志亮教授、儿童教育专家卢勤“知心姐姐”为家长们做报告，受到了家长们的热烈欢迎。

第三，设立家长开放日。北大附小将校园开放日活动作为向社会展示学校办学特色的窗口和平台，每学期都会进行一次，并将其主题定为“走进北大附小，走进孩子，共同关注孩子的成长，体验优质和谐”。通过开放日活动，社会更多地了解了北大附小的教育教学特色，同时充分体验学校的人文教育理念。特别是开放日的设立，充分体现了北大附小开放办学的学校管理特色。

第四，建立家长委员会。学校组织各年级和班级建立家长委员会制度，以充分调动家长参与学校教育管理的积极性。到目前为止，家长委员会帮助班级开展了组织参观、进行拓展训练、召开小型运动会、各种联欢会、开展竞赛等多种活动。同时，还举行了多次丰富多彩的各种家长讲座会。其中，仅围绕有关生命科学、西藏环境、地质、生物等方面的讲座就有将近十次；还有经济教育、天文、航天事业、文学研究等方面的讲座；有的家长还利用自身专业知识专门为学校的语文教师开发了拼音教学辅助软件，非常便捷、好用。另外，家长委员会还抓住各种机会，主动配合和帮助学校完成多种活动，达到了很好的教育效果。

第五，充分利用网络，实现学校、教师与家长之间的有效沟通。北大附小充分发挥现代网络技术在学校开放办学、家校合作中的作用，通过校园网络，使家长与学校、家长与教师以及家长与家长之间实现了真正的开放式交流，易于大家充分发表自己的看法，而且还弥补了打电话、走访等只能面向个别或部分学生的缺陷，为学校与家庭、教师与家长之间的沟通工作创造了一个全新的空间。

当然，网络的开放性是一把双刃剑，“网络家校合作模式”在给学校、家长、教师带来以上诸多益处的同时，也会因此催生一些比较棘手的问题。而在北大附小，管理者们却不把这些问题当作困难，反将其视为财富。

北大附小的“家长论坛”参与讨论的人数最多，帖子数量最多，分歧和争论也最多。家长总是源源不断地将问题、意见、建议抛给校方。一人发帖，往往会有很多人跟帖附和。例如，有的家长质疑学生五点半到校参加活动的要求是否得当，有的家长批评老师撕学生作业本的做法，有的家长建议学校实行朝九晚五的作息制度，等等。

对家长提出的任何问题或反映的任何事件，学校从不回避，因为北大附小一向坚持和发扬民主、自由、开放的文化。北大附小人认为，有争论才有反思，有批评才有改进，家长畅所欲言恰恰能够监督学校办学质量，是学校优化发展不竭的动力。

正因为这样一种管理理念存在，北大附小的“网络家校合作模式”最终没有流于形式，而是实实在在地发挥着作用。学校教学副主任孙雪林老师专门负责给家长回帖。王丽萍老师很体谅地说：“他回帖绝对是最具挑战性的脑力活儿，回复不当家长不高兴，不予理睬家长也不满意”。即便如此，孙主任从来没有一句怨言，总是细心地看每一帖家长的留言，耐心地向家长们说明情况、和家长们共同讨论。因为在他看来，家长的每一条意见都值得重视，对于家长的直言纳谏，学校应该虚心接受，有则改之、无则加勉。

多年来，家长们积极的建议总会得到校方的珍视和采纳，个别家长片面、过激的言论也会在众多教师和家长们的共同解释和劝服之中逐渐平息。偶有误会和摩擦，也是由于家长和学校的教育理念不一致，或是家长对学校的情况不了解，而这些都可以通过充分的交流与沟通来调和解决。

北大附小家校合作的“网络模式”历经十年磨砺，贯穿始终的管理理念只有一个：只有容许最大限度的沟通、交流，才能实现最有效、最愉快的家校合作。事实证明，这样的合作获得了多方信任与好评，令家长、教师、学生和学校管理者受益匪浅。

下面是一则具体网络讨论案例。

由“老师怀孕”事件引发的讨论和思考

孙雪林　整理

我下面要讲的故事，用文字叙述起来比较长。因为文字的作者并不都是我。这是我做学校家长论坛版主时经历的一个不大不小的事件。那些日子里，时常被关注这些事件的人和事所感动，也学到了很多。我想，和我一样，对于关注这些事情的所有家长、老师、同学，同样曾经被感动过。

2008 年 12 月 11 日凌晨，平静的论坛被一帖激起千层浪花，很短时间内点击量就超过了 2000 次。一位署名为“萍萍”的三年级学生家长发了题为“**北大附小三年级——孕者可否……？**”① 的帖子：

孩子的事就是大事！最近几个单元考试，孩子连连考回来“良”，这个“良”字，老师轻轻而划，可给了家长重重的警示，我们有些心急如焚，怎么辅导孩子就是考不好。三年级，是多么重要的一年，承上启下，可就在这学期班上被换上了怀孕的班主任，我们家长们毫不否认老师的教学能力，而且她曾经也教得很好。可领导们考虑过没有：再强的能力要有时间体现价值才行呀！孕育孩子也是老师的一件大事，可身体负担重，又要面对 80 多个孩子，孕者精力有限，又不能长坐，教学任务繁重，再加上孕妇抵抗力低，难免三天两头生病，又不敢乱吃药，带病工作多么痛苦呀……三年级的孩子还不能完全具备自学的能力，语文又是一个需要反复强化、多多拓展的学科，试问：老师身体不适，除

① 原文较长，略有删减。
原帖地址：http：//bdfx. jjtang. com/read－htm－fid－2149－tid－238951－fpage－6－thg-type－forum. html

了课堂讲完，又不再有时间辅导孩子，中午的管理班更不能指望老师再指导复习，老师需要休息呀……虽然孩子学习好需要家长、孩子、老师三方面的共同努力，可老师是教育者、专家，最懂得如何教导，如何抓住重点，孩子又最听老师的话，老师的多次复习辅导必会有好的效果，而且这几个单元考试中，除了每课必学的生字外，学生丢分最多的是其他认读字的掌握及阅读上，老师如果时间充裕一定会挤出时间讲完正课再拓展这些易错点，只有老师的紧紧把关孩子才能重视起来呀！当然，考试时孩子马虎也是原因，正因为没有紧张的学习气氛，一部分自控力差的孩子就会松懈，我们多么需要精力充沛的老师呀！

我们慕名而来，是喜欢附小人性化、开放化、智慧化、高水平的教学风格……而孩子没有打好坚实的基础，没有掌握该掌握的知识那是最大的悲哀呀！请问，有着悠久历史的北大附小就这样“误人子弟”吗?!

我们并不认为老师就不能怀孕，相反我们家长都祝福老师，希望每位老师都心想事成。只是校方在教学安排上应考虑到这一点，怀孕教师可以做助教、后勤等工作，放在一线做班主任确有不妥，且不说孕者精力有限，再者一到生孩子又得换老师，对孩子们影响不小呢！

现今是以人为本、与时俱进、落实科学发展观切实实行阶段，这样的安排恐怕并没有以人为本，恐怕也不科学吧！希望领导予以重视，让孕者安心养胎，派出更有精力的老师，带领孩子们尽快恢复自信，驾驭好知识的骏马！

心情有点儿激动，可怜天下父母心，不妥之处敬请谅解，我们的目标一致——为了孩子呀!!! ……

【版主按】显然，这是一位非常负责任的家长。她（我估计应该是孩子的妈妈）非常关注孩子学习，看重孩子成绩。几个单元考试的“良”让家长“心急如焚”。而同时也把孩子成绩下滑的主要原因归结于老师怀孕，认为孕者“精力有限”，不能在课堂外再“多次复习辅导”，孩子考试马虎也归结于“没有紧张的学习气氛”。希望校方能够换“更有精力”的老师来。最后她还提到“我们的目标一致——为了孩子呀!”。当时，作为老师，我在想，我们的目标肯定是一致的，但为了孩子的什么呢？这一点上我们一致吗？

接下来的几天，众多家长发表了自己的看法，其中有支持的，如网名“公为正”的家长于2008—12—12 13：37跟帖说：

作为家长，孩子的学习成绩下降，或者在这重要的关键年级段，不良的学习习惯也将影响将来，着急！非常理解和同情这位妈妈！

但更多的家长在理解的同时也持另外一种意见。如网名“xihema”的家长 于2008—12—11 11：00跟帖：

除非是怀孕老师自己提出不能胜任目前的工作。否则校方随意调岗，她是有权申诉的吧。怀孕女工受劳动法保护。其实，从另一个角度讲，我们的孩子没什么机会近距离接触孕妇。**这是他们体会妈妈当年辛苦的好时机。**倒是该提醒他们小心不要碰到老师的大肚子。

再如网名“i366999”的家长于2008—12—11 13：59跟帖说：

家长心情可以理解。同时也可以考虑以下几个问题，从不同的角度得出的结论不一样吧：

1. 首先说明，女老师（包括北大附小的女老师）怀孕并不可能都安排在开学之初，怀孕后还给安排带几年级。这个在操作层面上也比较困难。原因很简单，校领导不能实时了解女老师的生理状况。

2. 孩子的教育是学校与家长共同教育的结果，不能认为家长将孩子送入好的学校就万事OK了，从某种程度上讲，家庭教育是孩子成长中最重要的一环，否则在家庭教育情况基本相同的情况下，加上现阶段中国学校的传统式的教育，学生应该没有那么大的差异。

所以孩子得个“良”就“归功”于怀孕的老师是不公平的。

再如网名“sunnya11566”的家长于2008—12—12 14：09跟帖，问题直指国家教育制度：

我孩子也经常得良，但我认为他能掌握这么多知识我已经感到很满足了，我觉得他的成绩应该得到更多的肯定，如果我是老师我会给他评优，可能是现在的老师对孩子要求太高了，动不动就给个良，打击孩子的学习积极性，容易让孩子丧失信心，这应该是学校该提醒老师的。我们国家的教育真是一个悲哀，7岁的孩子就要开始背负升学的竞争压力，问题不在孩子和老师，同情这位同样背负升学压力的家长。

我们既然选择了北大附小要快乐教育，就应该少一点功利心。

希望北大附小能坚持自己的理念，不要被升学这点功利心搞得不知所措。

让人感动的帖子出现在2008年12月13日14：44，网名“杰克老狼”的家长说：

我们这些做母亲的，都经历过十月怀胎，回想一下那时候老板和同事是怎么对待和看待我们的，那些温暖的关怀和照顾让我至今心怀感激和难忘。

孩子们能接触到怀孕的老师，理解做妈妈的辛苦，是多么难得的教育机会啊。

成绩上的优良和以后学会的做人道理相比，哪个更重要，就看每位自己的评判了。

[**版主按**]“理解做妈妈的辛苦”，说的多好啊，我们总是说要给孩子“爱”的教育，“爱祖国”“爱人民”“爱家乡”——但我们首先应该让孩子学会的应该是“爱妈妈”！在中国独生子女政策环境以及一切以孩子为中心的传统观点情况下，我们给了孩子最大限度的“母爱”“父爱”……然而孩子真正理解爸爸妈妈爷爷奶奶们的辛苦付出吗？“成绩上的优良和以后学会的做人道理相比，哪个更重要？”我想“杰克老狼”自己已经有了答案。

没想到的是，更让人感动的事情还在后面。还是13日这一天的22：50，网名“gyh08516”另开新帖发表了“抚摸在老师肚皮上的小手”①，原文如下：

我们当妈妈的都清楚，怀孕是我们最艰难，也是最幸福的人生经历，每一个孕妈妈应该得到最美好的祝福！

看了回帖，想起了很久以前自己怀孕时阅读的一篇文章：美国一位

---

① 原贴地址：http：//bdfx. jjtang. com/read – htm – fid – 2149 – tid – 240829 – fpage – 5 – thg-type – forum. html

小学老师怀孕了，老师定期告诉同学们小宝宝在她的肚子里成长的情况，还让孩子们去摸她的肚子，感受小宝宝的活动。家长们惊讶地发现，孩子们懂事了，调皮的孩子不再惹老师生气，欺负同学的事情也越来越少，体贴爸爸妈妈了，还有孩子到图书馆借了很多关于怀孕和如何照顾孕妇的书籍。孩子们自发地照顾起老师。我还记得那篇文章的插图，照片的中间是一位笑眯眯的女老师，挺着圆圆的肚子站在孩子中间，孩子们的小手抚摸在老师的肚皮上，站在高处的孩子搭着老师的肩膀咧着嘴对着镜头笑。好多年以后，这个学校惊讶地发现，那些曾经照顾过、抚摸过老师肚皮的孩子，他们的生活都非常美好！他们理解、宽容、热爱生活。

我们这些当妈妈的，应该教会我们的孩子去关爱师长，要想想，**这个班的孩子多幸运啊，能够经历一次生命的奇迹，见证一个生命的孕育和诞生，能够像那群美国孩子一样，去感受、去关怀、去感恩自己的长辈，尊重身边的人和事，这是多么好的事情。**

希望这位孕妈妈班主任老师，也能够像那位美国老师一样，勇敢告诉孩子们，您怀孕了，您会遇到很多生活困难，您会需要更多的理解和关爱，您会像孩子一样需要得到帮助。你还会要短暂离开孩子们去生宝宝！当然，告诉孩子们，他们确实能够帮助老师！如果这样，孩子们就得到了一次一生中最难得的“爱的教育”。

这是我理解的北大附小的教育模式的一部分！美国老师能够做得到的，北大附小的老师应该能够做得更好。

［**版主按**］这是一篇至今点击量超过2500人次的帖子，当然，像我一样很多人可能点击了不止1次，有家长，有我们的老师，因为每读一次都会被“gyh08516”的教育远见所打动，会被她真切的言语所感染，会被她对附小的那份信任和希望所激励！这个帖子的回复并不多，但每一条回复都表明发帖者受到了强烈的震撼，引起了共鸣：

这是一篇很好的文章，如果我的孩子在这个班，我想她会得到更多，其实不要为分数担忧，孩子懂得爱别人的能力更重要。——by 我是福福妈妈

教育的眼光要远些！成绩并不是最重要的。——by 学习爱

许多家长为这位怀孕的老师送上了最真切的祝福：

希望校方注意安排怀孕老师的工作，降低其劳动强度，多给予关怀！大家不要再给其任何压力，让老师安然度过她一生中最幸福的时刻，祝愿她生一个漂亮、聪明的宝宝！——by 学习爱

让我们共同祝愿这个班的孩子在“爱的教育”中茁壮成长，祝愿这位准妈妈班主任健康，幸福，永远开心！——by shymm

爱的世界，博爱的教育，是我们的最爱。祝怀孕的班主任保重身体，注意休息！希望您带的班级在您的带动下更有爱心，更茁壮成长！——by 元元波波

事业家庭兼顾的妈妈们都是很辛苦、很伟大的！这位班主任老师，加油！——by oneal28

再看看我们孩子的表现吧：

我跟孩子讨论了一下老师怀孕的问题，他说：如果有怀孕的老师，他会关心她，并表现得更好，不惹老师生气，如果老师生了小孩，他愿意帮助老师照顾小孩子。——by liliumama

我问了孩子，如果教你的老师怀了宝宝，你会如何？孩子说：“要听话，要问她喜欢男宝宝，还是女宝宝？”——by 学习爱

那天晚上，我几次忍住了想要回帖的冲动。因为这个小小的事件发生已经快一周了，大家讨论的已经很充分，学校有必要作一个说明了。但我总觉得由我一个男老师来说老师怀孕的事有些不妥，于是给潘副校长打电话，希望由她出面来作个说明。话刚一说出来，潘老师就说没问题，原来她也一直关注着这个事件的进展。

12 月 15 日 13：03，潘老师发表了“感动于‘抚摸在老师肚皮上的小手’”一文①，原文如下：

---

① 有删减，原贴地址：http：//bdfx. jjtang. com/read－htm－fid－2149－tid－241571－fpage－6－thgtype－forum. html

其实作为女性，对于“怀孕”涉及的许多知识、现象、问题，我们都能够理解并且坦然接受，这本身应该说是一件很正常的事。

由于种种原因，所有的小学一直是女老师比较多，我们自认为我们的学生、我们的家长、我们的老师以及学校对老师怀孕这件事一直处理得挺好的，可能我们需要沟通，现在也许正是一个合适的机会。

北大附小一直倡导“尊重理解”“以人为本”，我们不仅从心底里尊重每一个学生、每一位家长，我们也实实在在地尊重每一位老师。在许多学校和单位有年轻老师怀孕排队，强迫做人流的事，我们学校从来没有，我们一直非常尊重老师的选择。而从另一个角度讲，我们的老师也一直非常好，她们会主动从工作出发，根据自己的身体情况适时向学校提出自己的需求和希望，学校也会根据年级班级学生的需要、学校的工作情况和老师的身体状况及时对相关工作统筹安排或者进行积极的调整。同时学校一直特别关注这些怀孕的老师和她们所任教的班级的情况，过去是这样，现在是这样，将来还是这样。因为我们会用我们的行动和责任心履行我们的诺言——对在附小的每一个人负责。

在这学期之前，我们的老师怀孕早期出现先兆流产，立即停止上班保胎的有，还不止一两个，回想起来，好像几乎每学期都有（感叹现在也许是污染太严重了，引发流产的因素太多了!）；怀孕中期由于种种原因，不得不天天打点滴或者卧床休息，申请不上班的也有；但是多数老师都是很顺利地正常上班到怀孕38周左右；甚至还有的老师一直正常上班到生孩子的前一天，当然这也是比较特殊的少数人，值得一提的是，这位老师自己一直是附小的骨干教师、年级组长，她任教的班级年年得到家长和孩子的认可，她自己的孩子已经从附小毕业后考入了人大附中的初中实验一班，非常棒！（羡慕啊!!）因此，我们也不得不承认，人与人的身体状况差异还是很大的!

我们感觉，决定班级教育教学质量的关键因素，首先是老师的“爱心”“责任心”，是老师先进的教育理念、科学的教育教学管理方法。

我们相信我们的老师能够做得很好!

当然，作为学校，我们会继续关注这些处于特殊时期的老师，更会一如既往地关注她们所任教的班级和学生，同时我们也在努力从全方位考虑，科学合理地安排好学校的各方面工作，并适当多引进一些男老师，从多方面帮助孩子健康成长。请家长们放心。

最后，谈起三年级学生成绩“下降”的问题……孩子学习中出现问题是再正常不过的事了，随着年级的升高，知识难度的加大，孩子还是总得满分或者一路保持各项成绩优秀，那真是特别特别优秀的少数人了，试想今后到高年级、到初中、到高中的各科成绩……当然，我们衷心希望每个孩子都是最棒的！希望各位家长，放平心态，放松心情，我们的孩子每一天都在成长，他们需要关注、需要帮助、更需要鼓励，每个人的“路”主要靠自己走，让我们充分相信他们的能力，他们都会快乐成长得很好的！

讲到这里，这个故事真的有些长了，但我相信，被它吸引的人是不会觉得的。从这个故事中，我们看到，对同一件事情，抱有不同的观点就会有不同的看法，每个人都可以从别人身上学到很多东西。有的时候，也许并不一定要分清谁对谁错，大家都明白有了观点就需要表明、需要碰撞，然后会站在不同角度理解、学习对方的观点，认识也就会越来越清晰。我想这就是民主的精神、开放的精神，是北大附小办学的重要理念之一。正是这种精神保障了我们拥有更开阔的视野，坚定了我们继续为孩子的发展、为孩子的幸福人生奠基的教育信念！

［**尾声**］潘老师发帖大概两周后，“gyh08516”和我说了她在上学路上与孩子的一段对话：

“老师怀孕了，要生宝宝，有时不能正常上班，有时要找老师代课，你有意见吗?”

“没有!”孩子说。

“如果学校要给你们换一个老师，你有什么想法吗!”

“我反对。”孩子好像有些着急。

“为什么呀?”

“又没有影响课程！”

“可是找老师代课了！”

“代课怎么了？代课老师的讲课方式会有一点点不同，你还会感受到，这对你也是帮助！”

“如果学校一定要换一个老师呢！”

“我抗议！”

“换老师有什么不好吗？”

“只有错了才要改正，怀孕错了吗？！”

我们都非常惊讶孩子对问题的看法，看来很多时候，我们聆听孩子声音的时间太少了。少了功利的想法，他们的观点更加直截了当。成人的想法，有时看上去对孩子是好的，但从孩子最后一句话，我突然感觉有些心跳，一个不经意的改变，可能给孩子投下一生的阴影。

三、学校发展方略

北大附小新一届领导班子正式成立后，根据学校确立的“国内领先，世界一流”的学校发展目标，积极谋划发展方略。我们在充分酝酿、研讨的基础上，提出“夯实基础”“苦练内功”“广泛汲取”“韬光养‘慧’”“蓄势待发”20字工作方略（2002—2006年）。在2007年教职工代表大会上，我们认真地总结和回顾了学校五年来的发展，针对已经取得的成绩和目前存在的问题，再提出“抓细节，促内涵发展；搭舞台，推名师梯队；拓视野，与国际接轨”新的24字工作方略，作为又一个五年的发展规划。

奠定学校实力的五项举措

为提高学校各方面办学实力，为进一步发展奠定基础，我们在2002年提出了从2002—2006年学校发展的五项方略，或者说20字工作方针。

1. 夯实基础

（1）硬件基础

经过学校领导班子的努力，北京大学于 2002 年 12 月 31 日批准北大附小自筹资金兴建了 11 666.6 平方米的教学楼及学生宿舍楼。2002 年暑假，附小二层周转房开始动工，同年 11 月完工。2004 年暑假，新教学楼建设启动。2005 年 9 月，学生全部搬进了被誉为全国第一座生态教学楼的新楼上课，一年四季不出教室就能呼吸到清新的空气。

一幢幢蓝瓦灰砖的教学楼掩映在苍松翠柏中，典雅、凝重，传统与现代在这里得到了完美的融合。当你欣赏着青松白杨、踏着青砖铺地的幽静小路步入附小，就会感到一份天然的绿色，一份自然的美丽，一种激动人心的沉醉和骄傲。

为了适应现代化教育发展，我们投入巨资，改善学校内部设施。完善的校园网络保证了师生信息的畅通无阻，每个教室配置的液晶电视和电脑实投，使老师教书更方便，学生学习更便捷；专门用于国际交流的 GKE 教室已经发挥出优势；28 个专用教室（包括实验室）把孩子们带进五色缤纷的知识世界；现代化的小讲堂更是为我们教研、会议提供了方便的场所。

（2）软件基础

我们努力的目标是：**形成团结、凝聚、豁达、开拓、向上、进取的北大附小人的精神；科学、民主、高效的管理模式和优胜劣汰的竞争体制；宽松、激励、创新、活跃的学术氛围；积极、向上、温馨、和谐的校园文化。**

建立一支志存高远、敬业爱生、勤奋智慧、德才兼备的教师队伍。当时附小有 152 名教职工，这样一支队伍需要一种内在的精神支撑，一种自发的动力驱动。团队的领导和管理者，则需要站得更高，看得更远，以战略的眼光来充实附小精神的内涵，也就是团结、凝聚、豁达、开拓、向上、进取的精神，并使之浸润在校园的每一个角落，成为附小人共享的精神宝藏。

发掘人的潜能，发展人的个性，最大限度地发挥人的积极性、主动性和创造性；营造民主、和谐、宽松的氛围，充分尊重人、理解人、关心人、信任人、提升人，这是实现学校和谐发展的基础和先决条件。在北大附小的发展和建设历程中，无处不体现着这一理念。

2. 苦练内功

（1）优美的校园环境营造浓厚的育人氛围

我们分三层次精心设计了“墙壁文化”：院子里每幅电脑合成壁画和体育造型图的人物形象都取自于本校学生，蕴涵着我们对育人的追求；楼道内四幅大型水粉画和与之搭配的“四育赋”，对学生们“知”与“行”提出明确要求；走廊和教室墙壁张贴着学生们的各种作品，给孩子展示自己的天地。同时我们让古树“开口说话”、花草宣传“环保”……使校园成为无声的老师。

（2）面向全体的艺术教育，建构美的课堂

附小有多项传统的群众性艺术活动。近年来，学校举办过《世纪歌声在校园中回荡》《小荷才露尖尖角 民族艺术花满园》等大型演出。全校2000多名学生人人参与，个个展示。2004年“六一”儿童节，学校在北大礼堂举办隆重的《大红绸舞起来》综艺汇演，从始至终台上台下互动，每一个孩子或引吭高歌，或翩翩起舞，全场沉浸在洋溢的激情中。活动结束后，参加活动的全国人大副委员长、全国妇联主席顾秀莲激动地说：“没想到一个小学的活动办得这样出色。”许多来宾、家长纷纷表示祝贺。这场演出在中央教育台全程播出，凤凰卫视、北京电视台和多家报纸给予报道。

我校民歌合唱团、民族舞蹈团、娃娃京剧团，不仅多次在全国获奖，而且已经成为中华文化的传播者，在奥地利、俄罗斯、日本等国家演出，得到好评。

古诗文诵读活动在全校铺开。学校被评为首批“全国古诗文诵读示范校”，涌现出了众多熟背千余首、百余首古诗文的全国诵读之星。

（3）少先队活动为学生开拓“创造美”的天地

我们带领学生深入大别山了解农民子弟的艰辛，涉足青海湖体会环保的迫在眉睫，奔赴地震灾区捐款建设希望小学，前往澳门特区献上千人签名庆回归的红绸……天安门广场有附小爱心社社员捡拾废弃物的身影，大兴山区有附小师生年年栽种的桃李林，南斯拉夫被炸毁的中国大使馆上空飘扬着附小少先队员用红领巾缝制的红旗，内蒙古干涸的土地上正在兴建的供水工程有附小学生的捐款……

持续不断、匠心独运、引人入胜的少先队活动，让学生们投身到创造“美”的事业中，从参与外在“美”的活动内化为“美”的心灵体验，从而塑造一种对人类、对社会的高度责任感与使命感。

（4）小社团活动为学生创建“展示美”的舞台

学校35个课外小组做到定人、定时、定点、定内容、定目标、定总结，常年活动。自发形成的学生社团活跃在附小的舞台上。孩子们在“爱心社”“文学社”“体育社”“新闻社”等10余个小组织中，开展活动，增长才干，打造属于自己的舞台。文学社不仅自导自演《威尼斯商人》《哈姆雷特》等莎翁名著，还进一步自编自演小话剧。其中《红绿灯下》在中央8台播出。社长吴子尤的个人习作达到30万字，为鼓励他的创造精神，学校编辑印发了《吴子尤文集》。

学生“环保志愿军”回收旧电池3万多节，发放环保布袋1500多个，并利用卖废品的钱到内蒙古恩格贝沙漠植下“北大附小绿化林”。

3. 广泛汲取

在人事制度方面，附小执行北京大学人事处“流动编制全员聘任制度”。严把进人关，年龄、学历、能力各方面全面考核，经北京大学人事处调研听课后方可转为正式在编。近年来，学校以先进办学理念、人本管理特色不断吸引本区、市乃至全国的优秀教师加盟。

常规管理方面，学校实行宽松、人本的活化管理制度。教师每周有弹性的休息时间，教师生日可以收到学校的生日贺礼。学校还增设校长接待日、家长开放日，开放网上家长论坛，方便家长随时与学校、老师取得沟通，形成家长、社会、学校三方教育合力。

在教师研修方面，学校在重视校本研究基础上，不断探索，确立了“专家引领、校本创新”的研修策略，“以科研带动教研，以质量谋求发展，学习主体教育理论，坚持学校创新道路”已经成为学校全体教师的共识。学校为教师团队不断创造条件、搭设平台，努力促进教师专业化发展。学校结合实际，着力打造“网上研修”活动，开设数学、语文等各学科教师开放的网上研修空间，使教师可以随时在网上与同事共同研讨、共享资源，初步形成了学校独特的教师研修文化。

教师近年来在各级各类报刊踊跃发表文章，科研论文多次获得市级奖项，多名干部教师拥有教科研先进、教学创新先进、教学管理先进、科技教育之星等荣誉称号。教师的研究课、公开课接待市区、全国同行来听课，并在各级教学评优中获奖。仅 2007 年上半年，教师的论文、案例在报刊上发表、获奖的就有上百人次。

4. 韬光养“慧”

教学工作不同于其他任何工作，来不得半点虚假。实事求是，讲究实效是其管理的基本原则。因此，我们从学校实际出发，遵从教育规律，对教学工作进行全面、有效的管理。

(1) 建立教学管理的指挥系统，实现系统管理

学校建立了以校长为中心的教学指挥系统，即在校长领导下，各类人员职责明确，由副校长、教导主任、教研组长对教学进行全员、全程、全面的层级管理，做到教学常规落实，学籍管理严格，从而使教学工作规范、有序、高效。

(2) 制订发展目标，健全规章制度，实现教学工作的目标管理

为推进素质教育，提高教学质量。学校确立了教学工作发展总目标，即建立一支高素质的研究型教师队伍，实现教学原则科学化、教学方法多样化、教学过程优质化、教学管理规范化，出名师，创风格，将学生培养成为有个性、可持续发展的人才。为确保这一目标的实现，我们根据学校实际制定了一系列制度：教学管理条例、教科研条例、教研

组工作条例及教师备课、上课、批改作业、奖励等制度，使教学管理有法可依，有章可循。周安排、月安排、学期计划、学年计划到五年规划的步步落实，使目标有条不紊地得以实现。

（3）积极开展教学改革和教育科学研究，以科研指导教研，以教研推动教学

科研是学校工作的生命线，学校始终以“科研兴校、科研兴教”为指导思想，将科研工作纳入全校规划之中。在校长的带领下，学校参加了“学习困难儿童心理因素的鉴定、研究和培养”“高效率学习”“小学生主体实验”“创新教育的研究”“回宫格习字法”“现代小学数学”等国家重点课题的研究。学校成立了以校长、主管教学副校长和教学主任为首的教育科研领导小组，确立了每个课题的负责人，组织学校各类课题的申报、立项并进行分类管理，在实施过程中及时对课题进行调整、补充和完善，使科研工作有计划、有步骤、有检查、有总结、有经费保障。

我们注意科研和教研的紧密结合，以着眼于学生未来、最大限度地开发学生的身心潜能为己任，使学生成为有进取意识和创新精神的社会主体。每学期围绕不同专题开展全校的教学研究课，每学年进行一次教学研讨会，校长作具有导向性的教学报告，教学干部针对课堂教学进行总结指导。几年来，我们通过大量的研究，打破了传统的教学方法，既重视双基教学，更着重学生情感、态度和各种能力的培养；改变过去填鸭式、保姆式的教学方法，积极使用启发式、民主讨论式、引导式教学，鼓励学生敢于打破“书本权威”“教师权威”，求新求异；有意识地给学生提供时间、空间，创设困难、冲突情境，让他们自己去安排、去设计、去探讨、去选择、去解决。在附小的课堂上允许学生怀疑、允许反驳、允许标新立异、鼓励多种答案，鼓励学生站在科学的立场上敢于向约定俗成的东西、敢于向权威挑战；在我们的课堂上最大限度地给学生以自主学习的机会、独立思考的空间，唤起学生的情感活动，使学生敢于发表经过独立思考的带有个人认识和情感的理解、体会、意见和看法。所有这些努力让我们的课堂常常迸发出学生思维的火花。

5. 蓄势待发

（1）科研促教学

北大附小一贯以科研兴校、科研强校、科研兴教为指导思想。几年前，学校正式成立教科研领导班子，将教科研工作纳入全校工作规划，管理规范，档案齐全。

近年来，我们参与的《儿童认知能力的发展和促进的研究》子课题《小学数学开放题教学研究》《学习困难儿童心理因素的鉴定、研究和培养》《关于加强心理健康教育，关注学生可持续的终身发展的研究》等课题顺利结题。其中《数学开放题及其对小学生思维品质优化的研究》获得北京市教科研论文评比一等奖。《关于加强心理健康教育，关注学生可持续的终身发展的研究》获海淀区优秀科研成果二等奖。

学校在"十五"时期参与的科研课题还有：全国教育科学"十五"规划重点课题《创新教育的研究与实验》的子课题《中小学教学过程中实施创新教育的研究方案》，我们的子课题为《适应创新教育的多样化课堂教学策略、教学模式和教学设计的研究》；全国教育科学"十五"规划重点课题《信息化进程中的教育技术发展研究》（AYA010034）的子课题《基于课程改革的资源开发与应用研究》；北京师范大学裴娣娜教授领导的全国教育科学"十五"规划重点课题《主体教育与我国基础教育现代化发展的理论与实践研究》，附小认领的子课题为《小学生自主学习态度和能力培养的实验研究》；北京师范大学沃建中教授主持的"十五"重点课题《儿童心理素质的促进对其学习成就的影响》子课题《小学生良好情趣情感的培养研究》；海淀区基础教育课程改革实验项目《课程与学生学习方式变革的研究》；全国教育科学"十五"规划重点课题《中小学体育与健康教师用书可行性实验研究》；全国教育科学"十五"规划重点课题《中小学教育信息化的理论与实践研究》的子课题《中小学信息技术课程体系研究》。

科研带动教研，教研提升了教学品位。北京市"素质教育走进学校”大型展示活动后，专家们激动地说：“古今贯通、中西融汇、文理渗透在北大附小有了体现，这才是学生成才之路。”

（2）课程改革

课程改革是促进学生发展、提高教师素质的契机。在实施改革的过程中，我们把学生置于一个有尊严、有个性、有巨大发展潜能的生命个体的位置上，关注他们的一切。

鼓励学生亲历学习。以“探索尝试”为核心设计教学环节，让学生在“做中学”，在“练中悟”，是一种“明确课题—尝试探索—教师点拨—悟出规律”的过程。比如数学课上，老师鼓励各个合作小组用同样大的硬纸设计制作形状不同、容量最大的回收箱并计算容积。学生通过设计、制作、计算之后，得出了共同的结论：耗材量相同，圆柱体容积最大。这样，学生在知识的再创造过程中加深体验，在知识的应用中增强感受。

鼓励学生合作学习。由于年龄的特点，孩子非常乐于与伙伴一起学习，共同进步。我们的老师积极地为孩子创造合适的机会。六年级信息课《多彩的蝴蝶世界》，从确立研究课题、网上查找资料到筛选整理、填写研究报告等，均在合作小组完成。学生集体发现、研究、解决问题，有利于增强合作意识和合作能力。

鼓励学生自主学习。教师充分发挥每一个学生的主体性，允许他们在学习内容、学习方式等方面自主选择、参与创新。一年级学生的语文课，老师鼓励学生用自己喜爱的方式读书。有人分角色读，有人边表演边读，有人对照插图读，不仅调动学习积极性，更促进学生自我意识的发展。

鼓励学生探究学习。科学课《毛细现象》，桌面上摆放 20 余种不同物品。谁可以使水向上爬升？学生先根据自己的常识预测，再亲手做实验、观察现象、记录结果，验证预测，得出科学结论。整个教学过程始终在动手、观察、实验、思考的探索中进行，从而培养了学生乐于参与科学探究活动的能力。

（3）紧跟时代，科技花开

北大附小确立了“培养学生科学素养、信息素养和科学态度”的科技教育总目标，制订了三年科技教育工作规划，坚持在各科教学中进行科技渗透，并努力开发校本课程。1984 年至今，我们自己编写的《LOGO 语言》《QBASIC 语言》和《小学信息技术》一直是学生使用的教材；同时，还与清华大学出版社合作开发编辑了 WPS 系列学生教材。2004—2005 年，我们还重点开发了具有本校特色的乐高机器人系列教材和电子制作学生系列教材。

总之，我们认为办学办的是一种氛围、一种浓浓的“情”（干群情、师生情、家长情、生生情等），即温馨舒畅的人际氛围；一种生动活泼、百花齐放的教学方法，即多元文化兼容并蓄的教学氛围；一种多种活动交融，使学生在欢乐与振奋中接受各方面信息、增长能力、体味美好人生的育人氛围。经过这五年的改革和发展，学校教学质量不断提高，全校师生都沐浴在和谐、舒畅的校园文化中成长、发展，学校的整体办学水平有了比较大的提高。

推动学校高效发展的三项新举措

随着教育改革的深入发展，学校发展面临着新的机遇和挑战。于是，为迎接新的挑战，不断提高学校办学水平和教育质量，实现“国内一流，世界领先”的发展目标，我们在 20 字指导方针的基础上，针对存在的问题，制订了 2007—2012 年的新的 24 字工作方针，即抓细节，促内涵发展；搭舞台，推名师梯队；拓视野，与国际接轨。

1. 抓细节，促内涵发展

（1）推出文艺精品

学校 1994 年成立的“娃娃京剧团”近十几年先后参加了中国京剧节、北京市艺术节、全国手拉手艺术团展演；多次在人民大会堂、长安大戏院、中山公园音乐堂、二十一世纪大剧院、国安剧场、北京剧院、国家大剧院等地方演出；曾受到中共中央政治局常委李长春、原北京市市长王岐山、副市长张茅及全国政协副主席万国权等领导的交口称赞；中央电视台、北京电视台多次报道附小的艺术活动，并邀请我们参加了春节戏曲晚会和中央电视台全国京剧大赛颁奖晚会；艺术团曾出访维也纳，轰动新加坡、新西兰。2007 年我们还受邀参加中央电视台首届少儿春晚，表演了 4 个京剧节目。学校的大型专场文艺演出也连年推出：2003 年《唱京剧国粹生辉，诵诗文古韵新声》、2004 年《大红绸舞起来》、2005 年《花枝俏》、2006 年《国粹飘香》《北大少年唱响奥运》2007 年《京腔京韵中国娃》，《两岸四地语文教学交流开幕式闭幕式文艺表演》，2009 年《博雅乳燕飞，京韵扬国粹》均引起很大的反响。

（2）挖掘各方资源，为所有学生提供更优质的服务

目前，学校硬件环境建设基本已经落实到位，并且已经及时调整战略方针，为学校未来的发展留有足够的余地和空间。但是人民群众对优质教育的要求越来越高，这就需要学校不断推动自身内涵发展。因此，学校在继续发挥学校办学优势的同时，要更加注重加强与家长的合作与沟通，充分挖掘社会上的教育资源，充实学校教育、学生的多彩生活及知识渠道的来源。同时不断开发心理健康教育、社会实践活动的新途径，培养学生强健的体魄，健全的人格，追求学生在校学习期间获得的最大价值，从而使学生学会生活，学会学习；享受生活，享受学习。

（3）丰富的科技活动

为推动学校科技教育发展，提高学生科技素养，学校制定了“爱科学月”。在每年的“爱科学月”，学校都会提出明确的主题，确保教育覆盖面 100%。同时，注重对校外科技教育基地的选择，努力使校外活动与学校整体教育计划吻合，与学校特色统一；充分利用良好的家长资源，开设科技讲座。

学校设有电脑、机器人、航模、建模、车模、无线电定向、生物、天文等多个科技小组，成绩斐然，曾连续夺得 13 届全国“六一杯”一等奖，第九届北京市中小学生程序设计团体一等奖。目前已有一批当初在附小获奖的学生成长为国家计算机的专门人才。机器人小组是北大附小特色科技项目，目前有机器人足球组、机器人灭火小组、机器人创意

小组、FLL小组和机器人常规竞赛小组。三年来，获得两次全国中小学机器人竞赛团体一等奖；在4次国际竞赛中，获得5次团体单项冠军、1校团体银牌、2次团体二等奖。

（4）特色网络平台

北大附小于2000年建立了自己的网站。少先队大队部组织了10余期、千余人的“网上冲浪培训班”。2001年，团中央、少工委以附小为主会场召开全国《争做网络文明小使者》网上直播主题大队会，2002年学校成为首批《中国少年儿童信息研究基地》。“非典”期间，还建立了自己的BBS，成为师生、家长真情互动的桥梁。各科教师在网上传授知识，批改作业。温家宝总理视察了北大附小的网上教学并给予了充分肯定。中央电视台以“改变学生学习方式”和“聚焦新课标”为主题做了专题报道。中国教育报、中国教师报、北京晨报、北京日报、中国教育学会《信息教研周刊》对我校的网络平台发表过多次专题文章，北京电视台等多家媒体也多次给予报道。

（5）精心培育学校文化

目前学校正在进行改建和扩建。这是一次校园环境的重塑和校园文化的再造，我们格外珍惜。我们的目标是要办一所与北大相匹配，既古朴典雅、充满人文色彩，又具有现代气息的一流小学。因此我们无论是外立面的设计，还是内部设施的配备都经过了精心的构思。特别是我们要以此为契机，重新审视、挖掘、打造附小的校园文化内涵，培养独特的校园文化氛围，创设一个温馨舒畅、处处体现儒雅、充满人文色彩的校园文化氛围，使师生在处处充满人情味和浓浓的文化气息中感受校园精神的滋养和文化底蕴的积蓄，使学校成为教师成长、学生求知的乐园。

（6）关注学生的健康与安全

北大附小严格遵守市、区教委规定，除了开足开齐课程，还确保学生每天1小时体育锻炼，开展丰富多彩的体育锻炼活动。如学校全员参与的阳光体育节，趣味运动会，自编的武术操、福娃健身操等，都深受学生和家长的喜爱。我们为了培养不同性别学生的气质，还在全校提出了男“习武”、女“习舞”的口号，专门开设了武术课和形体舞蹈课。

同时，附小一向控制各班学生人数，限制班额，低年级不超过 40 人。学校还确立安全第一、安全无小事的管理理念，将各项安全措施、管理制度、安全预案落实到位，保证学生生命的安全。

2. 搭舞台，推名师梯队

截至 2007 年 11 月，学校已有特级教师 1 名，市级学科带头人 3 名，骨干教师 11 名；区级学科带头人 29 名。其中市级骨干教师中比较有希望冲刺特级教师的有 4 人（语文、数学、英语、计算机）。他们自身业务素质高，有一定的教学和写作功底，在市、区骨干教师中有一定的知名度，在教学中肯钻研、善钻研、已获得较突出的成绩且始终工作在教学一线。对于他们，学校将加大培养力度，尽可能地为他们的成长铺路搭桥，使他们的教学、科研尽快出成果。同时不断引进市、区乃至全国特级教师，兼容并包，集百家之长，为学校的教育教学推波助澜。加大青年教师、特别是本科师范生的培养力度，拜师、听课、参与教科研、加担子，在尽可能短的时间内使之脱颖而出。在学校教育团队中已经形成了由市区学科带头人、中学高级教师、特级教师组成的老中青相结合的管理团队成为支撑学校工作的大梁。为了突出学校的中心工作，充分发挥附小优秀教师的团队作用，我们还把德育、教学工作作为学校工作的重中之重，各配备了 3 名主管干部。语、数、英三个学科又分别设置了以市学科带头人为龙头的 2—3 人组成的领导团队，增强了集体研究的能力和水平，强化了骨干教师的责任意识，为后续干部形成梯队。

当前基础教育课程改革对教师整体素质提出了更高的要求。目前学校团结和谐且已经拥有一支优秀的教师群体，但是和建设“国内领先，世界一流”的学校尚有一定差距，特别是在名师的培养上需要进一步加大力度。学校要不失时机地创造一切条件为优秀教师的脱颖而出搭建成长和展示的舞台，特别要关注他们的职业道德培养和专业技能发展。

第一，师徒结队。充分利用学校现有的教育资源发挥老教师的“传、帮、带”的作用，师徒结队，召开学校拜师会，签订师徒协议，年终进行交流总结，对表现突出的师徒予以精神和物质上的奖励。

第二，拓宽视野。我们希望我们的教师不仅仅是知识的传播者，而且是“文化的使者”，是指引学生“终身幸福的播种者”。在教学中，教材与学生、学生与教师将不是生命与符号的相遇，更不是生命与逻辑的相遇，而是通过文字、通过课堂，实现生命与生命的相遇。教师应以文为本，以人为本，引导学生积极解读文本，质疑文本，在与文本的心灵碰撞中体验人之为人的一切：爱与恨、笑与泪、幸福与苦难、短暂与永恒……我们希望通过我们的努力，帮助学生塑造优美、高尚的人格，使他们将来成为推动社会进步的骨干力量。因此我们的教师首先应是一个幸福而阳光灿烂的人，是一个具有高尚人格和有生活品位的人，是一个视野开阔而充满活力的人。因此学校在管理中有意识地引导教师从更高、更广的层面了解知识、了解生活、了解世界、了解人生。

第三，请进来。学校为教师提供和开展了各种不同内容和形式的专家讲座。像钱志亮副教授的《排解教师压力》；刘汝德教授的《解读教师》；卢勤老师的《爱的教育》、《理财知识讲座》；北大教授龚老师的《经济教育讲座》；北京市红十字会马老师的《急救知识讲座》、《性健康教育讲座》；高晨老师的《美国经济与创业教育》；《语文高速阅读》；美国 Nomi 女士作了 4 节戏剧即兴表演课，GKE 教育集团的项目总监 RON 的《项目合作教学课程》、《信息技术与教育平台的搭建》；等等。通过这些讲座让教师从多层次多角度去了解我们所从事的工作、我们所面临的世界、我们丰富而绚烂的人生。同时学校会充分利用社会和北大教育资源多渠道、多角度地组织全体教师学习进修，以使教师转变观念，开拓思路，更新教育教学手段和方法，提高教育教学水平。

第四，走出去。2007 年 6 月，学校又派校长助理高晨赴美国特拉华大学经济学院攻读经济教育硕士学位。经济教育是一项美国正在蓬勃发展的课程，得到了包括国会、财政部、联邦储备银行、教育部等美国政府部门的大力支持，目前，美国大部分州从幼儿园到高中都开设了经济教育课程或开展经济教育游戏。它将经济学的概念延伸到生活中方方面面的选择，通过一系列互动游戏培养学生逻辑思维能力及适应社会能力。本学期，在高晨老师的带领下，学校几位老师在五年级学生中组织了经济兴趣小组，通过“找工作”游戏，让学生认识到教育是获得人力资本的最佳途径；通过“交易日”活动激发孩子创业的灵感；通过“迷你社会”活动鼓励学生大胆与人沟通……学校还计划将经济教育课编写成教材，作为学校的校本教程。

第五，发挥团队优势。在一个好的团队里，生命影响着生命，心灵融会着心灵。人，只有在自由和愉悦的状态中，潜在能力和创造精神才得以激情发挥。学校靠制度和条律管理，是必要的；但是，建立在文化底蕴的影响和集体价值认同的基础上的隐性管理，才是更持久更有效的。一方面，学校长期坚持以人为本的管理理念，实行以“人和”为契机的宽松、民主、和谐的管理模式，用浓浓的“情”字连接附小人的心，教师之间倡导宽容、理解、信任与合作，为自己的成功而拼搏，为别人的成功而快乐；另一方面，学校充分发挥团队优势，集思广益，海纳百川，使教师在与同事、同行教师的研讨、碰撞中不断提升自己的教育教学水平，并产生强大的内驱力，促进学校教师整体水平的提高。

例如北大附小的数学教师，在共同研究与实践中，自发组织起来，形成了一支勇于创新、大胆实践的数学教师团队，并在学校的教育教学中发挥着积极有效的作用。团队成员中有中学高级教师、市级骨干教师，有北京大学数学系的研究生。他们有的数学学科功底深厚，有的课堂教学经验丰富，大家理论与实践优势互补，利用业余时间自发、自愿、饶有兴趣地对小学阶段“空间与几何”进行了系统的研究与梳理。仅上半年一个学期，他们共同研究与探讨的市区及公开课就达到十余节：李正晨老师的《圆的认识》、李宁老师的《质数与和数》、杨重生老师的《平行四边形面积》、孙雪林老师的《圆的周长》、何秀雯老师的《角的认识》、梁春玲老师的《面积的认识》……使学生在数学学习中经历了由“山穷水尽”到“柳暗花明”的思维历程。在数学思维得到极大挑战的同时，体会了真正的数学学习所必需的探索、尝试、理解与明晰；情感上获得了由困惑、疑问到豁然开朗的体验，形成了北大附小数学课堂教学特色：真正的数学学习！真正的整体把握！真正的关注学生！真正的团队精神！真正的创造性使用教材！数学团队的教学研究活动，带动了全体数学教师的共同参与，提高了教学研究水平。

3. 拓视野，与国际接轨

在日常工作中，我们充分发挥自身优势，整合利用丰厚的教育资源（国际的、国内的、北大的、家长的……），发挥学校 GKE 交流中心的作用，不断搭建国际教育的平台，使学校办学更加科学、开放、充满活力，在教育现代化和国际化方面走在前列。

与国际先进教育接轨是我们的一贯追求。2003 年，为了提升附小办学水平和办学声望，与美国 GKE 公司合作建立了现代化的国际知识交换学习中心，并在此召开了研讨会。美国教育专家佛·劳伦斯女士到会。双方就两国基础教育的最新理念进行了为期 3 天的研讨并互相做课，30 余名外省市校长参加了我们的活动。

学校多次走出国门，扬名海外：娃娃京剧团曾赴奥地利访问，轰动维也纳，总统夫人赞不绝口；赴莫斯科参加国际儿童舞蹈节，在几十个国家少儿艺术团中脱颖而出、尽显风采；赴法国参加中法文化交流活动，弘扬中国文化，增进友谊；赴新加坡，激起新加坡小朋友对中国京剧的浓厚兴趣，受到总统接见；赴新西兰，专场演出在四大城市掀起浓浓的中国风，被张援远大使誉为“出色的文化小使者”……

一位娃娃京剧团的学生家长在写给老师的信中说道：“学校的民族艺术教育的整体氛围，滋养熏陶着像我儿子这样的一颗颗幼小的心灵……北大附小的素质教育与民族文化传统教育确实是动真格的、有内涵的、有成效的。我准备写一个电视或电影剧本，以便介绍给更多的人，让更多的学校、家长和孩子受益。”同时我们还开展了美术、棒球、武术、数学、语文等各个学科的与美国、日本、韩国、新加坡等国的专项国际交流，多次师生一起请进来、走出去。

为了实现梦想，办人民满意的教育，北大附小在“以人为本，和谐快乐发展”办学理念的指引下，在争创“国内一流，世界领先”发展目标的引领下，不断创新着，奋斗着，为实现学校内涵、优质、高效发展而努力。

第三章 课程建设：全面发展与特色发展相统一

学校是教书育人的场所，而课程，是教育实现培养目标的蓝图，被视为学校教育的“心脏”。理想的优质学校课程，应该是具有较强基础性、能保证学生达到国家基本要求的课程，是充分体现地域文化、适应地区社会发展需求的课程，也是充分尊重学生的个性和选择、发挥学生主体性而有利于达成学校培养目标的课程。在这个课程体系中，国家课程、地方课程和校本课程整体优化、和谐共处、互为补充，课程的个性特征颇为明显，有明晰的目标、完整的架构、生动的形态、丰富的内容、充足的资源和较强的选择性。

在充分认识课程重要性，分析国家课程、地方课程和校本课程之间的关系以及如何发挥课程整体育人功能的基础上，北大附小制订了“全面与特色相统一的课程建设”目标，“全面”强调课程建设的整体性，特别是要开齐开足国家规定的课程，在此基础上积极探索，创造性实施；“特色”就是在落实好国家课程的基础上，努力开发一批自己的特色课程，为学生的多样化发展开辟通道。在第四章比较全面深入地介绍北大附小数学、语文和英语课程实施的经验，本章主要探讨北大附小校本课程开发的做法和体会。

一、课程改革的历程审视

课程改革是教育改革的核心内容和提高人才培养质量的关键，如何进行课程改革是每一所学校所关注的。北大附小在结合时代特点和学校实际的基础上，开拓创新，适时改革学校课程体系。回顾学校课程改革历程，我们经历了一个实践、认识、再实践、再认识的过程，其大致可以分为以下三个阶段。

艰苦漫长的积淀阶段

20 世纪 80 年代以前，课程决策权主要掌握在国家手里，国家制定教学大纲、规定教材的选用，学校主要是实施课程。

1958 年 8 月，中共中央、国务院颁布《关于教育事业管理权力下放问题的规定》，并指出："今后教育部和中央各主管部门应该组织编写通用的基本教材、教科书"，"各地方根据因地制宜、因校制宜的原则，可以对教育部和中央主管部门颁发的各级各类学校指导性教学计划、教学大纲和通用的教材、教科书，领导学校进行修订、补充，也可以自编教材和教科书"①。当时有 18 个省市和师范院校编写了整套或部分九年制、十年制中小学的新课本，但效果不佳，未能被学校采纳。之后的"文化大革命" 10 年浩劫，使国家教育基本处于瘫痪状态。

在当时的制度环境下，学校可以根据环境资源和师资力量来安排课表、管理教学、展开评价，但无权选择教材，开发特色课程。北大附小也难以例外。我们按照国家课程标准规定的内容进行教学。以 1963 年为例，当时国家的课程安排如表 1 所示。

表 1　1963 年全日制小学课程安排②

学　科	星期一	星期二	星期三	星期四	星期五	星期六	上课总时数
周会	1	1	1	1	1	1	221
语文	15	15	16	16	12	12	3176
数学	6	6	7	8	9	9	1649
历史					2	2	142
地理					2		72
自然					2	2	142
生产常识						2	70
体育	2	2	2	2	2	2	442
音乐	2	2	2	2	1	1	371

① 《中国教育年鉴》编辑部. 中国教育年鉴 1949～1981［G］. 北京：中国大百科全书出版社，1984：489.

② 《中国教育年鉴》编辑部. 中国教育年鉴 1949～1981［G］. 北京：中国大百科全书出版社，1984：134.

续表

学　科	星期一	星期二	星期三	星期四	星期五	星期六	上课总时数
图画	1	1	1	1	1	1	221
手工	1	1	1				114
劳动				四年级以上学生每年劳动半个月			

注：每节课45分钟；语文课包括讲读、作文和习字；数学课包括算术和珠算；生产常识的教材由各省、市、自治区教育厅、局自编；师资具备的一部分全日制小学可以在五六年级开设外国语课，每周3课时，适当减少语文、数学的上课时数。

当时，北大附小教学所选用的教材也是国家统一供应全国通用的教材（生产常识教材除外），即人民教育出版社出版的教材。不可否认，自上而下的严格控制保证了基础学科知识的系统传授，保证学生能够学到基础知识，掌握基本技能，督促教师完成基本教学任务，但又忽视了学校特色、学生个性与教师特质。1967年10月，特殊的历史时期，北大附小开始实行军事编制，[①] 为了搞“教育革命”，宣传队组织教师到工厂农村劳动，接受教育。其间，十余名教师自己编写、排版、插图，自编了《数学》《语文》《英语》《俄语》《革命文艺》等，坚持组织学生学习。课程安排包括天天读、政治（高年级）、革命传统、语文、算术、革命文艺、军体、常识、外语、劳动等。这里特别要说明的是，自20世纪30年代的建校初期到动荡的“文化大革命”，北大附小始终坚持着外语课的开设，这在当时的小学校中可能是绝无仅有的。

1978年12月，党的十一届三中全会召开，极大地解放了人们的思想。各地又开始自编教材，当时北京、上海、天津、浙江联合编写了全日制六年制小学语文课本和数学课本，一些学校也编写了自用教材。同时，北大附小打破封闭状态，主动与区教研部门联系，积极参加海淀区教研活动，争取通过海淀区的做课机会锻炼教师队伍。为提高学生阅读

① 具体参见本书第一章“附小的发展”部分内容。

水平，北大附小与四季青公社合作，编选了《小学生阅读文选》，供海淀区各校使用，受到各校师生的欢迎。美术、音乐、体育等多项课程的教学效果也十分显著。1979 年度第一学期，在海淀区书法比赛中，北大附小名列榜首；音乐课在学习乐理和歌曲的基础上，强调“美的教育”；体育课具有悠久的声誉，开始承担接待市区和外省市的观摩任务。

在这个阶段，北大附小重视师资队伍的建设，严格选拔任课教师，注重教师考核，积极开展教学活动，在有限的条件下努力为教师尽量创设良好的成长环境，这些举措为我们壮大教师队伍打下坚实的基础，而历代教师的积累也为我们后来的课程文化建设留下了宝贵的经验。

积极活跃的自主开发阶段

国家课程是一个国家基础教育课程方案的主体部分，对于基础教育的发展，特别是人才培养的质量和规格具有决定作用。但是单一的国家课程，不能满足带有地域性和学校特点的发展需要，有些内容可能远离学生的实际生活经验，在这种情况下，地方课程和校本课程的设置正好弥补了单一国家课程的不足。于是在 1980—2000 年这一时期，随着国家教育环境逐步走上正轨，北大附小在开齐开足国家课程、确保人才培养方向的基础上，开始自主选择教材，语文、数学和英语课程都先后使用不同的实验教材，并进入了校本课程的积极开发阶段。

在课程设置上，我们根据国家课程标准的规定先后增设了思想品德、课外活动（1981 年）、劳动技术、思想政治、地方性课程等规定课程，撤销了周会和生产常识课程，并缩短学时（取消周六的学习时间）。其中，课外活动主要包括班团队、体育锻炼、科技文体活动，它虽然属于国家规定课程，但具体的管理和实施由学校自主安排，这给了学校更大的课程自主权。

从 1984 年开始，学校的办学理念愈发清晰，科研强校、为学生发展奠基等办学思想逐步确立。在这样的背景下，我们立足校本教研，以德育、科技、艺术为三大主线开始了课程开发的初步历程。在德育方面，我们除了完成思想品德课的教学工作外，在班会课上开展心理健康教育与时政主题教育，并着手建设校园人文环境，营造和谐的育人氛围。后来，学校在全国小学中率先开设了《心理健康教育》课程。

1985 年，相应邓小平同志的“计算机要从娃娃抓起”的号召，我们开始了计算机课程的开发工作。最初凭借北京大学捐助的几台苹果计算机，聘请专家培训教师的基本应用技能，成立了机器人实验室，教师自编了《LOGO 语言》《QBASIC 语言》和《小学信息技术》等信息类教材。

同年，北大附小与中国科学院心理研究所合作，进行《现代小学数学》教材的实验教学，这套教材内容灵活，重视数学思想方法的渗透，有利于培养学生思维品质，由最初的两个实验班到 1988 年在全校铺开，沿用至今。

1994 年，北大附小成立了娃娃京剧团和民族舞蹈团，在全校普及中国传统文化教育。

1995 年，在全校开展古诗文诵读活动，成为全国古诗文诵读的示范学校。随后开始了校本的《古诗文读本》课程的开发，后来又与人民大学国学院合作，在全校普及国学传统知识。

1998 年，北大附小开始自主选用清华大学一条龙英语教材，并先后有数位老师参与教材、教参的编写工作，沿用至今。

纵观这一时期，结合自己的办学思想和理念，北大附小进入了一个自主选用实验教材、自主开发校本课程的活跃期。

丰富多彩的课程实施阶段

1999 年 6 月，《中共中央国务院关于深化教育改革全面推进素质教育的决定》颁布，其中指出：“调整和改革课程体系、结构、内容，建立新的基础教育课程体系，试行国家课程、地方课程和学校课程。”2001 年，教育部印发了《义务教育课程设置实验方案》，其中“综合实践活动、地方与学校课程”占九年课时的 16%—20%，其中，地方课程为8%—9%，学校课程为3%—5%。[①] 至此，学校自主开发或选用课程正式纳入政策文件。与此同时，北大附小的课程建设也进入全面实施阶段，在“以人为本，和谐快乐发展”的实践理念统领下，以立足校本、以生为本、形式多样、内容丰富等作为基本思路，以身心素质、科学人文素质和知识能力素质为主线，编写了数学、科技、音乐、美术、体育和古诗文的校本教材，开设了近20门的活动课程，涉及语言、科学、应用技术、传统文化与民间艺术、体育运动等方面。其中北大数学少年、京剧、剪纸、无线电、机器人等校本课程进入课堂，成为教师教学中的宝贵资源。

2000—2001年，我们在一年级开设了“思训”“手工”“兴趣英语”等校本课程，将其纳入课表，规定固定课时，同时在每周二下午14:00—15:10时和15:20—16:30时开设各种类型的兴趣小组活动。

2002年，在清华大学英语一条龙教学实验基础上，我校开始引入“外教英语”课程。

2005年，我们保持基本课程框架不变的情况下，根据学校教育需要，将“手工”和“社会”转化为兴趣活动，增设了“心理健康教育”课程，讲授心理健康知识。

2007年，学校取消了低年级周五下午的学习时间，将其改成学生自愿选修的兴趣小组活动时间，如此一来，不仅减轻了学生的学习负担，同时考虑了学生的学习兴趣和各个方面的协调发展。

2008年，北大附小与北大方正集团合作，成立北大附小方正乒乓球队。同年，北大附小引入北京体育大学武术专业优秀毕业生，开始武术课程的实验教学。

自20世纪80年代以来，经过二十几年的探索和实践，北大附小在课程建设上创出了自己的特色，国家课程、校本课程各具风采，效果显著。学校国家课程的有效实施，增强了学生的爱国主义、集体主义、社会主义精神，使其逐步形成了正确的世界观、人生观、价值观，具有健

---

① 《中国教育年鉴》编辑部. 中国教育年鉴2002［G］. 北京：人民教育出版社，2003：142.

壮的体魄和良好的心理素质，等等，保证了学生的发展方向。而学校校本课程的蓬勃开展，使学生的综合素质和个性特长得到了充分的培养和展示，一个个有着鲜明的附小特色的优秀学生涌现出来。这其中，不乏学校十岁横渡琼州海峡的王一研，身患癌症、意志坚强的文学少年吴子尤，艺术体操国家队队员窦宝宝，奥运会开幕式上演唱《歌唱祖国》的杨沛宜等。

十岁横渡琼州海峡的王一研

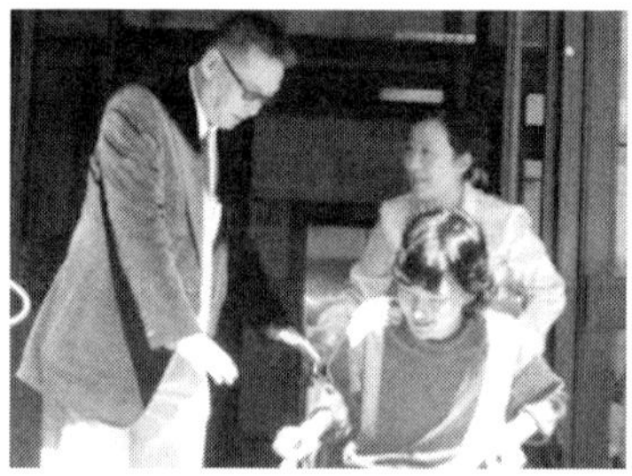

文学少年吴子尤

艺术体操国家队队员窦宝宝

奥运会开幕式《歌唱祖国》演唱者杨沛宜

图6　北大附小优秀少年

二、全面发展、特色发展的课程结构

校本课程是既能体现学校办学宗旨、学生发展需要和本校资源优势，又与国家课程、地方课程紧密集合的一种具有多样性和选择性的课程。它最能体现出学校教育教学特色和在课程建设中的创新能力，所以，本部分主要介绍北大附小校本课程开发的实践。

校本课程开发是指学校为实现教育目标或解决学校自身的教育问

题，根据国家或地方制定的课程纲要的基本精神，以学校为主体，结合学校的性质、特点、条件以及可供开发利用的资源，由学校成员如校长、行政人员、教师、学生、家长和社区人员等合作进行的课程开发过程与结果。在课程开发中，北大附小从实际出发，以学生发展需要为基础，注重学校教育目标与特色发展的独特性；同时采取目标与动态相结合的开发模式，形成了“纳入课堂教学”和“兴趣小组活动”两种形式。兴趣小组活动主要安排周二下午；而“纳入课堂教学”的校本课程在课表上找不到它的身影，它是学校教师根据学生需要，发挥自身特质利用学校资源组织教学，体现在教师对教材的选择与改进上。

目前，北大附小校本课程有着多样形态，内容丰富，涵盖学科拓展、科技课程开设、经济常识教育和中华民族传统文化教育等几个方面，从学生的身心素质、科学人文素质以及知识技能素质等几条线索来培养并提升学生的综合素质，培养全面发展、个性突出的附小学生。

基础学科拓展课程

教育培养目标要坚持统一性与差异性的有机结合，要尊重学生个性发展的可能性与现实性。“尊重个性”就是承认该个体无论在何种状态，都存在着主体的个性发展可能性，只要有可能，就要保障其自由发展的空间，致力于培养其独特性、创造性。在义务教育阶段，对孩子进行智力开发不能仅依靠日常的课内教学，还需要适当地开展课外学科兴趣小组和知识应用等专项训练课，让每个孩子都能找到适合自己发展的空间。围绕基础学科，学校积极开展校本课程的开发与实施。例如，语文学科开发了《古诗文读本》作为课内教学的补充，数学则开发了《北大数学少年》校本课程。下面以“北大数学少年”课程为例，展示北大附小基础学科校本课程的实践。

1.《北大数学少年》校本课程的开发背景

一位著名的数学教育家曾说过：学生们在课堂上学到的数学知识，进入社会后由于没有机会应用，因而很快就忘记了。然而不管他们从事何种职业，那些铭刻于头脑中的数学精神和数学思想方法，却将长期影响他们的思维方式和工作方法，在他们的生活和工作中发挥重要的作用。由此可见，数学教育的意义主要不在于培养数学家，而在于培养人的数学观念、思想和意识。作为数学的基础教育工作者，让我们的学生拥有一个“数学头脑”，对学生素质的全面提高和持续发展意义重大。

北大附小有多年开设数学兴趣小组活动的经验和基础，早在20世纪80年代就开设了数学兴趣小组，在数学课堂教学之余，为学有兴趣和学有余力的学生提供发展空间，并且取得了令人欣喜的成绩。

同时，北大附小有比较过硬的数学师资队伍，再加上近几年引进了许多高级教师和来自北京大学、首都师范大学数学系等优秀研究生，学校数学教师队伍不断优化、壮大，这在无形之中为我们开发数学校本课程提供了平台。依据国家数学课程标准的基本理念——“人人学有价值的数学、人人能获得必需的数学、不同的人在数学上得到不同的发展”，根据学生数学学习的实际情况及数学教育和数学学习的规律，充分利用校内外的各种教育资源，我们设计、开发了《北大数学少年》校本课程，该课程经过多年的探索已日趋成熟。它作为数学课内教学的拓展，补充了大量课本内没有涉及的数学思想和方法，进行了专项的数学思维训练，开拓了学生视野，拓展了学生的思维能力。

2. 《北大数学少年》校本课程的内容与实施

《北大数学少年》校本课程着眼于数学思维和数学方法甚至奥林匹克数学知识的集中训练，通过科学、系统的教学内容，使学生在掌握基本的数学知识的基础上，思维得到训练，分析问题和解决问题的能力不断增强，进而增强他们的创造力，为那些对数学学有余力、学有兴趣的学生提供一个发展的空间。课上，教师围绕一个专题的内容进行讲解，也适当根据每个专题的内容多少、难易程度以及学生的兴趣灵活地增减课时。目前，该课程以选修课的形式在小学一年级至六年级开设。每个年级课时安排有所不同，基本上是中年级每周两课时、高年级每周4课时。

为确保《北大数学少年》校本课程的有效实施，北大附小编写了一系列教材，该教材的主要特点有：

第一，结构科学，内容系统。教材一套共有4级8册16本，每一级分上、下两册，每册分学生版、教师版两本，每年级分册每学期设12个必修专题和3个选学专题，全书共120个专题，上下学期各60个。内容上按计算专题、整数专题、数字谜专题、整除专题、计数专题、几何专题、应用题专题、思想方法专题、杂题专题穿插安排。每讲体例基本上都是开篇语+例题+分析、解答、说明+阅读材料+练习题+详细解答，做到精讲精练。

第二，使用方便，实用性强。例题留空，节约学生记笔记时间；练习成卷，方便教师批阅作业；前有知识要点等开篇语，后有教学建议，方便教师有效组织教学；学生版、教师版独立，方便家长指导、监督。

第三，内容丰富，趣味性强。每讲前后安排了一些名人名言、趣味故事、数学史料、数学家介绍、数学名著介绍等阅读材料，开阔学生视野、丰富知识内容，有较强的可读性、趣味性。

第四，及时修订，跟踪使用。在使用过程中，不断总结经验和寻找不足，适时对教材进行修订。

经过几年的教学实践，《北大数学少年》课程不断修订、完善，培养了一大批喜爱数学品学兼优的学生。《中国教育报》《北京晚报》《京华时报》都专题介绍了北大附小的数学教学活动。

现代科技应用类课程

当今世界科学技术突飞猛进，国力竞争日趋激烈。当今世界综合国力的竞争归根到底是科技的竞争，而一个国家科技实力的增强，离不开教育的振兴和发展，离不开对具有较高科技素质和创新能力的人才的培养。顺应这一时代背景，为培养学生的科技意识，创新能力，北大附小为学生建立了诸多兴趣小组，研发、实施了诸多科技类以及关于应用技术类的校本课程。学校先后开设了无线电测向、智能机器人、电子制作、车模、航模等几个项目，其中以无线电测向和智能机器人最为出色。

1. 培养学生综合素质的无线电测向校本课程

（1）无线电测向校本课程开发的背景

北大附小重视学生的全面发展，以学生的发展为前提进行各种课内外活动。在选择活动时，由于学生年龄较小，必须重视活动的趣味性、科学性，为学生将来的发展打好基础。业余无线电是一项将人们带向世界和未来的科技性活动。无线电测向（运动）活动是唯一的一项科技（竞技）体育项目，也是校园开展业余无线电活动的主要内容。

无线电（运动）活动的主要过程是：在旷野、山丘的丛林或近郊、公园等优美的自然环境中，事先隐藏好数部信号源，定时发出规定的电报信号。参加者手持无线电测向机，测出隐蔽电台的所在方向、位置，然后采用徒步方式，奔跑一定距离，迅速、准确地按照一定顺序逐个寻找出这些信号源。在规定时间内，找全指定台数、使用时间少者为优胜。这项类似于寻宝的活动集体育性、科技性、趣味性于一身。要参加这种活动，学生除了要进行身体锻炼之外，还需要学习无线电方面的知识，掌握测向机功能、工作原理和测向机（或其他电子）制作技能。它是在大自然的怀抱中有机地将科技、健身、娱乐融为一体的活动，充分体现了理论与实践、动手与动脑、室内与户外、体能与智力的有机统一。

现代小学生中独生子女较多，室内活动比较多，室外活动比较少，对父母的依赖性强，其身体素质不够理想，心理承受能力比较弱。这个活动则对学生的身体体质、心理素质、应变能力、耐挫能力等整体素质的提高都会有很大帮助。同时，北大附小北邻圆明园，地处北京大学燕东园社区，社区植被丰富，活动范围宽阔，西有北京大学，东有清华大学，南侧是中关村核心区，拥有进行测向活动的良好地理条件和技术资源。所以，我们在诸多的应用技术科目中选择了无线电测向项目给学生开设课程。

（2）无线电测向校本课程开发的内容与实施

无线电测向校本课程目前是以小学课外兴趣小组的形式进行，学生自愿参加，学生经常在操场上活动。人们对这项活动很好奇，咨询的人越来越多，参与的学生也越来越多，参加的年级由原来的五六年级逐渐扩充到三四年级。现在固定参加活动的有 30 多名学生，课程安排在周一，每周保证一个半小时的活动时间，每个假期有一周时间的集训。2008 年下学期我们将其安排在正式课堂上，从四年级开始就开设这个课程，使之正式成为学校的校本课程。

在无线电校本课程的教材开发上，我们对现有的书籍和资料进行了拓展，结合我们之前的活动，再根据学校具体情况，研发出了自己的教案教材。专业书籍的理论方面比较强，而我们根据自身实际情况所编写的教材，在实用性、针对性、操作性方面都比较强。针对学生，我们没有介绍太多的理论，测向机制作因为造价太高我们涉及得比较少，但是我们会在周二下午对那些特别感兴趣的学生开设测向机制作课程，对于大多数学生我们是利用基础工具教他们如何进行测向活动。

目前学生用的实验器材是自购的，教师教学用的器材由学校统一采购。一整套器材需要两三千元，差不多三四年就需要更新一次。我们现在考虑在器材购置上做一些改变，因为有的学生上完课之后，有些器材就用不上了，这是一种浪费。学生上完课了把这些器材留给学校，后来的学生进来可以先试用这些器材，等到达到一定的水平，确定自己可以坚持下来，再去购置新的器材。在场地方面，以前这些活动都是在户外进行的，考虑到在户外活动有一定的危险性，所以就一步步地收回到公园里，甚至只在操场上开展。对活动的安全问题，仅仅依赖教师的保护是远远不够的，我们以教育为主，告诉学生哪些活动是有危险的，遇到了危险应当从哪些方面去避险。在安全教育中，我们主要是针对摔伤、受伤这些问题，教会学生受伤了该怎么办，怎样自救、互救，以增强学生的安全意识和自救能力。

整个无线电校本课程 1/3 的时间安排在室内，主要是给学生介绍无线电的一些必要常识，也开始接触信号，即让学生来识别信标，就是来听摩尔斯电码。这个阶段主要是给学生讲解一些无线电和无线电测向的基本内容，采用3位教师共同上一堂课与每位教师单独辅导学生相结合的教学方式。第二个1/3时间的课程，学生开始走出课堂，进行集体的、单一技术、短距离的测向活动。第三个1/3时间阶段由校园开始进行单独的、多项技术相结合、大范围的室外活动。无线电测向课程实践性很强，它不仅是为了让学生掌握基本的知识，更重要的是让他们掌握科学研究的一般方法，学会动脑动手，培养其学习和研究的能力。其基本步骤：实践中，学生测向能力、技巧和心理耐挫能力的提高不是由老师讲出来的，而是学生亲历了提出训练的目标—做出训练过程和结果的假设—实践—总结分析实践的结果—找出问题—再进行实践……的研究性学习的全过程后，在实践中得出的科学结论。通过体会和理解实验的基本过程，学生不但提高了无线电测向的理论与实践水平，同时也学到了科学学习、训练的方法。

每一次活动结束后，我们会让学生做一个回顾和总结，鼓励学生写一些自己的心得或技术总结。对此，我们不做硬性要求，因为这毕竟是一个兴趣小组活动。同时，为了不影响学生正常学习、考试，兴趣小组一般每个学期在考试前两周停止活动。

无线电课程实施至今获得了许多成绩：白达维、黎萱莹等同学以优异的测向成绩考入八一中学，至今是学校无线电测向队的主力；于晓凡、管修晨两位同学获得北京市科技银帆奖，于小凡同学协助北大附中老师组织了测向社团……从2004年至今，北大附小参与无线电测向的学生在海淀区、北京市、全国无线电测向北方赛区比赛中多次获奖，且在2005年、2006年、2007年的全国青少年无线电测向比赛中成绩逐年提高，2007年获得短2米项目团体第二名，短2米小学男子组第一名，短80米项目小学女子组双人赛第一名。

竞赛成绩只是一方面，更重要的是，通过此项课程，培养了一批又一批无线电爱好者，一批又一批热爱动手、肯于动脑同时身体强健的优秀学生。

附：

学校自编《无线电测向》教材基本框架

·基本技术篇

第一节　使用和掌握测向机

一、测向机的认识

二、正确的持机方法

三、熟悉隐蔽电台呼号

第二节　收测电台信号

一、收听电台信号

二、测出电台方向线的基本方法

三、比音量和利用音量估计距离

四、标画电台方向线

第三节　方向跟踪

一、直接跟踪

二、包抄验证跟踪

三、交叉定点

第四节　测向影响的识别与排除

一、造成测向影响的主要环境

二、测向影响的识别

三、对付测向影响的办法

第五节　地形图和指北针的使用

一、地形图的识读

1. 比例尺

2. 颜色和图例

3. 注记

4. 等高线

5. 山的各部形态

二、指北针的使用

· 专项和综合技术篇

第一节　起点测向技术

确定首找台和找台顺序

第二节　途中测向技术

运用基本测向技术，选择行进道路

第三节　近台区测向技术

2. 与科学前沿接轨的智能机器人校本课程

（1）智能机器人校本课程开发的背景

在校本课程开发过程中，课程研究专家、家长及社区有关人员一起进行课程开发，要对学生的兴趣、爱好、需求、特点等作全面分析，以使自己的教学内容和教学方式符合学生的需要，促进每个学生得到充分的发展。北大附小机器人校本课程的开发也是本着这样的目的，为了更好地满足学生的需要，提升学生的社会竞争力，使之适应未来社会的发展。

北大附小是北京市最早接触并开展智能机器人项目的学校，初期以课外兴趣小组的形式开展，到 2004 年、2005 年，机器人课程进入试运作阶段。最初作为课外兴趣小组活动开设时，一个小组只有十几个人，课时非常有限，场地也受到制约。当时，学校并不具备将智能机器人课程作为日常教学常规课程的条件。但科学技术的日新月异及社会时代发展的要求，对学校开展机器人活动的广泛性提出了更高的要求，学生参与机器人活动的要求也越来越迫切，同时学校软、硬件水平不断提高，教师的水平与数量、机器人活动场地的扩大以及机器人相关器材设备的扩充，为机器人教学进入常规教学创造了可靠必要的条件。综合以上因素，我们认为，开设机器人校本课程的条件已经相对成熟。所以，从 2007 年开始，学校结合北京市教委体美处《整合社会资源，联合开发科技类校本课程的行动研究》的课题研究以及海淀区教委出一套校外学生辅导教材的计划，我们开始着手建设这个校本课程，努力让创新的机器人校本课程“体现课程结构的均衡性、综合性和选择性”，使学生有更自由的发展空间。

（2）智能机器人校本课程的内容及实施

校本课程开发的目标应与素质教育的目标一致，不但注重全体性、全面性，而且要注重每个学生发展的差异性、可持续性。北大附小机器人校本课程注重培养学生的独立性和自主性，促进学生在教师指导下主动地、富有个性地学习；更关注个体之间的差异，满足不同学生的学习需要，从而激发学生的学习积极性和创造性。学校开设这门课的目的首先是要给学生们普及机器人知识，这是惠及全体学生的；其次是为了选拔在这方面有特长的学生，让他们参加国内、国际比赛，为校、为国争光。

北大附小在2007年将智能机器人设置为正式课程之后，首先在六年级试行，后来又在三年级开设了这门课，课时为一年。教材共32课时，采取任务驱动的形式和螺旋上升的知识结构。在教材的编写上，教材语言尽量符合儿童特点，定位为小学三至六年级；每课文字尽量控制在1000字以内；图片清楚，少而精，避免做成说明书；每课基本都要由学习任务、任务分析、探索与实践、展示交流与评价、收获与思考、拓展练习、阅读材料等几个部分组成；每个单元介绍要学习的知识，每课的内容为1课时，便于正常上课。整个学期的活动结束后，教师结合学生整个学期的学习表现，通过竞赛、学生的作品等对学生进行客观、综合的评价。

在硬件方面，机器人校本课程最初是白手起家，没有固定的活动场地，只能在教师自己的办公室里进行，由学校出资购买机器人的材料。活动开展步入轨道后，我们获得了各种各样的奖项，继而得到了北京市、海淀区里的重视。2007年起北京市教委给予了资金支持，海淀区科委也多次对这个项目进行资金支持。在获得市区活动经费支持后，学校设置了专用的机器人活动教室，我们称作“机器人实验室”。上级领导部门的重视和支持、学校的不断投入，使这个项目得到持续发展。

机器人校本课程师资是在信息组中调配的，其中不乏“全国优秀科技辅导员”“全国十佳机器人教练员”“海淀区优秀科技工作者”“海淀区优秀科技教师”“海淀区科技园丁”“区科技创新研究室机器人项目教研组长”“全国电脑机器人大赛裁判员”海淀区“科技之星”等。同时学校被中央教科所和中国教育学会批准为“十一五”全国重点课题《钱学森大成智慧研究》子课题《智能机器人对学生创造性思维培养的促进作用研究》的课题承担单位。目前是从信息组中抽取教师来担任这个课程的教学任务，即每个教师带一个年级的信息技术课和部分机器人课，这使得学校师资有些紧张。为确保机器人课程更好地开展，学校计划再增加一些师资。

在学校和上级部门的大力支持下，北大附小机器人小组活动开展十年来取得了突出成绩：代表中国参加在美国举办的机器人世界杯比赛获得机器人世界杯机器人舞蹈项目冠军；多次获得国际、全国、北京市、海淀区机器人大赛金牌。机器人项目已经发展成为北大附小科技龙头项目。作为海淀区教委授予的“海淀区科技创新机器人项目基地校”，2006 年 5 月，我们先后承办了海淀区和北京市的机器人竞赛活动，良好的比赛组织管理工作受到市区领导的一致好评。为确保学校这一“龙头”科技教育项目的持续发展，我们的目标是在保持项目优势争取高层次奖项的同时，重点将这一活动进一步普及。结合北京市教委体美处《整合社会资源，联合开发科技类校本课程的行动研究》课题研究，我们自主开发的机器人校本教材《神奇的机器人》将由北京大学出版社出版发行，并在“校本课程开发与学校办学特色关系”这一方面开展深入细致的研究。

附：

智能机器人校本课程教材基本框架

第一单元　认识机器人

　　第一节　什么是机器人

　　第二节　认识机器人的身体

　　第三节　认识机器人的大脑

图7　机器人小组的同学正在调试刚刚组装好的机器人

第二单元　设计可爱的玩具

　　第四节　南极精灵——机器企鹅

　　第五节　忠实朋友——机器狗

第三单元　设计奇异的小车

　　第六节　永争第一——跑得最远的小车

　　第七节　精确定位——会识别终点的小车

　　第八节　跨越障碍——会拐弯的小车

　　第九节　奇异行走——没有轮子的小车

　　第十节　翻滚杂技——会翻筋斗的小车

　　第十一节　挑战极限——一个马达驱动的小车

　　第十二节　蚂蚁散步——走得最慢的小车

　　第十三节　无形的手——自动停止的小车

　　第十四节　后来居上——会加速的小车

第四单元　设计家庭机器人

　　第十五节　运送物品——用轮子行走的机器人

　　第十六节　爬楼梯——用腿行走的机器人

　　第十七节　躲避障碍——有感觉的机器人

第十八节　畅通无阻——自动门

第十九节　家庭服务员——会扫地的机器人

第五单元　设计工程机器人

第二十节　抓取物品——机器人手臂

第二十一节　提升物品——机器人吊车

第二十二节　移动物品——机器人传送机

第二十三节　力大无穷——机器人起重机

第六单元　设计会唱歌的机器人

第二十四节　快乐歌唱家——会唱歌的机器人

第二十五节　快乐舞蹈家——会跳舞的机器人

第七单元　竞赛机器人介绍

第二十六节　跑步健将——机器人接力赛

第二十七节　足球运动员——机器人足球赛

第八单元　创意无限

第二十八节　本末倒置——程序设计师

第二十九节　实现目标——我的机器人

第三十节　小小设计师——设计我的机器人 1

第三十一节　小小设计师——设计我的机器人 2

第三十二节　放飞理想——我的收获与设想

经济学启蒙类课程

在课程开发过程中，北大附小尊重学生多样化的学习需求。由于学校生源多为高知家庭子女，学生视野开阔，对经济社会发展、前沿科学知识有一定探究的欲望。基于此，2006 年，学校陆续开始送英语好的老师到美国进修经济教育硕士课程。我们发现，发达国家教给孩子的不仅仅是知识、能力、创新精神，更重要的是从小渗透给孩子一些终身受用的东西，比如对生活的热爱，学会选择和放弃、学会辩证地思考问题等，而这些都要有鲜活的载体。

1. 经济学校本课程开发的背景

由于学校生源多为高知家庭子女，学生视野开阔，对经济社会发展、前沿科学知识有一定探究的欲望。学校决定以经济学校本课程为载体，引导学生关注社会发展。在这一课程的开发过程中，北大附小注意综合利用了北京大学、学生、学生家长和教师等各类资源。2007 年，由校长助理高晨牵头，学校第一个经济学小组——经济联盟成立，包括 3 名本校教师、1 名大学教师和 15 名对经济学有着浓厚兴趣的孩子们。

2. 经济学校本课程的内容及实施

学校每周开设两课时的经济学课程，并根据小学生的心理特质制订了基本目标和评价方案。

基本目标

（1）学生通过各种游戏和实践活动，了解基本的经济学知识和原理。

（2）培养他们尝试理性地看待社会，思考问题，并做出正确选择的能力。

（3）积极向上的生活态度，进而能够更好地规划自己的未来，管理自己的生活，使他们充满生活的热情，能够更加热爱生活。

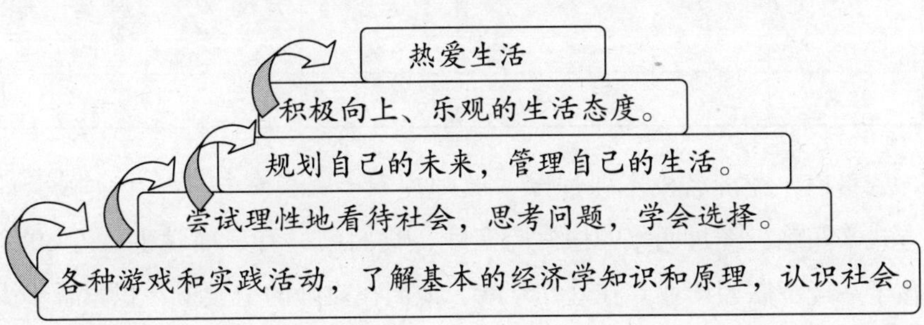

评价方案

★课程学习评价方案

	学习内容		态度与能力		
	课堂中互评和师评	课后作业	语言表达	沟通合作	其他
		用绘图方式表达对学习内容的理解。	能清晰准确地表达自己的观点。 在与人交流时，选择适合的语气态度。	积极友善会倾听，能够接纳不同意见，能够提出自己的建议。	参与活动积极认真、能够与不同的同学进行合作、乐于助人、敢于承担责任。
姓名					

★实践活动评价方案

	活动内容	态度与能力		
	商业计划书	语言表达	沟通合作	实践能力
	结构完整、观点新颖、调查详细、分工明确、计划便于实施 拍卖活动、跳蚤市场：能够遵守游戏规则，有序合理竞争。	能清晰准确地表达自己的观点。 在与人交流时，选择适合的语气态度。	积极友善会倾听，能够接纳不同意见，能够提出自己的建议。	能够按照所制订计划书实施，各司其职，能根据实际情况进行适当调整和改变。
姓名				

目前，经济名校本课程以“教师探索、家长参与、学生实践”的方式来实施。经过四年的探索与实践，我们已经有三届学生将近80个孩子从经济联盟毕业。在这几年间，他们在教师的引领下，积累了不少经济学常识，如稀缺、机会成本、供给和需求、人力资源、货币的特征及作用、通货膨胀……教师们用最生动有趣的游戏、戏剧、故事、参

观、讲座等不同形式让孩子们了解了经济常识，并将这些知识应用到我们的日常生活，并与其他课程进行学科融合。

类似的讲义，我们已经积累了近20讲。教师就是这样，边实践边思索，边积累边固化，使北大附小的“经济学”校本课程成为学生最喜闻乐见的课程之一。

3. 经济学校本课程的实施成效

在课程实施过程中，我们充分挖掘北京大学资源优势，聘请身为家长的北大教授到学校开设讲座，受到师生的广泛好评，这种方式既开阔了师生眼界，又增强了家校沟通。透过一节节生动有趣的课程内容，师生们感受到看似高深的经济学其实就在我们的生活中，就在我们每个人的身边。

通过经济学课程的开发与实施，教师和学生们渐渐学会了思考社会现象，也学会了与别人沟通合作。在日常生活中遇到问题时，大家自然而然地会用学过的经济常识来解决。例如，有的学生家长对“是开车去批发市场买文具还是在学校门口的小卖部买文具”产生犹豫时，小组里的孩子就会将“开车要花油钱”这一隐性成本算在其中，并以此说服家长在学校门口小卖部买。

孩子的成长与进步是令我们欣喜的，下面向大家展示一篇“张啸天同学的日记”（节选）。

我是“CEO”！

……

公司开起来了，我们6个同学都非常地努力。负责进货的同学牺牲了自己的休息时间想方设法去进物美价廉的文具。负责记账的同学认真地记录每一笔收入。负责销售的更是卖力地工作。整个公司都在积极地运转着。开公司的第一周我们就挣了40元。上一周因为有些货卖不掉我非常着急。中午我硬着头皮去了老师的办公室推销。结果一个也没卖掉。我不甘心又去了隔壁班，这回运气不错卖掉了三样东西。这要是在以前我可是不敢去的，现在……开公司不仅仅是为了挣钱，更主要的是把书本中学到的知识变成现实。我还体会到，一个公司的有效运转是和每一个员工都分不开的。最主要的是要强调集体的力量，团结合作是最重要的，有问题一起解决。

经济学课程的学习让我领略了课内学习所接触不到的东西。自从上了这个小组，我变得更加关心时事，以前那些对我来讲很陌生的东西，如GDP、股票、经济危机、中欧峰会现在都好像和我有了联系。我想说：有了你，生活变得更精彩！

在学习完通货膨胀以后，孩子们就可以自己解释当时在津巴布韦发生的是恶性通货膨胀……孩子们对于知识的掌握不仅体现在分析解决问题上，他们还会用画笔来记录所学。

每一节经济学课后，孩子们都会用画笔把当天学习的经济常识配合自己的理解，用孩子的视角来解读经济学概念，以漫画的形式来诠释社会现象。我们每年结课时都会选出其中画得比较好的画，并与花旗银行合作将这些画以经济年历的形式印刷出版。当孩子们拿着变成挂历的学习成果给其他老师和同学甚至家人展示时，感到无比的骄傲和自豪。

附：

经济学校本课程教学内容

第一章　微观经济学

　　一、稀缺和选择

　　二、机会成本

　　三、成本和利润

　　四、自由贸易创造财富

图 8　用学生的画制作的挂历（节选）

五、供给和需求

六、人力资源

第二章　宏观经济学

一、GDP

二、货币的故事

◆什么是钱

◆钱的特征

三、通货膨胀

四、外汇

弘扬传统文化类课程

文化是历史和时代共同作用的结果，民族传统文化具有稳定性和沉淀性，是任何科技都无法复制和取代的，也是一个民族的精髓所在。传统文化校本课程，是某一类或某一级学校的老师根据国家制定的教育目的，结合学校发展与学生的发展需求，利用学校资源开发的传统文化教育课程。

在科技发展日新月异的信息时代，对传统文化的回归不是复古，更不是对过去的东西全盘复制接收，而是取其精华，传承经典，这是对历史的尊重，也是我们区别于其他民族的本色。我国有着五千多年的文明史，有着五千年源远流长、博大精深的传统文化，学校在开发传统文化校本课程时可以选择其中的一项或某几项加以拓展。2008 年国家将京剧这一国粹纳入九年义务教育阶段音乐教程，2008 年 3 月至 2009 年 7 月，10 省（市）中小学将开展京剧进课堂试点，一至九年级学生将学唱 15 首京剧经典唱段，这对传统文化的保留与传承有重要意义。北大附小也在试点学校之内，但其实北大附小对中华优秀传统文化教育的重视可追溯到 20 世纪 90 年代。经历 10 几年的探索，我们不仅将京剧引入课堂，剪纸、民歌、武术等传统文化也是学校别具特色的校本课程。

我们选取京剧、民间艺术（剪纸）两部分来展示北大附小传统文化校本课程的开发。

1. 国粹飘香——京剧校本课程

（1）京剧校本课程开发的背景

世界上有三种古老的戏剧：古希腊的悲剧与戏剧、印度的梵剧和中国戏曲。而京剧以其独特魅力和艺术水平在中国戏曲中名列前茅，是中华民族文化的瑰宝，在国际上享有盛誉，如今京剧艺术已成为中华民族文化的主要传播途径。作为一种经过甄别和筛选的优秀文化，京剧包含着文明创造者的思想智慧和艺术造诣，有着强大的育人功能。在“京剧”校本课程中，许多方面都贯穿着人们对美的发现与创造，崇尚与追求。学习京剧、了解京剧的文化内涵，能够培养学生的文化自觉意识，使他们在学习的过程中产生对京剧文化的认同感和自豪感；能够使其在体悟京剧文化的过程中得到美的熏陶，从而培养其审美意识和审美情趣，提高审美感知和审美创造的能力，进而开发学生智力，陶冶学生情操。将京剧纳入校本课程有利于全面提高学生的综合素养，充分发挥育人的功能。基于此，北大附小在20世纪90年代便开始了京剧校本课程的探索。

（2）京剧校本课程开发的内容与实施

“娃娃唱戏，国粹生辉”，保存和发展民族优秀传统文化是北大附小开设京剧校本课程的首要目标。通过校本课程的教学，无论是学生，还是教师，都将获得一定的京剧艺术知识，形成对京剧艺术的关注和热情，这也是京剧校本课程的目标所在。在组织校本课程内容时，我们首先考虑的是内容应该符合小学生的身心特点，是学生可以理解的；同时又是有趣的，学生能够接受的。京剧作为我国的国粹，有着悠久的历史，但其中有许多内容已经难以被今天的观众接受和理解，尤其是小学生，对一些曲目尚未具备相应的欣赏能力。所以在选择曲目时，学校以比较接近生活的现代戏为主。同时，我们还不断创新富有教育意义的新剧目，如体现谦让美德的儿童京剧《孔融让梨》、颂扬舍己为人的奉献精神的神话京剧《百灵》、振奋民族精神的《岳家小将》等。

学生的身心发展具有连续性，组织校本课程内容应参照学生的身心发展特征设置不同的学习内容。在课程开发的过程中，我们根据学生言语能力的发展水平，按照难易程度，为不同年级选择相应曲目：一二年级学唱《报花名儿》、《小放牛》，三四年级学唱《都有一颗红亮的心》、《咏梅》、《泰山顶上一青松》，五六年级学唱《你待同志亲如一家》、《今日痛饮庆功酒》等。课程内容的整体性体现在单元设置的完整性与连续性。比如，我们在设置一年级的学唱曲目时，不仅让学生学会唱《报花名儿》，还通过音乐课堂的知识讲解，让他们理解曲目内容，了解曲目的编排背景，掌握相关的乐理知识和曲目唱法，从而使学生完整地把握曲目内容。在课程的实施上，北大附小始终坚持课内与课外、校内与校外、普及与提高相结合的原则，让每个孩子都能开口唱上一段京剧。

在组织京剧课程内容时，我们充分考虑课程的可操作性和教师的教学，尽量为教师提供丰富的教学素材，聘请专家指导京剧团等，以推动京剧课程的顺利、有效开展。

从开发模式上讲，北大附小京剧校本课程属于目标开发模式，但又兼具动态开发模式的特点。一方面它走进课堂，成为音乐课堂上的教学内容；另一方面，每周二下午又有针对全校学生的京剧兴趣小组。如此，即使全校学生都能学到京剧，又为感兴趣的同学提供了更为广阔的发展平台，从而有效地在学生之间普及京剧。当然，学生之间不乏京剧特长的人才，为了进一步提高他们的京剧水平，我们坚持了普及与提高相结合的原则。1994 年在普及京剧的基础上，学校选了 60 名学生组建“娃娃京剧团”，我们聘请北京剧院和中国剧院的专家指导“娃娃京剧团”唱戏、演戏。现在每周一下午 15：10—16：20 和周五下午是娃娃京剧团的活动时间。

当然仅有课堂上的传授和兴趣小组的活动还远远不够，为了营造学习京剧的氛围，我们充分利用校园广播、电视等传播手段，时时播放京剧曲目。而每年一次的京剧大戏成为全校师生的主要关注点，在每次专场演出中，没有纯粹的观众，台上小演员一招一式认真地表演，台下各年级学生此起彼伏的合唱，使每一位老师、同学都沉浸在美的艺术氛围之中。台上台下两千多名师生彼此互动，场面极其热烈壮观。这种课内与课外相结合的实施方式，为学校营造了良好的京剧学习氛围。

京剧校本课程的评价是为了鼓励和督促学生唱好京剧，在课程评价上，我们则采取了灵活的评价方式。针对纳入课堂的校本课程，音乐老师会有相应的考评方式，但不会有严格的书面考试或评审。而兴趣小组活动的评价则更加灵活，由于它是以专题形式开展，所以没有固定的评价内容，往往根据学习内容的需要调整学习目标和评价手段。

多年的探索和努力，北大附小京剧校本课程取得了辉煌的成绩：1994 年娃娃京剧团成立；1996 年娃娃京剧团在奥地利维也纳访问演出；1997 年，娃娃京剧团在俄罗斯驻中国大使馆的精彩表演得到了在京驻华大使罗高寿的高度评价，并向娃娃京剧团颁发了荣誉证书……1996 年开始，几乎每年都有一次对外演出，这不仅让世界了解中华国粹，也拓宽了学校对外交流渠道，对学校京剧校本课程的发展有着重要的推动作用。2007 年，学校被北京市认定为北京市金帆艺术团京剧分团，从此，京剧校本课程的发展又迈上了一个新的台阶。

2. 民间艺术——以剪纸校本课程开发为例

几年来，北大附小一直非常注重实施“以人为本”的审美教育，为每一个学生提供欣赏美、创造美、展示美的机遇，使学生经常处于一种兴奋、快乐和进取的意境之中。学校每学期都会把民族艺术教育列入学校总体规划，至今的十余年中已经开展了一系列具有相当影响力的丰富多彩的活动，如剪纸、陶艺、编织等。以下以剪纸课程为例，介绍学校民间艺术校本课程的开发。

“千刻不落”“万剪不断”说的是剪纸。剪纸与其他民间艺术一样默默地绽放自我神采，精秀而别致。剪纸校本课程在课程目标的设置上也更为具体，除了传承文化、陶冶学生情操、提升学生的审美能力外，还希望通过教学培养学生的心灵手巧。学生在剪纸过程中务必做到专心、细心、耐心，否则就会前功尽弃，因此，剪纸不仅可以锻炼学生双手的灵活性和协调性，而且还能使学生养成专心、细心、耐心等良好品质。北大附小剪纸课程既有纳入课堂教学的渗透性，也有每周二下午的兴趣小组活动以及每天中午休息时间的自选活动。在课程内容的安排上，本课程根据学生身心特点和学习心理学的基本原理确定了不同年级的教学内容。

低年级课程内容着重培养学生的兴趣，老师会经常变换教学方式，使用丰富的教学材料使学生保持新鲜感。教学内容主要是：掌握剪纸工具使用，了解剪纸符号的识别与要领和剪纸制作的步骤，学会剪影、单色剪纸；把握住物体的形象特征，把它画出来；灵活把握剪刀，逐渐使轮廓达到准确而流畅，有些细部学会用刻刀刻出；能照简单的范例在老师指导下完成作品。由于中年级学生对美术比较熟悉，所以课程上相应会有一些色彩知识和剪纸技巧，并注重启发他们的想象。在低年级的基础上，中年级的教学内容有：了解剪纸的特点及应用知识；学会五瓣花、六瓣花、双喜字、带心形的双喜字的制作；掌握多折剪的技巧；掌握剪纸的裱贴、剪纸的对称式和自由式构图的有关知识；能照较复杂的剪纸范例独立完成作品。到了高年级（五六年级），学生的思维发展水平比较高，他们自己也比较追求完美，这时我们着重开发他们的创造力，主要教学内容有：掌握比较复杂的剪纸技巧，进行自由创作。

美术老师在班级的布置上别出心裁，教室的布置体现了民间艺术与传统文化。在教室西侧用彩绘图案和折纸做成“春夏秋冬”的主题墙；教室后面则是学生的“作业展示区”；每扇窗上贴有各种图案的剪纸；就连椅子的设计也很有特色，老师们向学生征集方案，然后组织高年级的学生在椅子上漆上各种美丽的图案。

富有文化特色的教室布局，激发了学生的学习兴趣，无形中陶冶了学生的审美情操，引发他们去思考作品背后的意义。

三、课程建设的主要经验

课程建设是学校整个育人体系的关键环节，校本课程则更是能够反映学校的办学理念和育人目标，它是对国家课程的补充并能充分体现出一所学校的办学特色。回顾课程发展，我们依稀可以探寻到时代变化的轨迹，审视今日课程，我们又仿佛可以触摸到时代跳动的脉搏。北大附小的课程开发始终走在课程改革的前列，这一切显然不是“机缘巧合”所能解释的，这是学校一直把学生的发展作为课程的核心这一育人理念的直接反映。以下将从几个方面来总结、梳理北大附小课程建设的经验与思考。

育人为先，人文与科学并重

学生发展是课程设置与实施的最终目的，因此在规划课程时需要考虑的首要问题就是学生身心发展水平、兴趣、爱好以及各方面的协调发展。可以说，学生是整个学校教育的中心，也是学校课程开发的根本出发点，“以人为本，和谐快乐发展”是学校的办学理念，也同样是课程的开发理念。这并不是强调个人发展的“学生基点”理念，我们更强调学生的“和谐发展”，希望通过相应课程的学习，不仅提高学生的自身素质，而且为他们的未来发展作准备。我们把“以人为本，和谐快乐发展”包括的身心素质、科学与人文素养、知识与能力三个维度具体化为“身体素质”“心理品质”“科学素养”“人文艺术气质”“学习能力”五个方面。围绕这五个方面的发展要求，北大附小开发了相应课程，具体如表2所示。

表2　北大附小围绕五项发展的课程设置

五项发展	发展要求	相应课程（部分）
身体素质	健康、运动	体育、武术、棒球、篮球、跆拳道、乒乓球、体操、围棋
心理品质	高尚情操、健康心理	班会（心理健康教育）、品德、古诗文诵读
科学素养	学科学、爱科学、崇尚科学	计算机、无线电测向、机器人实验室、天文、科普实验
人文艺术气质	继承民族传统	京剧、手工、剪纸、陶艺、书法、绘画、舞蹈、皮影
学习能力	自主探索、终身学习能力	数学少年、阅读、思维训练、综合实践活动、经济学

个人的和谐发展需要健康体魄的支撑，健康体魄需要持之以恒的锻炼和健康的生活习惯，因此，我们在设定目标时，把“身体素质”放在首位，相应地设置体育、武术等课程，但这仅是“健康”的第一步，

一个人的健康应该包括身体和心理的健全。可以想象，一个心理不健全的人是无法认清自己、融入社会的，一定意义上讲这是不快乐的，甚至可能对他人的生活构成威胁。所以，我们十分重视对学生进行心理和品德的教育，通过心理健康教育与品德课程的开设提高学生的心理健康水平，同时营造“以爱育德”的校园文化，将品德教育渗透到校园生活的各个方面。

身心健康是一个人和谐发展的基础，具备科学素养则是当今社会对人才的要求。在科学素养教育上，学校强调“学科学、爱科学、崇尚科学”，旨在鼓励学生积极探索，养成认真严谨的研究精神，对此，我们分别开设了“数学少年”“无线电测向”“计算机”“机器人实验室”等科技类课程，并组织学校老师编写《北大数学少年》《LOGO 语言》等一系列教材，为学生的科学探索创造环境。人文与科学并重，和谐发展不可偏废其一。科技发展为人类带来福祉时也带来诸多不幸，如自然环境的破坏、人文景观的拆除、青少年精神空虚（表现如网络沉溺）等已然昭显科技弊端，回归人文，回归生活，回归传统的呼声日益增高。人们重新重视人文素养，重视文化，尤其是对传统文化的继承。对此，北大附小提出提升学生的“艺术气质”的培养目标，开设京剧、剪纸、陶艺、书法、国画、古诗文诵读等兴趣小组活动，丰富学生的精神文化生活的同时继承民族传统。

“发展”是个长期的动态过程，“和谐发展”应该是着眼全局、放眼一生的发展，“学习”亦不局限于一时一刻而是贯穿终身，在知识更新迅速的社会更是如此。因此，自主探索、终身学习的能力尤为重要，对此，北大附小锁定思维和习惯两条主线，开设了“阅读”“思维训练”“围棋”“机器人实验室”等课程，鼓励学生自主探索、合作探究，着力培养学生的发现问题、提出问题、综合运用知识解决问题的能力，为他们形成终身学习能力打下坚实基础。

坚持目标与过程相结合的开发模式

1949 年，泰勒在《课程与教学的基本原理》中提出课程与教学的四个基本问题：学校应该达到哪些教育目标？提供哪些教育经验才能实现这些目标？怎样才能有效组织这些教育经验？我们怎样才能确定这些目标正在得到实现？四个问题表现在课程开发上的逻辑顺序为：目标的设置—内容的组织—方法的选择—效果的评价。课程开发过程是一个动态的过程，确定目标、选择学习经验、组织学习经验和评价四个步骤相互作用、相互影响和相互修正。"目标模式"有助于教师明确方向和指南，使教学更具方向性和针对性，是当前最常见的课程开发模式，但也存在方法死板、直线式操作的弊端。过程模式不拘泥于课程开发的直线式过程，允许改变课程开发的顺序，根据不同学科和不同教学对象采取不同的开发过程，具有一定的灵活性，却容易陷入"内容决定目标""方法决定目标"的误区，缺乏系统性、整体性和方向性。北大附小在综合分析两者利弊的基础上，试图寻求将二者结合的解决之道。

当然，采用何种开发模式不是开发者的一相情愿，应该考虑学生的发展需要，考虑具体的学习内容，甚至考虑学校的资源条件。比如，系统性较强的学科课程就不适合采用过程开发模式，着重培养学生兴趣、陶养情操的活动课就不适合采用直线式的目标开发模式。那么，如何在最大限度地保证满足学生各方面协调发展的前提下，灵活有效地开发校本课程？我们择取了中间路线，对两种模式加以整合，将校本课程分为纳入课堂教学的校本课程（北大数学少年、传统文化校本课程、武术、科技）和兴趣小组活动课程两部分。具体如表3所示。

表3　目标与过程模式相结合下的校本课程设置

按形式划分 / 按内容划分	纳入课堂的校本课程	兴趣小组活动
基础学科	北大数学少年	英语、阅读、奥数
应用技术	无线电测向、机器人实验	计算机、无线电测向、机器人实验室、多媒体制作、车模小组、电子制作、航海模型小组、天文小组

续表

按形式划分 按内容划分	纳入课堂的校本课程	兴趣小组活动
基础学科	北大数学少年	英语、阅读、奥数
文化艺术	京剧、国画、古诗文诵读、剪纸、版画、书法	京剧团、武术 陶艺、皮影 硬笔书法、舞蹈、绘画、合唱
体育运动类	武术	围棋、棒球、篮球、乒乓球、国际象棋

其中，纳入课堂教学的校本课程采用目标开发模式。我们以国家课程标准的要求为底线，根据任课教师的个人特色和学生的兴趣爱好增加校本课程的内容。比如，在美术教学过程中，我们会在各个章节渗透剪纸、国画、书法等内容，或者适当增加剪纸、国画和书法的课时，让学生对民族艺术有更深入的了解，手工老师还在专门针对二年级学生传授中国结、软陶的制作方法。这些课程都有明确的教学目标、教学计划和严格的评价方式。而兴趣小组活动则相对灵活，它重点在于激发学生兴趣，提高学生综合素养，为学生提供尽量多的选择，以满足学生的多样化需求。活动时间为每周二下午14:30—15:10和每天中午12:30—13:30，学生自愿报名，自主选择，老师根据学生的情况加以编班，除无线电测向和奥数纳入学科教学外，其他均为活动课程。多数课程没有设置具体目标，也不严格限制上课时间，学生可以根据自己的时间灵活安排学习，教师在整个过程中根据学生需要调整自己的过程。

这种整合路线保证了学生在身体素质、心理品德素质、科学素养、艺术气质、学习能力五个方面的协调发展。有时候学生的潜力我们无法熟知或探测，这种情况下，为他们提供平台，呈现丰富多彩的学习内容与灵活多样的学习方式，引导他们自我发现、自我反思或许是最好的办法，而过程开发模式正好为我们提供了这样的开拓思路。

扎根传统，因地制宜

学校课程的有效落实，必须能够结合自身实际。因此，北大附小在落实国家课程的同时，坚持课程开发立足校本。“校本”指的是以学校为基础开展活动，强调对学校及当地社区资源的利用，特别是与校外专家的交流合作。① 因此，课程开发立足校本亦即强调课程开发活动是学校发起的，并在学校中实施的，是学校综合利用自身资源完成系列开发活动。

立足于学校，不等于局限于校园之内，真正的校本课程开发应建立在各种课程资源的利用和整合上，来丰富课程、创新课程。在校本课程开发过程中，北大附小注意综合利用北京大学及本校的各类资源，不断丰富课程、创新课程，推进课程开发。

首先是来自北京大学的资源。北京大学作为中国一流的高等教育学府，有着悠久的历史和深厚的文化底蕴，这在北大附小得以传承。北大附小由皇家园林改建而成，学校的整体布局、楼台建筑依旧可见古时风采，每一个景致背后都有一段历史，这成为我们耳濡目染的重要教育资源。而北大民主开放、追求真理的精神也透过博雅塔、穿过未名湖在附小继承发扬。在我们眼里，学生不仅是单纯的学习者，还是创造者，校园景色的主题构思来自学生、教室布局的设想来自学生、课程开发的动力来自学生，甚至一些校园活动由学生全权操办。或许是民主开放的方式影响了家长，启发了我们，学校逐步将家长引入课程开发过程中，家长以各种方式参与和支持校本课程开发。近年来，我们以班级、年级、学校和科目为单位，邀请家长到学校开设讲座，涉及物理力学、地质、天文、数学思维、创造力培养等各方面内容，受到了师生的广泛好评，既开拓了师生眼界，又增强了家校沟通。可以说，北京大学是北大附小资源库的“原点”。

我们充分利用校外资源，与校外机构合作开发教材，如在机器人校

① 崔允漷. 校本课程开发：理论与实践［M］. 北京：教育科学出版社，2000：49—50.

本课程开发过程中我们就得到了微软公司和北京大学的技术和资金支持。这样一方面寻求了资金和优秀师资的支持，开发出了高质量的教材，并且降低了教材开发的成本；另一方面又扩大了优势教育资源的覆盖面。

当然仅有浓厚的文化积淀、学生资源和家长资源还远远不够，最重要的还是教师，教师不仅是校本课程的开发者，还是校本课程建设的主力军。北大附小注重挖掘教师的潜力，包容教师对课程开发的各种构想，鼓励教师发挥特质“做自己喜欢的和擅长的事”。迄今为止，学校部分课程的开设乃得益于教师的特长和喜好，比如，学校的大队辅导员对剪纸和编中国结特别感兴趣，学校就根据她的兴趣安排手工课，让她来教学生剪纸、编织或小制作等。

课程的变革，从某种意义上说，不仅仅是变革教学内容和方法，而且也是变革人，教师的知识能力在此过程中得以极大提升。在课程建设过程中，丰富而科学的教研活动促进了教师课程意识的积极变化，使教师获得了课程知识与提升了课程开发能力，自身素质得到不断提升，进而使学校教育教学质量不断提高，这一切又推动着学生全面、健康、和谐发展，实现着校本课程开发的目标。

第四章 课堂教学：唯真、唯实、唯活

课堂教学是最生动的教育实践，也是教育创新最生动的体现。学校的办学思想、教育理念要通过教师在课堂上加以贯彻。同时，课堂教学中教师们的生动创造又是学校教育创新这一理念发展、完善的重要源泉。北大附小作为一所拥有百年历史的著名小学，秉承北京大学“思想自由、兼容并包”的优秀传统，有着悠久的历史积淀和厚重的人文底蕴，学校“国内领先，世界一流”的办学方向、“以人为本，和谐快乐发展”的办学指导思想，都在课堂教学的生动实践中得以体现、提炼与升华。

我们的课堂教学努力体现知识的整合，注重联系生活实际，注意挖掘教学内容的人文内涵；我们的课堂教学努力设计合理的学习活动，形成学生多样化的学习方式，特别关注学生学习过程中创造性思维品质的培养；我们的课堂教学运用现代教育技术手段实施发展性的教学策略，让学生主动参与，采用自主学习、合作学习等方式，允许学生自主选择，让每一个学生在民主、快乐、和谐的课堂上实现差异化的发展，培养有创新精神和创造能力的附小学生。

图9　欢声笑语满课堂

一、以理念创新引领教学发展

课堂教学是学校教育的中心工作，其水平直接影响学校育人的质量。如何在课堂教学中反映和体现教学理论和实践的变革，从根本上提高课堂教学质量，不仅是教育教学改革者关注的焦点，更是处在教育一线的北大附小教师们关心的问题。

以往学校特别重视教师课堂教学的各级各类评优，教师特别关注学生的学习成绩，在课堂上特别重视学生基础知识的掌握和基本技能的培养。在应试教育向素质教育转型的教育改革过程中，我们的教学理念也渐渐发生了一系列的变化。这包括我们对教学本质的重新认识、对作为学习者的学生的重新认识、对作为载体的教学内容所应承载的育人功能的再认识等。具体来说，我们现在更加重视教师的常态课、研究课，在关注学生成绩的同时，更加注重思维能力和解决问题能力的培养，在课堂上我们更关注学生学习经验的积累以及快乐学习的情感体验。

这一系列的转变并不是一蹴而就的，学校经历了“课题引领—自主研究”的过程，采用了“专家引领—校本研究”的方式，完成了“学科核心—学科团队”的教师团队建设。目前，北大附小各个学科团队无论对课堂氛围创设、教学内容的把握、教学活动的设计，还是对课堂上的教学策略的选择以及对学生的评价方式都有着自己独特的理解和认识。这些理解和认识首先是建立在正确的教学观和学生观基础之上的。正是这些“以学生发展为本”的先进教学理念保证了学校课堂教学实践的不断创新。

营造民主开放的课堂教学氛围

有效的课堂教学，一定是以学生为主体的，而学生自主学习的主要动力来自兴趣、积极情感等心理因素，这是促发学生学习的内部驱动力。因此，我们认为，营造一个师生平等、相互尊重的课堂教学氛围尤为重要。

1. 爱：让课堂更加精彩

教师对学生的爱，是教育工作有效开展的情感基础。

教师的爱，不等同于父母、朋友之爱，它是使命，是责任，也是营造民主、和谐课堂氛围的关键所在。在北大附小的课堂上，学生有发表不同见解的权利，师生关系是坦诚、无隔阂、互敬互爱的。尊重学生的人格，呵护学生自主的精神世界，弘扬学生个性，是教师恪守的原则，是服务育人、做好一切工作的基础观念。正是教师的尊重和宽容，为孩子们创造了自由发展的空间。许多来北大附小采访的记者对我们说："你们学校的学生勇敢、率真、活泼、开朗，什么都不怕，敢于表达自己的真实想法。"我们的学生拥有健全的人格和阳光的心态，正是得益于这种平等的师生关系、和谐的课堂氛围。

在北大附小，教师共同的追求是："为孩子们今天和明天的幸福而努力"。为此，我们努力把课堂教学变成师生共同探讨、共同受益的过程。学生可以畅所欲言地提出不懂的问题、不同的看法，可以收集各种资料论证自己的观点，可以自由平等地与老师讨论，甚至辩论，可以不必怕出错，因为相信老师，老师有爱！从下面一位低年级班主任程军老师所写的"为他的错误鼓掌"可见一斑。

为他的错误鼓掌

课间，我刚走进教室，小鸟一样的孩子们围拢过来，唧唧喳喳地向我问着这样那样的问题，我一边冲着他们做着各种鬼脸，一边"突围"，几只"小鸟"欢快地从我手中"抢"走作业本发去了。小豪拉着我的胳膊把小脸贴在我身上蹭来蹭去，我故意嗔怪："嘿！你脸上的脏东西都蹭到我身上啦！""我就蹭、蹭、蹭！"这时，另一张小脸贴近了我的脸，我就用鼻尖碰了碰她的小鼻子，算是打了招呼。上课的铃声响了，教室里很快安静了下来。这是我们的约定：下课好好地玩，上课认真地学。课进行着……我渐渐地发觉，今天学生在回答一些开放性或有一些难度的问题时，不那么积极踊跃了。我一提出这样的问题，大多数孩子都躲避我探询的目光，相反，把目光投向几位学习好的学生，似乎在说："这是你们回答的问题。"而这些孩子自己则闲下心来等待，一旦我肯定了某一答案，才积极举手参与进来。我意识到了：这些孩子怕说错被别人笑话，怕丢了面子。所以，他们总是等好学生开了头，引出了一条路后，才敢发表自己的意见。

这种状态不能改变吗？我寻找着契机……机会终于来了！我提出了一个有些难度的问题，我期盼着有几只小手能举起来，然而教室里一片寂静……突然，我眼前一亮，一只小手勇敢地举起来啦！定睛一看是平时不起眼的一位同学，我高兴地请他来回答这个问题，随着其他同学的一阵窃笑，他显然知道了自己的答案是错误的，立刻，他的眼神黯淡了下来，脸也红了起来，变得垂头丧气。我静静地看着同学们，孩子们似乎意识到了什么，立即安静了下来，教室里鸦雀无声。

这时，我轻轻地走到那个同学的身旁，用手抬起他的下颌，微笑着对他说："孩子，我要为你鼓掌、喝彩！虽然你的答案不正确，但老师非常欣赏你敢于第一个发表自己意见的勇气，更重要的是：你的发言为这堂课作出了贡献！感谢你！"我转向全班同学说："孩子们，如果我们每次回答得都正确，我们还需要坐在课堂上来学习吗？不懂才来学嘛！所以，出错很正常，而且，没有错误就没有正确。因此，错误也是为课堂作贡献，错误和正确同样重要！它能提醒我们少走弯路。"孩子们面面相觑又会心一笑。我继续说："我们每个人每节课都应为课堂作出贡献，其实，你的声音、你的思想、你的意见、你的争论都是对这节课的贡献。嘲笑别人错误的同学，你对这节课有贡献吗？所以，今天我要特别感谢这位答错问题的同学，我要为他鼓掌、喝彩！"

我带头鼓起掌来，全班同学也由衷地为他鼓起掌来！看到他释然、惊喜又骄傲的样子，看到同学们向他投去欣赏、羡慕的目光，我读到了他心中的话：我不再怕出错了，我为课堂作出了贡献，我真的很棒！我也读到了同学们心中的话：我不会再为出错而担心啦，我要大胆发言，为课堂作贡献。

尽管因此后半节课没有完成教学任务，但从学生们的明显变化来看，这半节课更有价值，它是超值的，它或许给予学生的是一辈子的财富：拥有勇气和自信！

在李宁老师的数学课堂上，也曾经发生过这样一幕，他是这样记录的：

在我的教学经历中，有一件事在我的记忆中印象特别深刻。那是一次北京市的展示课，我让学生利用手中的学号牌来判断质数和合数，并请认为学号是质数的孩子到讲台前站成一排。这时，有一个拿着15号的小男孩站在了质数的队列中，随后又很快被其他同学请出了队列，有的学生甚至还笑了起来。当这个男孩意识到自己的错误时，立即变得手足无措，脸也涨得通红。

我让他再次选择合适的位置时，他很失落地回到了自己的座位上。在后面的学习活动中，原本表现十分积极的他，开始变得犹豫起来，多次举手却又放了下去，我想一定是他害怕再次出现错误。想到这里，我的心里不禁平添了一份愧疚。由于我的疏忽，没有及时地保护这个孩子的积极性，在他受到同学嘲笑、最需要帮助的时候，我没有引导其他同学如何正确地看待别人的错误。

在即将下课的时候，我对同学们说："是否也允许老师谈一谈自己的收获呢？"我主动地走到这个小男孩的面前握着他的小手，真诚地对他说："小伙子，你是我今天最想感谢的一个同学，正是由于刚才你的失误，才让我们每一个人弄清楚了什么样的数是质数，什么样的数是合数。我想现在你是全班最明白的同学了。"听到这样的话，小男孩再次涨红了脸，原来失落的眼神也渐渐变得明亮起来了。这时，我又问其他同学："同学们，我们是不是要感谢他呢？"大家都为他鼓起了掌，我还看到刚才嘲笑他的那几个同学，手掌拍得格外用力。

这件事让我久久不能平静，学生们在学习过程中出现错误，本来是一件非常平常的事。我们应该如何看待学生学习过程中的错误呢？是将错误看成学生的问题，还是将错误看成学生进一步学习的资源？这反映着教师正确的教学观。教师对待“错误”的态度，其实对学生产生着潜移默化的教育影响。我认为，孩子的错误一方面是学生知识掌握中的问题，另一方面也反映出学生最原发的一些想法，其中有些想法对学生的进一步学习和发展都是非常有益的。学生的“错误”不应该被嘲笑和忽略，反而更应该受到老师和同学的保护，这样不仅会使我们的课堂教学更有针对性，还会提高学生参与学习的积极性。

作为教师，我不仅愿意看到学生的成功，也应该愿意看到学生学习过程中的“错误”。当我们有意识地去善待“错误”时，这种“错误”将被我们视为一份财富，一份能让更多学生从失败走向成功时、主动的获取快乐的财富！

这样充满爱、民主、平等的和谐的课堂气氛，保护了孩子求知的积极性，点燃了孩子们创造的火花，让我们的课堂更加精彩。

2. 动态生成：让课堂更加真实

课堂教学是一种有目的、有意识的教育活动，预设是课堂教学的基本特性。科学预设教学目标是构建和谐课堂教学的基础，精心预设教学活动是有效实现教学目标的途径。

在北大附小，老师们在关注学生的知识经验、生活经验，调查了解学生的兴趣点、困难点在哪里的同时，更全面地关注学生发展，关注学生的内在需要，关注学生的个体差异。这种关注不仅是认知方面的，也是能力与方法方面的，更是态度、情感、价值观方面的。同时以单元为背景，整体把握教材的知识脉络，精心设计适合学生参与、适应学生发展的教学活动。

著名教育家布卢姆说：“人们无法预料教学所产生成果的全部范围。没有预料不到的成果，教学也就不成为一种艺术了。”因此，我们的教学活动预设并非指面面俱到、环环紧扣，而是要求预设而不死板，从大处着眼，从整体入手，线条粗一些，具有适度的弹性、包容性和自由度，为学生留有自主建构的空间和时间，把学习、思考、表达的主动权还给学生。只有让学生主动去探索，积极地参与活动，课堂上才会有生动、鲜活的交流，才会有学生的自主建构，才会有智慧的生成。

在北大附小民主、开放的课堂上，精彩的生成随时可能遇见。这其中，可能有教师希望的生成，也可能有教师不曾预料到的生成。但是，不论是哪一种，我们的教师都会保护学生思维的闪光点、思考的积极性。面对学生错误的回答，教师也会认真分析，把它当做一种教学资源，找出其中有价值的因素给予肯定。

盖燕惠老师在教学《在学校的最后一天》时，曾记录下了这样的一幕：

课上，学生对于“在老师眼中，这是一群怎样的孩子？”这一问题极富兴趣，纷纷发言，可此时——

一位学生质疑：我认为这篇课文有一处存在很大的不足。

师：你就像刚学过的课文《一个这样的老师》中的同学一样，很有怀疑精神呢，快说说。

生：作者写这群孩子时没有重点，面面俱到。

“一石激起千层浪”，学生们思维更活跃了。

生2：是啊，我们写作文都要求详略得当，重点突出呢，课文怎么写了那么多孩子，每个人都进行了一定的描写。

生3：感觉啰唆，一个男老师看得也太细了。

在老师鼓励下，学生畅所欲言，感知到行文特点，并根据平时习作要求，批判性地审视课文，这时老师若直接引导学生理解本文的写作手法和思想感情，则显生硬。此时，老师扣住“一个男老师看得也太细了”中的“细”字，荡漾开去：“一个男子汉，对每个学生的一言一行都尽收眼底，真是太细了，太——细——了。怎么这么——细——呢？”老师也做困惑状，静静地看着同学们。如此回环，学生悟了出来。

生3：老师太爱自己的学生了，对他们的点点滴滴都观察得细致入微。

生4：老师要离开同学们了，他深情地、细细地看着他们，多么舍不得呀！

生5：这种写法和平常不一样，但是感情更深厚，更动人。

在此进程中，老师略作引导，却起到了四两拨千斤的作用。学生由"细"入，认为是"弊"；又由"细"出，悟出了"利"：理解了本文的特殊写法——看似信马由缰，却更真实地表达了老师离别时情不能已的情感。水到渠成地锻炼了学生抓住文章特点分析主题和写法的思维能力。

可见，课堂教学臻于活的境界，学生思维的激荡是必不可少的。课前预设仅仅是预设，学生具有主观能动性，总有一份属于自己的发现，从而形成多彩的信息资源。老师抓住一次精彩的回答，一个具有错误倾向的问题，现场重组，则能建构新的精彩的教学环节。在教学生成中，需要找准契机，疏导时退一步、含蓄一点，让学生去品味，去揣摩。老师给予学生恰当的思考空间，让其驰骋其中，最大限度地磨炼其能力。此所谓"风流不在谈锋健，袖手无言味正长。"

民主、平等、开放、互动，精心的课前预设和精彩的动态生成，让我们的课堂更加有效、更加真实。

3. 不拘一格：让课堂更具活力

我们在教学中树立以育人为中心的主体观和多元包容的人才观。尊重学生的人格，尊重学生在学习方面的思考，尊重学生主动学习的精神，尊重学生的创新思维，提倡学生大胆发表自己的意见，敢于向约定俗成的东西挑战，容忍学生的不同观点。教师成为教学的引导者、激发者，学生创新思维的火花在和谐融洽的气氛中得到激发。

于是，自主学习、小组学习、合作学习在我们的课堂上已被广泛运用，类似于研究性学习的综合实践活动、小课题研究、多媒体整合等多种学习方式也被学生所接受。老师们在重视基础知识技能培养的同时，

图10 范冰老师充满活力的英语课

也更加关注学生视野的开阔、心理的成长、审美能力的增强，等等。

李正辰老师曾记下这样一段课堂经历：

今天是2008年11月19日。第一节课在五（3）班上，学习三角形。学生的思维活跃没有束缚，他们提出了很多有价值的问题，我们的效率也很高。因此提前了几分钟下课。

我和孩子们走出教室，他们就直奔操场了。这时，我看到操场中的两棵大树出现了一个我从未见到过的现象，很多树叶在不停地往下掉。冬天，树叶随风飘落很正常，其实每年我们都看过狂风大作树叶漫天飞舞的景象。可今天却一点儿也不同，一丝风也没有，树叶没有任何飘动的样子，只是直直地往下掉。每一片都是静静的，同时在掉，很壮观。像下雨吗？不，不像雨那么细。像雪吗？不，没雪那么密。像熟透的果实落下了吗？也不像，没那么沉甸甸的感觉。叶子毕竟是轻轻的，虽然是径直往下掉，那姿态却有舞动的痕迹。这种景象我确实没见过，但又那么地似曾相识。我想了很久，却依然记不得了。我不能形容出当时的景象到底像什么，但的确美极了。

我不知道这是一种什么原因，这几天的天气都很冷，但没有风。在我的记忆里，以往夜里总是蜷缩在被窝里，听着窗外呼呼地刮着西北风。早上起来，大大小小的树枝掉的满地都是，树叶全都拥挤在角落里。可今天这样的景象我可从来没有见过。或许，是因为树，不同的树落叶的时间和方式也各不相同吧。或许，是因为我，冬天落叶是再平常不过的了，对于身边这平常的不能再平常的事情从不曾留意过……

又打上课铃了，是4班的课。我对孩子们说："今天的课，我们这么安排。刚才老师发现了一个很神奇的现象，学校的几棵树有很多的叶子在往下掉，树底下落满了叶子。一会儿我们先去外面欣赏一下大自然赐予我们的美丽，再回来上课。上课很重要，但有些东西是稍纵即逝的，什么意思呢？就是在很短的时间就消失了，或许永远都不再有了。就像我们窗外的落叶，或许过一段时间，工人叔叔就会把它扫走了。明天或许就落光了。虽然明年还会有落叶，但我们还要再等一年的时间，真的到了明年，或许，我们却不记得了。"孩子们听到后高兴极了。

我们去了操场，他们在享受大自然赐予的快乐，就像我小时候……他们叫着、跳着、笑着。他们用树叶当武器打来打去，他们把树叶堆在一起像个小土堆，他们把树叶抛向空中，天女散花一般。

孩子啊，太可爱了，那种完全绽放的喜悦不加任何地掩饰，可以感染周围的每个人。他们的喜悦是最真实的，最原始的，是纯粹的快乐。或许这种快乐只会在童年才有，那就让他们好好享受吧。

事情总是很凑巧，半节课后，我们整队回教室。路上发现学校后勤部门的叔叔阿姨正在清理楼门口的落叶。我们要是再晚一些的话，或许就不会有刚才的快乐发生了。

"我花一百块钱把这些树叶买下来！"小凤说，惹来我们一阵笑声。

回到教室，我跟学生说："多悬啊，你们知道什么是稍纵即逝了吧。刚才小凤说买下来，就算我们把这些树叶买下来，铺在地上，你们说跟落下来的一样美吗？过了很多年以后，20年、30年，到那时，或许你们记不得小学老师姓什么了，连数学老师是男还是女都忘记了。但你们可能还记得，曾经有半节数学课，我们一起去欣赏冬天的落叶去了。而那半节课，我们过得很快乐！”

设置生命关怀的课堂教学内容

生命是人的根本，关注生命是人发展的必然要求。人的生命要和谐完整，首要取向是获得自身生命存在的意义感，必须在本我生命得以实现的基础之上才能建构其下位的意义。作为生命个体的教师和学生，有着正常的情感体验，对现实中的各种事物或现象都有一定的态度表现，或轻松、愉快，或发怒、愤恨，或震惊、恐惧，或爱慕、欢喜等，这是一种生命常态的自然表露。我们在不断的教学实践中，着力于充满生命关怀的课堂教学内容的构建。

1. 以生活世界为根基

生活是人生的过程与体验。生活与生存的区别在于，生活强调有意识的生命创造活动，而生存则更多的是无意识的生命适应活动。生活世界是人生有意义的、人在其中体验、理解、感悟世界，它是理性世界与非理性世界兼容的多向度时空。教师与学生都有着各自的生活世界，他们以各自对自然、社会、人生以及自我的体验、理解与感悟，使得世界丰富多彩。我们以师生的生活世界为根基进行教学，强化师生对生活世界的关注，体验生活、感悟生活、完美生活，在春风化雨中使情感得以真切的体验、人格得以升华。

“生活有多广阔，教育就有多广阔。”我们提倡教师要善于引导学生读懂生活，引导学生去关心家事、国事、天下事。让生活走进课堂，让课堂走向生活，从而实现学习与生活实际的和谐统一。在反思批判填鸭式的课堂教学、铺天盖地的题海战、学生机械性背诵等一系列教学弊端的基础上，我们不断深化改革，打破传统的教学方法，勇敢地开展新尝试，课堂教学贴近学生的生活，既重视双基教学，又重视学生各种能力及情感、态度、价值观的培养。冲破了课堂的狭窄空间，学生增长了见识、开阔了视野、拓展了思维。

田硕老师在一年级数学《左和右》这节课中，在营造和谐氛围、激发学生主动参与探究、培养合作能力等方面做了诸多尝试。下面是她执教后的教学反思：

（1）让学生在情境中学习

整个教学过程由“10 月 1 日淘气和笑笑参观天安门广场”的线索贯穿，创设一个爱国主义教育情境。在情境中，孩子们体验知识的发现—探索—解决—运用的过程。让孩子感受到数学来源于生活又运用于生活的同时，潜移默化地进行价值观教育。

（2）让学生在游戏中学习

游戏是低年级儿童感兴趣的学习活动。在他们的生活中，学习与游戏是互相渗透的。教学中设计了“一排小松树”和“小鸟飞飞”两个小游戏，并渗透与本节课相关的知识。另外，安排短暂课间休息，符合刚刚入学的孩子的学习特点。

（3）让学生在操作活动中学习

学生的亲身体验和感知有利于获得感性经验，从而实现认识的内化。为此，教学中设计了“摆水果”和“画路线”两个活动，通过“摆一摆”帮助孩子理解描述左右方位的几种基本方式，同时锻炼了自己的语言表达能力；“画路线”能增强孩子对知识的实际运用能力，同时能够满足不同层次孩子的学习需要，孩子们可以综合运用“上下、前后、左右、东西、南北”等方位概念。

（4）让学生在合作交流中学习

现在的孩子大多是以自我为中心，合作意识普遍较差。而合作能力是现代人的基本要求。因此，教学设计中安排了各种不同形式的讨论、交流等合作活动，力图通过学生之间的互动，培养学生的合作意识和能力，使他们情感态度获得良好发展。

2. 促进学生的自主学习

“自主学习”是指学生自己做主，通过自身的活动，自主探索来获取知识，掌握学法的一种学习行为。现代认知心理学认为，学生只有主动参与教学实践，参与问题探究，才能建立起自己的认知结构，才能灵活地运用所学知识解决实际问题，才能有所发现、有所创新。学生所学的知识由教科书及教学参考书提供的书本知识、教师个人世界的知识、学生个人世界的知识和师生互动产生的新知识四方面组成。在教学过程中，教师并不是仅仅把别人的意愿和意识形态传递给学生的传声筒，学生也不会不加选择地把别人的意愿和意识形态内化于自身的文化结构中。学生是具体的、活生生的、有丰富个性的、不断发展的个体，是具有主观能动性的个体。教学是学生在教师的指导下的学习过程，更是学生主体发展的过程。我们在此所言的知识也不是单纯意义上的书本知识、间接知识，它包括对人的生命发展有价值的多方面的知识，是在书本知识、教师的知识与学生的知识交融互动的基础上生成的知识，它给书本知识赋予了生命的意蕴，是教师与学生在具体的、变动不拘的教学活动中共同创构的知识。这些知识蕴涵着师生双方各自的热情投入、隐性知识、思想意识等，并在参与意义的创生中获得新的知识，使知识得以自主的生成。素质教育的本质就是实现受教育者的自主学习、自主发展，使学生学会创造性地学习，自觉自愿地学习。具备自主学习能力的学生不再是被动地接受知识，而是用科学的方法主动探究知识，敢于竞争，敢于质疑问难，从而成为学习的主人。

这是任辉老师在一次信息技术课上的教学案例。

任辉老师在教授学习画图软件“翻转与旋转”和“拉伸和扭曲”的知识时，学生对其中涉及的方向、角度、缩放等知识的理解存在不小的难度。怎么解决？当任老师看到课间在阳光下玩耍的同学，灵机一动：上课前让学生可以利用手中的相机或纸笔注意观察、记录自己的影子在一天中的变化。在上课时，先让学生进行展示自己的观察记录，然后适时引入：利用画图软件记录下自己的影子。这样一来，学生在创作中由于先前的观察体验基础——由影子与自身的位置、大小、长短的变化，从而对画图软件中的难点知识有了很好的理解，顺利突破难点。

我们通过诸如此类的渗透培养，在为学生搭建相对完整的知识结构的过程中，学生学会了学习的方法，具有了自主学习的意识，从而能够主动发现问题，思考问题，研究问题。

3. 注重挖掘学科知识中的人文内涵

学科教学肩负提高学生人文素养的重要责任，我们的教学视角投向家庭和社会，关注亲情、友情，引导学生联系自身实际，感悟种种人生哲理，关注挖掘教学内容中的人文内涵。

我们知道，人文内涵是一种普遍的人类自我关怀，表现为对人的尊严、价值、生命的维护和关切，对人类遗留下来的各种精神文化现象的高度珍视，对一种全面发展的理想人格的追求和塑造。

例如，《语文课程标准》中提道："语文是最重要的交际工具，是人类文化的重要组成部分。"因此，我们一直强调语文教学要有"文化味"，力图通过语文学习使学生"认识中华文化的丰厚博大，吸收民族文化智慧，关心当代文化生活，尊重多样文化，吸取人类优秀文化营养"，"提高文化品位和审美情趣"。

其他学科同样也要回答从"童趣、亲情、善恶、智勇、爱心、生命、真伪"这些人之初的基本问题，到"人与自我"、"人与自然"、"人与社会"这些深刻的问题，教师通过教学接近孩子，缩短彼此距离，放下成年人诸多的成见和架子，小心谨慎地进入孩子的心灵世界，从而达到"润物细无声"的心灵浸染和感化。

任辉老师曾记下这样一个例子：

有一个孩子在班里属于"问题学生"，也常见到他的爸爸、妈妈在班主任老师面前大声地呵斥他的不足。正因为此，孩子有些"变本加厉"，表现愈来愈"不尽如人意"。上学期我接任了他们班的信息技术课，我慢慢地发现，其实他很聪明，他的某些行为只是想引起老师、家长的注意，渴望被关注，渴望被爱，而不是简单地说教。我尝试接近他，尝试拥着他的肩膀，跟他聊聊天；当他比谁更快地完成任务，达到要求时，我及时地给他一个大大的拥抱。无须更多的语言，拥抱中让他感受到了爱，增强了自信，慢慢地，他在信息课上的表现越来越好，获得展示的机会越来越多，他也敢于挺起胸膛，面对困难，面对批评，学会表达，学会爱。

鲁迅先生说："长者应该是指导者、协商者，而不应是命令者"。我们希望老师成为"文化使者"，在教学中，学生与老师通过文字，通过课堂，生命与生命相遇。教师以文为本，以人为本，引导学生积极解读文本，质疑文本，在与文本的心灵碰撞中体验人之为人的一切：爱与恨、笑与泪、幸福与苦难、短暂与永恒。教师努力帮助学生塑造优美、高尚的人格，使他们将来成为推动社会进步的骨干力量。

实施自主发展的课堂教学策略

教学策略是依据一定的教学理论，为实现一定的教学目的而采取的教学方式，它区别于教学方法，追求的是一种境界，具有综合性、变通性和创造性等特征。体现学生主体性发展的教学策略，是在现代教学观念指导下，以学生为主体，通过学生主动学习，促进其主体性发展的一种教学思想和教学方式。发展性教学策略关注教学观念的转变，且呈现多样丰富的特点。学生的主体性具体表现为自主性、主动性和创造性。为使学生的主体性尤其是自主性得到充分、切实的发展，我们在课堂教学上坚持实施体现学生自主性发展的课堂教学策略。在实施自主发展课堂教学策略时，北大附小主要采用了如下做法。

1. 融情设境呼唤学生真情实感

教育家杜威说："每一个儿童来到学校的时候，除了怀有获得知识的愿望外，还带来了他自己的情感和感受的世界。"由于认知水平、社会经历、家庭环境等多方面的原因，孩子的思维、认识与成人的观点往往不能同步，老师应像陶行知先生所说的那样，蹲下身子看学生，最大限度地尊重他们、赏识他们、爱护他们。课堂是师生真情互动的演播场。我们的教师努力成为最好的“主持人”，通过自己的真情感染学生，引导学生积极思考、善于表达、勇于参与、分享感动、享受学习。例如，在品德课上学习《尊老爱幼话重阳》一节时，学生们讨论如何给爷爷奶奶过节，一个孩子说想给远在昆明的孤身爷爷打电话。老师当时拿出手机拨通电话，祖孙两人的真情通话使全体师生热泪盈眶，品德课不再是刻板僵硬的说教，德育实效在学生们的真情感染中绽放出绚丽之花。

2. 探究激疑积极引导学生想象

想象也是一种创造思维，具有创新的内涵和特质。激发学生的想象力，可以帮助学生冲破已有知识的束缚，引导他们往广处想、往妙处想、往趣处想，从而激发其创新的火花。在教学中，我们尽量唤起学生头脑中储备的有关表象，引导他们或延伸故事情节，或补充课文内容，或深化文章主题，从而加速他们再造想象向创造想象的转化。例如，五年级的一节音乐课上，教师设计了这样一个教学环节。在学生欣赏完作曲家对“咚咚奎”这首民歌进行再创作之后，教师鼓励学生用“2、7、5”这三个音进行创作，教师惊喜地发现，学生不但创作出了欢乐抒情的四四拍，优美动听的四三拍，铿锵有力的四二拍乐曲，而且还两人一组地合作创编出了二声部乐曲。从孩子们那洋溢着兴奋和快乐的面庞上，我们不难看出，他们获得了享受学习的心理体验，教师对学生创造性思维的表现和获得的创造性成果给予了高度赞扬和充分肯定。

科学老师李颖在上《火山喷发》一课时写下了这样的思考：

本课在五年级上出现，学生虽然已经从中年级步入高年级，但是思维发展等方面大部分还停留在中年级水平，对于看不到的事物和现象，不容易理解，在头脑中也不容易产生相关的联系。而《火山喷发》正是学生很难在生活中观察到的自然现象，对于这个现象，学生大多数是通过看 DVD 和读书了解的，但是那些用于解释这个现象的词，很多是学生没有涉及的知识，这使得他们难以理解。在这种情况下，学生往往是看似了解，实则混乱的状态，可《火山喷发》又恰恰是学生们愿意了解，希望了解的自然现象之一，火山沉睡时的神秘莫测，喷发时的绚烂多彩深深地吸引着他们。

怎样才能使学生通过观察了解火山内部情况？理解火山喷发时的压力来源？这是我最需要突破的问题。根据以往的教学经验，只有通过模拟实验才能够实现。在选择模拟实验材料时，我借鉴人教版五年级上教材中用土豆泥和番茄酱分别模拟地壳和岩浆，这两种材料，从本身特质来说很符合地壳和岩浆的特点，同时又是学生所熟悉的，能够便于学生课下进一步研究。

在模拟实验时，学生通过透明的烧杯，看到了近似于真实的火山内部运动和地壳的运动，并与已学物体热胀冷缩性质等知识相联系，尝试分析出了火山喷发时内部力量的来源，并且根据各小组的实验现象，看到了“火山运动引起的地震”“岩浆冷却后形成了岩石”“岩浆喷出形成新的地表”等现象，并根据这些现象分析出了火山喷发时猛烈程度和什么有关，火山地震带的形成原因等，使他们通过自己的努力，把观察到的现象和已学的知识、看过的资料相联系，并分析整理，帮助自己理解所学知识。

小学生想象力丰富，只要教师创造条件，正确诱导，让他们展开想象的翅膀，就能很好地培养学生的创造思维能力。教学心理学研究表明，在指导学生观察时，要引导他们想象，这样会使意境更加广阔，认识和感受更加丰富、深刻。所以我们在平时教学中，一方面注意帮助学生学习掌握观察与想象的方法；另一方面在课堂上适当活跃课堂气氛，让学生学会如何思考，而不是如何做题、如何考试。在课堂教学中，学生的自由想象是很重要的。虽然在课堂上会出现一些稀奇怪异的答案，但是教师可以在认同和鼓励学生的同时适当提出自己的建议，从而赢得学生的尊重和敬意。与此同时，学生也更敢于发表自己的各种想法。此外，教师还要特别注意发掘学生中的闪光点或者说个性差异，充分利用差异资源，这样可以使学生的眼界更开阔，思想更活跃。

3. 互送赏识激励每个学生成功

和谐教学体现在对课堂效果的追求上，教师在课堂上最大的成功是激发全体学生的求知欲望和学习兴趣。教学活动是以教师为主导和以学生为主体的相互作用的双向交流过程，只有教师将教学内容通过各种教学手段、方法作用于学生，激发学生的学习动机和主动性，教学内容才会真正转化为学生的知识，并外化为学生的能力和感悟。德国教育家第斯多惠曾说："教学的艺术不在于传授本领，而在于激励、唤醒和鼓舞。"因此，一个好的教师，要上一堂成功的课，就应该在教学活动中运用各种方式激发学生学习的愿望和动机。教师的眼睛要看到每一个学生，教师的语言要激励每一个学生。教师要引导学生在主动参与、积极研讨中寻求答案，使其尽情展示才能、充分表达思想、勇敢阐述观点、真诚表露感情。教师要从孩子的回答中发现他们的闪光点，既要表扬学习好的孩子，更要鼓励和欣赏学习一般的孩子。例如，数学训练课上，学生们正围绕某一题目的解法畅所欲言。一个学生刚发表了自己的意见，下面的孩子们就大声反对起来："太麻烦了！""根本用不着！""累不累啊！"这个学生失望地低下头。老师却说："他的方法是麻烦一点，但是也有道理呀！一滴水从不同角度看会有不同光彩，同样，走不同的路会有不同的景色，即便绕点儿远也会收获。对不对？"学生们若有所悟，那个发言的孩子也抬起头笑了。

促进学生思维发展的教学活动

新课程改革倡导学生乐于探究、主动参与、勤于动手、富于创新的教学理念，推动基础教育教学实现由接受式学习向发现式学习转变，这必将唤起学生自主探究的欲望，激发学生的创造力。苏霍姆林斯基说："在人的内心深处都有一种根深蒂固的需要，这就是希望自己是一个发现者、研究者、探索者。而在儿童的精神世界中，这种需要特别强烈。"儿童有一种与生俱来的，以自我为中心的探索性学习方式，学生学习知识不仅是接受的过程，更是发现的过程，创造的过程。因此，在课堂教学中，教师最好的教学方法就是引导学生自己去发现、主动去探究。

思维是人脑借助于语言而实现的以知识为中介的、对客观现实的概括和间接的反映，无论是学生的学习活动，还是人类的一切发明创造活动，都离不开思维。思维能力是智力的核心成分，它的发展程度，直接影响着学生智力发展水平。创造型的人才就要具有创造性的思维能力，对学生思维能力的培养，我们必须予以充分的重视。在日常的教学活动中，北大附小主要从以下三点着手，促进学生创造思维能力的发展。

1. 鼓励思维的独特性

思维的独特性，是创造性思维的基本特征。思维的独特性表现在观点新颖、别出心裁，能打破常规、冲破常模，不受习惯性思维及习惯势力约束。独到的见解属于创造性思维，创造的实质就是求异标新。具体到教学实践中，就是教师要重视学生所提出的“独创性”疑问，引导他们挣脱传统定论的桎梏，撷取真知灼见。因此，我们在教学中鼓励学生质疑问难，允许他们别出心裁，用前所未有的角度去观察事物之间的差异，大胆提出不同见解。例如，在进行《大数目的估算》一课教学时，教师提出问题：“13 亿粒大米到底有多少？”如何把这一抽象的概念化为具体的东西？教师首先鼓励学生大胆猜测，让他们用自己熟悉的计量单位描述这一大数量，然后让学生从重量、长度、面积、时间等不同角度设计了不同的实验方法来验证自己的猜测，仅估测一项孩子们就设计出了五种不同的方法。学生通过学习充分展示创造性解决问题的能力，同时体会到思考和探索的快乐。

2. 调动思考的积极性

波利亚说：“学习任何知识的最佳途径是由自己去发现的。因为这种发现，理解最深，也最容易掌握其中的内在规律、性质和联系。”在这一前提下，教师要指导学生留心观察，认真体验，引导他们积极运用学过的各种学习方法，如有顺序、展开联想、抓住特点、注意发展变化、重点部分写具体等，以此让学生不断增长见闻，丰富感受，练习表达。教师要充分相信孩子，要少做内容的限制，放手让他们去观察思考自己喜欢的东西，切实地把学生放在学习的主体位置，注重学生的自我阅读、自我理解和情感体验。教学中，教师只需要在关键处做些点拨和引导，给学生适时地打开一扇窗户即可。

附小的每个教师都关注并认可学生的思维创造，对学生的做法都会给予积极鼓励，例如，许多教师都善于运用不同的语言由衷地称赞学生，使学生产生成就感。课堂教学中，学生发言时，教师不急于独自评价，而是请学生相互评价，把解释和评价学生思维结果的权利留给学生自己，从而在无形中激发学生强烈的学习需要与兴趣，满足学生积极探求的、深层次体验的愿望，有效地促进了学生的全面发展。

何秀文老师在教学二年级数学《角的认识》一课时，教学之前，她在教材梳理的基础上，进行了充分的学生调研和分析，结合低年级学生认知特点、学习经验和这部分知识的特点，确定教学目标，设计教学活动。通过对学生调研的分析，在进行教学活动的设计时进行积极思考，对所设计的问题进行了反复的检验。由于她对教学理念的定位准确，教学活动的设计符合学生的认知水平，整堂课显得很顺畅，学生的学习积极性被激发，学生的潜能得以发挥，授课效果得到了师生的普遍认可。

下面是石润芳老师为二年级的学生上科学课《钟表》一课时，师生之间、生生之间探究活动的一段课堂实录：

教师以古时候的计时问题为切入点引发学生间的互动。

师：同学们，你们知道，古时候人们没有咱们今天这么先进的计时工具，那么古人是如何知道时间的呢？

生：用一个大竿子戳在地上，就可以知道时间。

师：这就是立竿见影的道理。古时候人们根据长期的观察，利用这种现象制作出一种计时工具，你知道叫什么名字吗？

生：日晷。

师：日晷是怎样计量时间呢？

生：太阳升起的时候地上的物体会留有影子，影子会随着太阳运动，看影子的位置就知道时间了。

师：（演示动画）你讲得非常好。当太阳升起的时候，我们面对太阳，太阳从东方升起，地面上的大树会留下方向相反的影子，古时候的人通过长期的观察，发现每天同一时刻物体的影子在地面的位置是相同的，人们就这样发明日晷来计时。[这个动画场景的出现，促使学生的思维活跃，学生在思考后开始主动提出问题，这时一位女孩子边高举着小手边用稚嫩的声音开始提问]

天黑了怎么办？阴天又怎么办？

[这是学生第一次主动提出问题]

师：如果你们生活在那个时候，那么你们会怎么办呢？

生：用水钟来计时。

师：怎样计时？

生：滴水就可以计时了。

师：（演示教具：单壶漏刻）说得真好，这个计时工具叫漏刻，水一滴一滴滴出，里面的刻箭就向下沉，人们通过看刻箭上的刻度就知道时间了。

此时又有一位同学不由自主地问道：

[学生第二次主动提出问题]

生：用好几个壶的计时器来计时。

[学生用已有的知识主动解答他人的问题]

师：你知道用好几个壶的计时器叫什么名字？怎样计时吗？

[无人应答]

师：想知道吗？老师告诉你们，它叫复壶漏刻。当没有水的时候就向最上面的壶中注水，他总是保持中间的两个壶的水是满的，水滴入最下面的壶中，壶中的水不断上升，里面的刻箭随壶中水位升高不断上升，然后从刻箭上读出刻度，就是当时的时刻。

忽听到另一学生充满疑惑地问：

生：冬天结冰了怎么办？［学生第三次主动提出问题］

师：对呀，怎么办呢？

生：用沙漏。

……

在这短短的十几分钟里，学生三次主动地提出问题，并主动借用大脑中已有经验和知识解决问题，学生的思维在对白中碰撞出探究的思维火花，他们充分发挥自身的主动性，围绕课堂的主题活动一步步走向思维的深处。

采用促进发展的课堂教学评价

评价的主要目的是为了全面了解学生的学习历程，激励学生学习，改进教师的教学，形成正确的教学观念，促进对课堂教学内在规律的探讨，从而提高课堂教学水平。学校应建立评价目标多元、评价方法多样的评价体系，对学生的评价要在关注学生学习结果的同时，更要关注其课堂学习的过程和学生学习的水平，以及他们在学习活动中所表现出来的情感与态度。

基于上面的认识，北大附小改革传统的期末学业评价方法，结束"一张试卷评定学生"的做法。在语文学习评价方面，学校将学习内容分成朗读、查字典、口语交际、基础知识、阅读、作文六部分进行考查，分值各为5%、5%、10%、20%、20%、40%，分四次进行考试。这种方法不仅可以对学生进行多种能力的综合评定，对教学起到导向作用，而且缓解了师生期末的压力。在数学能力评价方面，我们配合三层次教学，实行三层次弹性评价制。考卷按难易程度分 A、B、C 三种，基础题、能力题、提高题按不同比例搭配。学生根据自己的实力，自主地选择试卷。这样的考试给予学生自主选择的机会，培养了学生自我评价能力，给每个学生体验成功的机会，使之在愉悦的状态下参加考试。此外，北大附小学生的学年末考试和毕业考试，除了要完成课内知识笔试以外，还要完成一项学科知识综合应用的实践活动测查。他们以小组为单位参与社会调查、社会实践、小课题研究等活动，并用自己独特的方式、创新的做法展示汇报本组的研究成果。学校不公布每个班的成绩排名，班级不公布学生的考试名次。宽松民主自由的评价方法，让每个付出了努力的孩子，都体验到成功的快乐并开发自己的潜能。

二、润泽心灵的语文教学

语言文字是文化、文明的载体，是人类社会实现沟通的基本工具。语文教学的目的就是让学生掌握这种工具，这是语文教学的“工具性”；同时，“人文性”也是语文学科所固有的特质。好的语文教学一定是“工具性”和“人文性”的结合。那么，语文课到底该教什么？这个问题一直也是北大附小语文教师执著探寻的目标。经过多年的课堂实践、多次的课例磨合、多种方法的亲自尝试……我们认为，语文课堂应是引导学生在与文本对话中感受语言内涵、揣摩语言规律、习得语言技巧、提升语言质量，即在正确使用教材基础上，全面提高学生的语文素养。

在此基础上，北大附小总结归纳出自己的语文教学特色：人文关怀、文化润泽、心灵感悟以及美的享受。这四个方面虽然不能涵盖全部日常教学，却能够反映北大附小语文教学最本质的特色。

人文关怀

语文作为一门工具性与人文性相统一的学科，同其他学科相比，除了要完成智育任务外，还要密切关注审美教育、人格教育、生命教育。语文学科这种人文关怀的功能是语文教育目标的最高追求。在我们的语文教学中，一直强调人文精神的渗透，人文关怀的倾注。我们认为，语文教学必须由学科本位转向以人的发展为本位，注重学生的精神成长，使语文教学充满人文关怀。

第一，关注学生的个性发展需要。个性是一个由多种因素相互联系、相互作用、相互渗透、相互制约的动态发展系统。个性差异是人作为生命个体独立存在的重要标志。尊重人，就要尊重他的个性；发展人，就要发展他的个性。语文教育从根本上来说，是人的教育。所以，关注学生个性全面和谐的发展是语文教学的出发点和归宿点。在语文教学中，我们紧紧围绕语文学科的特点来发展学生的个性。一方面将语文知识、能力等因素融入学生的人格意识、精神活动的整体中去；另一方面，将学生的人格意识、精神世界建构在语文知识、能力等之上。我们把每一位学生看作自己关注的对象，关注的实质是尊重、关心、牵挂。80%以上的学生将来会成为高素质的各行各业普通工作者、劳动者，不是每个学生都要成为文学家、艺术家、诗人。因此，我们鼓励学生从自身的独特性出发，通过不同的途径，掌握尽可能多的知识，提高听说读写能力，不断增强自身素质。奥修所阐述的教育观，也许正是我们希望通过语文帮助孩子达成的认识："不论你做什么都没有关系，你或许是一个三流的总统，你或许是一个一流的鞋匠，能够满足你的就是你享受你正在做的，你能够将你所有的能量都投放进去，你不想成为其他任何人，这就是你想要成为的。你同意'自然'在这出戏里面所让你扮演的角色是对的，即使用总统或国王来跟你交换，你都不要。"

第二，真诚、自由、民主的教学氛围。真诚、自由、开放的教学环境是人文关怀必不可少的。在教学过程中，我们的教师不是将自己的思考和体验强加于学生身上，而是引导学生自己去思考和体验。语文是一门极具人文性和开放性的学科，很多问题没有统一、标准的答案。正如"一千个读者眼中有一千个哈姆雷特"，每个学生对文本的解读都有所不同。教师所能做的就是极力营造一种真诚、民主、自由的教学氛围，自己作为一个有经验的学习者和学生一起共同反思。我们争取让学生最大限度地参与教学，在听说读写等言语活动中保持自由心态。我们鼓励和保护学生的"异议"，变"讲堂"为"学堂"，变"一言堂"为"多言堂"，变"机械训练"为"涵泳体察"。在课堂上，教师经常问学生："对于这个问题你是怎么看待的？你同意刚才同学的回答吗？"诸如此类的问题打开学生的思维空间，为其创设一种民主自由的学习氛围。这种情况下，学生往往能生成一些精彩的观点。在学习《珍珠鸟》一文时，有学生认为真正的信任应该是给珍珠鸟一个自由的空间，这与教参或传统的观点是有出入的。但教师细细琢磨，这个孩子的回答也许是对文本更高层次的领悟。

第三，在日常评价中注入人文关怀。语文教学中的人文关怀同样体现在评价中。在不能改变考试制度的情况下，语文教师在教学实践中针对学生的学习过程进行评价改革。我们的评价以促进学生人格和谐发展为根本目标，充分发挥评价的激励和导向功能。为了能对学生作出公正、客观的评价，我们全面了解每个学生的喜好以及在语文学习上的强项和薄弱点，有针对性地设置考核项目；精心设计每堂课的教学活动和每篇课文的作业反馈；注重联系学生发展趋势，对学生的点滴成功都予以及时鼓励并作出肯定的评价。同时，我们努力探索评价方式的多元化，打破以往单一的阶段性评价，将课外阅读情况、资料收集、制作小报、写调查、在语文活动中的表现等都纳入综合评价体系。在评价方式方面，我们打破以往只有教师评价的单一评价，鼓励、发动学生互相评价，学生通过互相评价更好地意识到自己的优势和不足。评价过程不仅是传播知识、传递情感的过程，更是学生分析能力、创造能力得以提高的过程。通过这样的评价改革，我们极大地调动了学生学习语文的积极性，同时也更全面、客观地评价了学生的能力。

文化润泽

语文教育不仅是一个传递知识的过程，更是一个建构精神世界、完善生命的过程。这个过程充满着清新的文化气息，包含着丰厚的文化意蕴。“真正的教育应该是文化的教育……它的最终目的在于唤醒个人的意识，使其具有自动追求理想价值的意志，并有所创造，增加文化的新成分。”① 语文教育正是这样一种文化教育的过程。中国有着五千年的灿烂历史，积淀了独特的文明与文化，这是我们民族宝贵的精神财富。在语文教学中，我们要充分利用这笔财富，不仅教会学生听说读写的技

① 吴式颖．外国现代教育史［M］．北京：人民教育出版社，1997：258．

能，更重要的是，通过掌握语言这种工具，向学生传达一种文化信息，让文化来润泽他们年轻的生命。

今天的小学生，吃的是洋快餐，穿的是阿迪达斯、耐克，看的是日本、美国动画片，在他们身上我们很少能看到传统文化留下来的有价值的东西。这是每个教育者应该关注、反思的问题。北大附小是一个有着百年历史的学校，我们更应该让这种传统文化因子更好地继承和发扬下去。我们的语文教学也就是要将这种文化浸润的工作进一步做下去。

1. 以丰富教师文化素养为前提，拓宽传统文化宽度

具备广博、深厚的文化素养是语文教师做好教书育人工作的基础。“云厚者，雨必猛；弓劲者，箭必远。”语文教师的文化视野越开阔，素养越全面，积淀越丰厚，教学效果就会越好。北大附小的语文教师悉心学习古典文化，中华民族的经典文化著作成为每个语文教师的常备必读之书。教学古典作品，教师首先钻研教材，领悟其中的文化精髓，从而有效引导学生学习。在完成教材选编课文之外，我们通过增加传统文化学习篇目，开阔学生的知识视野，提高其文化素质，从而增强学生对中华民族数千年所负载的精神价值的认同，培养学生的民族使命感和高尚、健全的人格。我们为学生选择、编写、修改了一套三本《小学生必读古诗文》，这套读本，汇集了我国传统文化经典著作中的精华，学生们在吟诵经典的时候，其实是在做一种可以终身品鉴、领悟的文化准备。

2. 以领悟传统文本情感为基础，深化传统文化深度

小学语文教科书中有许多精彩的古典文学作品，这些作品包蕴的文化内涵异常丰富。阅读这些作品，我们可以感悟到古代圣贤“天下为公”的理念；“宁为玉碎，不为瓦全”的风骨；“位卑不敢忘忧国”的精神；“先天下之忧而忧、后天下之乐而乐”的胸怀；“富贵不能淫、贫贱不能移、威武不能屈”的操守……语文教师通过倾心倾力、感同身受的引导、启发，与学生沟通、交流、对话，使学生受到这些作品所蕴涵的文化内涵的震撼与感染，并最终积淀为其自身的价值观和人生观。

佟亚东老师在执教《梅花魂》一课时，根据课文内容提出“你们知道我们中华民族出了哪些有气节的人?”这个问题，激发了同学们的思考，同学们纷纷举例，如西汉时期的苏武出使匈奴，受尽屈辱十九年爱国之心不变；南宋大臣文天祥在被囚禁的四年中，百折不挠，更是写下了千古名句：人生自古谁无死，留取丹心照汗青；抗日女英雄赵一曼，毒刑拷打何所惧，民族气节显忠魂，她被敌人杀害时，年仅31岁；东北抗日联军司令杨靖宇将军曾经说道：“在侵略者面前低头，就不配做中国人!”我国现代著名散文家、诗人朱自清，在新中国成立前夕宁肯饿死也不吃美国所谓的救济面粉！……

这时，老师相机引导：“刚才，你们提到梅花，便说到有气节的人，外祖父也说，他们就像这梅花一样有灵魂、有骨气！其实这有灵魂、有骨气的不仅是梅花的品格，更是中华民族百折不挠的精神！这就是梅花魂呀!”

这样的课堂，既让学生深深理解了文章的含义，又使学生加深了对中华民族精神的理解，也对其价值观、人生观产生深远的影响。

从某种意义上说，语文教育是一种本民族文化的教化。民族文化、民族精神反映到语文教育中就是一个由语言构成的文本。洪堡特说：“语言的所有最为纤细的根茎生长在民族精神力量之中，民族精神力量对语言的影响越恰当，语言的发展也就越合乎规律，越丰富多彩。语言就其内在联系方面而言，只不过是民族语言意识的产物，所以，要是我们不以民族精神力量为出发点，就根本无法彻底解答那些跟富有内在生命力的语言构造有关的问题。”① 可见，民族精神是语言的灵魂。我们

① ［德］威廉·冯·洪堡特．论人类语言结构的差异及其对人类精神发展的影响［M］．姚小平，译．北京：商务印书馆，1999：17．

在语文教学过程中，特别注重挖掘文本所蕴涵的民族精神和人文底蕴，将其扎根在学生心灵深处并使学生以此为基础构造自己的精神家园，继承发扬中华民族的优良传统道德和民族精神，这无疑具有重大意义。

3. 以优化学生价值取向为依归，追求人文素养高度

传统文化只有融入学生的精神世界才有意义。语文教师要承担起价值引领的重任，要审慎、准确地把握传统文化教学内容的价值取向，把时代和民族倡导、尊崇的主流价值观贯穿于教学全过程。我们从对人的终身发展、对民族未来负责的高度来谨慎选择适合学生消化、吸收的传统文化教学内容。时代在变化，审视传统文化经典的标准也在变。譬如上面提及的《中华古诗文读本》就是为“中华古诗文诵读”工程编辑的读本，由中国青少年发展委员会社区与文化委员会主编，收入该书的都是一些历久弥新，有着深厚文化底蕴的经典著作。

同时，我们充分发挥传统文化以德育人的强大功能，竭力引导学生在感受、感悟传统文化底蕴的过程中，能产生心灵的触动、受到人格的感化。

刘雪英老师在执教《伯牙绝弦》一课时，加入了对中国古代知音文化的理解，补充了中国古代有关知音的名言名句：

“有朋自远方来，不亦乐乎。”（孔子）

“人之相识，贵在相知，人之相知，贵在知心。”（孟子）

“君子之交淡若水。”（庄子）

“今日乐相乐，别后莫相忘。”（曹植）

“海内存知己，天涯若比邻。”（王勃）

“桃花潭水深千尺，不及汪伦送我情。”（李白）

“劝君更尽一杯酒，西出阳关无故人。”（王维）

“同是天涯沦落人，相逢何必曾相识。”（白居易）

“莫愁前路无知己，天下谁人不识君。”（高适）

“欲取鸣琴弹，恨无知音赏。”（孟浩然）

“人生乐在相知心。”（王安石）

“万两黄金容易得，知心一个也难求。”（曹雪芹）

学生在理解这些名言名句的同时，加深了对课文中伯牙和子期之间友情的理解，也对中国古代知音文化有了更深的理解。

学生在与传统文化文本的对话过程中，通过静心阅读，视通万里，对作者的思想、情感、人格、志趣、品位等或认同，或发问，或共鸣，或陶醉……

心灵感悟

对于语文教学来说，作为言语形式的文章，是一种感性的存在，具有丰富的感性内涵，光用理性的“语言学钥匙”是无法开启的。我们在教学过程中，不是只从理性视角教学生去领悟字、词、句、篇，而是让每位学习者全方位地去感受选文中的声音、形体、色彩、结构、分量、品质，体会文章的情感意义、审美意义、直觉意义。在阅读教学中，我们强调学生自身对文本的感悟；在写作教学中，我们关注学生真情实感的流露。

1. 创设情境，帮助学生体悟课文深层次的含义

“阅读是学生个性化的行为。”学生进入文本，与作者、人物进行深层的对话，对文本内容作出个性化创造性的反应，在角色体验中，完成对文本的理解、内化过程。在这过程中，学生自行发现，自行创造，教师则充当引导者和鼓励者的角色。始终尊重学生不同的情感体验和独特的思维方式，鼓励学生成为独立的阅读者。

学习《丑小鸭》一课中，教师采用引导学生想象和表演等方法，使他们加深感受。比如提问：“如果你是丑小鸭，心情会怎样？你能有感情地读一读吗？”“你们能演一演树林中小鸟怎样讥笑丑小鸭吗？”“面对昏倒在冰面上的丑小鸭，如果你就在它身边，你会怎么说，又会怎么做？”这些问题为学生的思考创设了具体情境，引导他们体会丑小

鸭的心情，感悟丑小鸭当时那种可怜的境遇。让学生在想象中品赏课文，与作者的感情产生强烈的共鸣。语文教科书中的选文多以童话、故事、诗歌、散文为主，语言生动形象，故事性强，充满了童真童趣。在语文教学中，我们充分利用教材，抓住学生的心理年龄特点，通过各种手段将学生带入具体情境中，让学生入情入境，在情中读，在读中有所感悟。在教学过程中，我们采取了一系列策略来引导学生感悟文本。如形象感悟、朗读感悟、设疑感悟、独特感悟等。

形象感悟即教师创设生动的情境，激发学生的感悟。比如教学《白杨树》一课时，由于学生很少见到白杨树，也几乎没有人体验过戈壁的景象。教师就充分利用多媒体，向学生呈现白杨树、戈壁荒漠的景象，使学生有一个感性的认识，并让他们谈谈自己的初步认识；再让学生自己运用自己喜欢的学习方式——或单独、或合作，去深入理解、感悟课文，最后在全班交流自己的感受和体验。这样学生对内容的理解，就实现了从感性到理性的飞跃。

语文课离不开朗读。在阅读学习中，阅读者是不熟练的。一般来说，文本的视阈总是高于阅读者的视阈。文本话语往往需要反复咀嚼、体味甚至记忆。所以，由文字经由语音至意义是主要的通道。从个体话语接受的顺序看，人们也总是先从语音识别进入词的意义世界的。① 朗读是对文本的再度创作。通过朗读，可以更加深入文本的深层意蕴，唤起内心视像，与作者心相通、神相遇、情相融。叶圣陶先生认为，“吟诵的时候，对于讨究所得的不仅理智地了解，而且亲切地体会，不知不觉之间，内容与理法化而为读者自己的东西了，这是最可贵的一种境界。”② 在教学《珍珠鸟》一课时，我们的老师就充分利用朗读来激发学生的感悟。教师先在屏幕上呈现作者和小珍珠鸟的照片，并配以优美的古典音乐，教师在这样优雅的氛围中开始朗读课文，“真好！朋友送我一对珍珠鸟……” 此刻，班上安静极了，学生们都陶醉在教师深情的

---

① 王尚文等. 走进语文教学之门［M］. 上海：上海教育出版社，2007：393.

② 全国中语会. 叶圣陶、吕叔湘、张志公语文教育论文选［M］. 北京：开明出版社，1995：24.

朗读中，无形中加深了对文章的理解。同时，教师的范读也激起了学生朗读的意愿，不等教师要求，他们就在底下开始读起来。在读的过程中，他们开始体会、揣摩、领悟文章深层次的内涵。

课堂上，教师充当的是一种引导者的角色。那么，教师如何引导学生深刻地理解文本，得出自己的观点和看法呢？设置疑问无疑是一种很好的策略。心理学认为，学生在习得新知识之前，头脑已开始用旧知识来同化新知识，一旦新知识出现差异，就会在认知心理上产生认知冲突。在语文课堂上，我们充分抓住学生的这种认知冲突，使学生能更深刻地体悟到文章的内涵。例如在教学《和时间赛跑》一课时，在理解“所有时间里的事物，都永远不会回来”这一环节中，一学生开心地强调爸爸健在，可以再带他到杭州乐园、再看海盗表演、再去划船时，其他学生也茫然了。教师捕捉到了这一认识上的误区，及时引导：“爸爸带你去的时候，你几岁？”教师提醒学生：“再也不可能回到那个年龄，再也不可能回到那个时间了”。学生提出：“为什么又要说能胜过时间呢？”这是教师也没有想到的，看到同学们兴致勃勃，有的还跃跃欲试，教师就让学生开展小小的辩论赛。学生经过一番激烈的讨论，最后明白了“假如你一直和时间赛跑，你就可以成功。你一直珍惜时间，你一定能成功”。在我们的课堂上，教师从来不做权威，他（她）总是和学生一起来发现疑问，然后解决疑问。有时候，是教师来提问，而更多的时候我们让学生自己来提出疑问，通过合作解疑。这样，学生不仅是有所感，而且深有所感；不仅有所悟，而且深有所悟，这就是好的设疑的魅力。它往往能使学生在语境、语情、语技的联系中，具体而深入地理解词语对当时情境的准确叙述，对人物情感的准确传达，对自我情感的准确表达。

独特感悟是指学生独辟蹊径的一些感想。小学生正处于想象力丰富、思维活跃的年龄阶段，有时他们对问题的理解是和我们成人不一样的。在我们看来，我们应该鼓励学生的这种“标新立异”，这样他们的求异思维才能闪现。

2. 鼓励学生行文说话中真情实感的流露

在作文教学和口语交际教学中，我们强调学生真情实感的表达。从小学一年级的写话开始，我们就着力培养学生用眼睛去观察身边事，用心去感受身边事，用笔去记录身边事。

写作一直是语文教学中的重头戏，也是学生通常感到最为棘手的部分。值得一提的是，我们的学生总体上语文水平比较高。这一方面是由于受家庭教育的影响，因为我们的学生大部分是北大教工子弟，从小在文化气息浓厚的大学环境下长大，在语言识字、阅读等方面都做得比较好；另一方面，我们学校也为学生提供了丰富的“精神食粮”，如藏书甚丰的图书馆、独到的校园“十二景”等。另外，我们在平时教学中注意对学生进行传统文化的渗透，经常开展诗歌诵读活动。生活在这种学习环境中的孩子们所掌握的语言文字往往令我们也感到惊奇。有了这样的基础，我们在进行写作教学时就给学生提出了更高的要求，其中最重要的一点是要有“真情实感”，因为写作就是写作人情感、态度、意志的流露。我们不希望孩子们在写作时只是执著于文字技巧，我们希望写作能够成为孩子们的一种生活方式，以真诚的态度将自己的真情实感与文字建立联系。例如，在上《童年的回忆》习作讲评课中，教师就通过让学生回忆童年故事，感受童年的美好与快乐，体验生命的成长，激发其对童年生活的依恋之情。回忆也好、感受体验也罢，我们鼓励学生将自己的真实感受记录下来，并且告诉他们：“只有自己真正经历过，真实感受过的事情才能触动人，不仅触动自己，也能打动别人。”

在这样的引导与指导下，学生们纷纷乐于写作，且善于写作。多年的习作积淀中，我们的学生习作也频频获奖，仅 2010 年第一学期，就有 12 位老师指导的 29 位学生习作，分别刊登在不同的刊物之中。

表4 学生习作发表一览表（部分）

杂志名称	作品名称	班级	姓名	指导教师
《开心作文》	第一次参加拓展活动	三年级1班	魏涵潇	卓奇
	秋夜	三年级14班	谢德东	黄祥昀
	祖国像个魔术师	三年级12班	张书宁	李丽
	风	三年级13班	王博韬	黄祥昀
	爬山虎的小脚	三年级12班	张馨月	李丽
	钓鱼	三年级13班	任宇菲	黄祥昀
	游木兰围场	三年级11班	黄羿阳	李丽
	十渡	三年级14班	陈明嘉	黄祥昀
	美丽的棒棒岛	三年级12班	陈泠西	李丽
	飞向月球	三年级1班	田景先	卓奇
	鹦鹉的天堂	四年级	张和暄	刘春丽
	美丽的鸟岛	四年级	李嫣然	刘春丽
	感谢母亲	四年级	赵尚澄	
	感谢一个人	四年级	朱炳臣	
	爱心物品拍卖会	四年级	李和昀	郭琼
	我的神奇旅行	四年级	俞问涛	郭琼
	星空遐想	六年级	陈泽南	呼全胜
《作文世界》	小鸡啊，我该称呼你什么	五年级	谢雨婷	王唯恺
	与小松鼠的亲密接触	五年级	徐瑞桥	佟亚东
	我掉进了书里了	五年级	郑皓天	王敏
《创新作文与阅读》	我家的魔鬼和天使	三年级13班	郭砚旗	黄祥昀
	没有阳光的地方	六年级8班	崔子楠	张同杰
	做人难，失人易	六年级8班	郑佳雯	张同杰
	教表弟滑活力板	六年级4班	鄢睿雄	马银鹤
	那片草原	六年级4班	汪泽惠	马银鹤
	麦当劳VS肯德基	六年级8班	苏奕尘	张同杰

续表

杂志名称	作品名称	班级	姓名	指导教师
《小学生作文》	猫蛇斗	三年级9班	牛山水	延瑞
《课堂内外》	吃的烦恼	三年级13班	白昀锋	黄祥昀
	猫的启示	三年级14班	谢德东	黄祥昀

在口语交际教学中，我们引导学生观察生活，丰富交际内容，从而形成大的口语交际观。我们的口语交际训练立足课堂，也向课外、校外开放；立足教科书，向书外开放。就是说，在口语交际课中，我们提供的学习材料不再是单一的教材，而更多的是来源于学生的生活。同时，我们的口语交际课打破了封闭和僵化的教学模式，让学生多了学习的自主权和自由度。“真实、诚恳是口语交际的第一要义，也是口语交际教学的第一要义。”① 在口语交际教学中，我们同样重视孩子真情实感的流露，从小培养其“讲真话，露真情”。口语交际能力的培养具有很强的实践性，新课标明确强调要鼓励学生在日常生活中积极主动地锻炼口语交际能力，我们就为学生提供了各种各样的学习机会和锻炼形式，以此引导学生深入社会，与人接触、交流，学习精彩的交际语言，培养良好的交际习惯。

3. 坚持进行以生命价值为取向的教学

现代教育的“工具性”色彩极浓。池田大作认为：“现代教育陷入了功利主义，这是可悲的事情。这种风气带来了两个弊病，一是学问成了政治和经济的工具，失掉了本身应有的主动性，因而也失去了尊严性；另一个是认为唯有实利的知识和技术才有价值，所以做这种学问的人都成了知识和技术的奴隶，由此产生的结果是人类尊严的丧失。”② 这里所说的个体及人类尊严的丧失就是生命意蕴的缺失。仅仅掌握了

① 倪文锦. 小学语文新课程教学法［M］. 北京：高等教育出版社，2003：171.

② 池田大作　汤因比. 展望二十一世纪［M］. 荀春生，等译. 北京：国际文化出版公司，1985：61.

“有用”的知识又如何呢？“知识若没有智慧烛照其中，即使再多，也只是外在的牵累；智慧若没有生命隐帅其中，那或许动人的智慧也不过是飘忽不定的鬼火萤照。”① 学知识，增智慧，最终还要归结为生命的润泽。今天的社会，是一个被五光十色的网络、计算机多媒体包围的空间。我们的孩子在先进的科学技术中长大，一方面他们对计算机软、硬件的操作能力和数字经验的丰富性或许不容置疑；但另一方面来看，人际关系的疏离和生命主体性的迷失，却造成严重的生命价值缺失的问题。教育的独特价值在于促进生命自觉和有效发展。缺失生命价值，教育只能培养出马尔库塞所说的“单向度的人”。在这样的大环境中，在这样的现实状况下，重新建立学生安身立命的价值根源，就成为教育最重要的时代课题。由于自身的特点，语文教育教学中包含着极强的生命价值，为教师培养学生的生命意识、体悟生命真谛提供了便利条件。因此，我们的语文教学坚持以生命价值为取向。

教学《浅洼里的小鱼》一课时，教师是这样设计的：学习第一自然段时，播放小鱼在大海中自由自在的情景，感受小鱼的快乐；并创设小鱼“遇难”的情境，迅速拉近了学生与课文的距离，为学习课文做好了情感铺垫。学习第二自然段时，利用多媒体课件的演示，让学生理解小男孩的执著、艰辛、善良，从而在感悟中读出自己对文本的感受。学习第六自然段时，教师通过进一步创设情境，让学生明白小鱼自己会在乎自己的生命，小鱼的爸爸妈妈会在乎、珍爱它的生命，小男孩及周围的人都应该在乎、珍爱它的生命，从而使学生体会每一个生命的珍贵，在情境中感悟，在感悟中朗读，在与文本的情感交流中重新认识生命。

除了从文本出发不断对学生进行以生命价值为取向的教育，在教学过程中，我们还非常重视对学生身边事件的挖掘，通过这些真人真事，学生们对生命意义的体会就更深了。“还记得北大附小的网站上‘每周一星’有个叫吴子尤的毕业生吗？他曾经做过一次大手术，两次胸穿，

① 张文质．回归生命化的教育——黄克剑先生访谈录［J］．明日教育论坛，2001（2）．

三次骨穿，四次化疗，五次转院，六次病危，七次吐血，八个月头顶空空，九死一生，十分快活地写下了《谁的青春有我狂》，如今他已经离我们而去了……”这是摘自我校网站上的一段话，被誉为“当代少年作家”的吴子尤小学最后两年时光是在北大附小度过的，那时他就在北大附小创立了“月亮文学社”，创作和改编了许多文学作品。而今，子尤已不在人世，但读过他的文字或见过他的人，都曾被他感动过。不是因为他所面临的苦难让人动了恻隐之心，而是因为他在疼痛中度过的每一天，竟比任何正常人还要阳光灿烂。而今，子尤创立的“子尤博客”点击率很高，也成为学生进行课外创作、沟通交流的一个平台。子尤为我们留下了一首壮丽的生命赞曲！我们和学生一起，为这不平凡的生命喝彩，同时也深深明白生命的伟大。

美的享受

法国雕塑家罗丹有这样一句名言：“生活中不缺少美，缺少的是发现美的眼睛。”语文教学同样也是处处能体现美，我们要做的就是让学生具有一双发现美的眼睛，同时将这种对美的发现延续到日常生活中。

1. 语文课堂教学中的文学美

语文教材包含大量生动形象、文情并茂的素材，这些让儿童喜闻乐见的各式文体向儿童展现了一个绚丽多彩的世界。在学习过程中加以渲染、品赏、体验、畅想，学生就可以真切地感受和欣赏教材中美的因素，受到道德的感化，获得美的享受。我们可以将语文教材中的文学美分为“情境美”“心灵美”和“崇高美”三种。对于文学美，我们要和学生一起慢慢品味、感悟。正如我们上面提及的几种感悟的策略，我们经常通过想象、朗读、设置疑问及学生的独特感悟等手段来发现语文教学中的“文学美”。在教学《和时间赛跑》一课时，一位同学朗读了文中的句子：“有一天我放学回家，看到太阳快落山了，就下决心说：‘我要比太阳更快地回家。’我狂奔回去，站在庭院前喘气的时候，看到太阳还露着半边脸，我高兴地跳跃起来。那一天我跑赢了太阳。”感情没有完全表达出来，老师鼓励学生再读，“把这份甘甜读出来”。在学生读第二遍的时候，老师继续启发：“就下决心说，你的决心够大吗？这可是和太阳赛跑啊！”接着进行范读。学生在鼓励的力量和范读的感召下，继续朗读。老师不厌其烦地对同一文段的朗读进行反复指导，就是要让学生在反复的朗读中，领会作者的感情，品悟文段的深意，体味文本的内在美。

语文教学的文学美还体现在对语言文字的品味和感悟上。如盖燕惠老师教学《梅花魂》时，由于前一课的诗词与课文第一件事中的诗词相照应，均为思乡之作，在教学时教师就由诗歌打开了孩子情感的闸门：首先放手让学生根据第一件事中的诗词谈体会，品味诗句时，孩子们抓住了关键词——“每逢佳节倍思亲”是“倍”和“思”，“王孙归不归”是“归”，“无边丝雨细如愁”是“愁”。倍思……归……愁……连起来，就是“倍思归，愁……”也是一句诗！教师将这句诗板书于黑板上，学生轻吟这句凝练的诗句，心灵深处被深深打动了，再走入老人的内心深处，联想老人的所思所感，孩子们心底的愁绪幽幽流淌，理解老人的乡情水到渠成，同时锻炼了“炼”字之才，感悟了诗歌的魅力，提升了审美能力。

2. 语文课堂教学中的生活美

课堂教学中，学生要成为学习的主体，最主要的条件就是促使学生具备学习的兴趣。“兴趣”能使学生产生强烈的求知欲，从而培养学生多向思维，激发其想象力和创造力。这就需要语文教师善于发现生活，以“生活”激“兴趣”；善于开发和利用生活资源，积极地为课堂教学服务。

在平时的教学过程中，教师注意观察生活，利用生活资源激活语文课堂教学。因为我们的课堂教学不仅是教师讲授知识的过程，更多的是学生的体验、探究和感悟过程。给孩子更大的舞台，他们就能展示多彩的自我；给孩子们更广阔的天空，他们就能更自由地去翱翔。在教学

《菜园里》时，上课了，教师拎着一个大口袋，里面鼓鼓囊囊的。孩儿们一脸疑惑："老师又要出什么怪招?"老师先请上来一个孩子，让他把手伸进口袋，摸索一番后，告诉大家一点线索："此物或长或圆，表面或光滑或粗糙，或有'把儿'或有'尾巴'。大家猜猜这是啥蔬菜?"孩儿们兴致一下子被激发，教室里成了喧闹的海洋……有抢着猜的，有蹦着叫的，有的干脆要冲上来自己摸摸看……好不热闹！为了控制"局面"，教师改变了一下方式，提出了自己的建议："根据自己对蔬菜的了解，可以提出三个问题，让摸菜者回答，然后大家根据线索判断菜名。"接下来的环节，教师又叫上一名学生，在他耳边轻说菜名，由大家来提问，一起根据回答猜蔬菜……孩子们在热闹的情境中高高兴兴地认识了不少蔬菜，了解了它们的特点，还知道了它们的生长环境。

叶圣陶先生曾说过：教材无非是例子。那么，利用好例子教给学生学习方法之后，接下来的应该是大量的实践。只有在实践中，学生的能力才能不断巩固、提高。"让语文走进生活，在生活中学习语文"。教师的职责就是帮助学生学会抓住生活的点点滴滴，学会用眼睛发现生活资源，学会用心去感受语文学习与生活的联系。

3. 生活中的语文色彩

在课堂教学活动中，我们要逐渐培养学生把别人的情感变成自己的情感，把书面的语言变成自己的语言，学会在生活中感悟语文的情感，同时也将自己的感受融入到语文学习中去；还教会孩子们时时联系生活，在生活中感悟学习。

一位老师在教学《春雨的色彩》时，请学生们讨论春雨到底是什么颜色的？当天正好下了一场雨，学生都非常兴奋，争先恐后地表达自己的感受："春雨真的是轻轻地落下来！落在土地上是土黄色的！""滴在我头上了！是黑色的！""洒在我衣服上，是红的！""我知道！春雨应该是无色的！"……教师在教学后，写下了这样的课后反思："通过亲身的感受，自主地讨论，孩子们对'春雨的色彩'有了更感性的认识。课堂上刚刚讲到的事情，在现实生活中就这样发生了，孩子们是那样兴奋。而最高兴的是作为教师的我，因为这时不正是让孩子们结合生活实际来体验课文内容的时候吗？这美丽的春雨不仅给大自然带来万紫千红的景象，也在孩子们的心中描绘了一幅幅美丽的景象——生活是我们学习中最好的教师呀！"

由此，我们不难看到语文教育的资源与生活资源是相通的。在生活中积极利用和开发语文教育资源，并不是把它仅仅局限于语文教材和辅导资料中，语文教学的过程也需要语文教师具有机智的教学方式和敏锐的眼光，要能善于发现生活，并且善于抓住生活中的有利资源，把它转化为语文课堂教学中所灵活运用的材料，积累成源源不断的语文教育资源。

王艳玲老师曾经记下了这样一段经历：

周末下雪了，那铺天盖地的大雪下了一天，现代、喧嚣的北京城一下子变成了宁静、纯洁、温馨、浪漫的童话世界。那一天，北京是那么温柔、浪漫，世界奔忙的脚步慢了下来，整个城市安静了下来，北京冬日的美丽定格在了那个飘雪的周末。

我忍不住呼吁家长们放下手中的一切事情，陪孩子们去赏雪、玩雪。我知道很多家庭里，难得有爸爸妈妈都陪在孩子身边的时候，大家都太忙了，压力太大了，回到家跟孩子在一起的时间很少。多么难得的契机，不用选择旅游地点，不用开车去郊外，抬眼望去便是满眼的诗意，推门弯腰便会捡拾一份童趣，大自然赐予我们这么丰厚的礼物，我们岂肯错过？常言道：文学来源于生活，却高于生活。看现在孩子的作文，空洞没有灵性，都是泛泛地写，思路都是大家的，语言都是大家的。缺少孩子们自己个性化的灵性和思想。孩子现在还小，没有开始真正的"写作"，但我们要"未雨绸缪"，要为今后"有话可说"作铺垫，打伏笔，放引子。那就是让"生活"在孩子心灵中沉淀，让孩子去积累。我们都知道"语文"就是要学会积累和表达。积累，不但是字词句段篇的积累，让他将来用这些"砖瓦"来构建"大厦"，更要让孩子积累生活经验，多去观察、理解、感悟、思考生活。要说"遣词造句"

是“砖瓦”，对生活的理解、感悟才是“大厦”的灵魂。谁是孩子生活的指引？是我们。要做孩子心灵的导师，我们要真正走近孩子，跟他们一起走进生活……所以，在陪孩子玩的时候，家长要把自己当成孩子，才能体会孩子的心情，而在某些时候，又要把孩子当成大人，来跟他平等交流、认真倾听，才能真正了解孩子的思想。孩子才会和你成为朋友，你才能真正成为孩子的引导者。

我在批阅着孩子们的“故事本”，真好！看到很多家长们都带着孩子们去赏雪、玩雪，一幅幅温馨的“家庭戏雪图”浮现在我面前，这对于孩子们是多么宝贵。因了这份一家人嬉戏的温馨，因了这份让心灵回归自然纯净的快乐，这场雪会留给孩子们更加美丽的记忆。雪带给了那么多人快乐，而我的孩子们也把这份快乐传递给我，给了我一份惊喜。读着孩子们还稚嫩的语言，他们在学会用最简单的文字来记录心情，表达自己的情感时，已经提前向人类智慧的文明迈进了一步。我欣喜地批阅着，不管写多少，哪怕只三两句，我都看到孩子们的努力和认真，看到小家伙儿们在书写着他们对生活和学习的热爱。居然有孩子写了整整六篇带一行，字迹工整，语言流畅，使我震惊的同时让我折服！真是不可低估这些“小豆包儿”们呢！偶尔在某些句子中蹦出的一个用得恰当、生动的词语或一个细腻、流畅的句子，我如获至宝，急忙圈圈点点，这可是孩子们智慧的火花儿呀！看看孩子们写得多么生动：“妈妈趴在我耳朵边悄悄地说……”“我一骨碌爬了起来……”“我忍不住从床上蹦了起来……”“我从被窝里钻出来，让妈妈抱我到阳台的凳子上……”“我从窗外望去，看见一片白茫茫的世界……”“我穿好衣服冲出家门……”“雪把树枝都压断了……”“雪掉在了我的身上……”多么生动的语言！如“小荷才露尖尖角”，我是这样地珍爱！

在批阅着孩子们的“作品”时，不管读到什么样的文章，我的心里都是温暖的，也是快乐的，不知不觉地就笑了，因为我在读的是一个个不同性格不同能力的孩子，也在读着一个个不同个性的家庭。我忍不住这样写道：“多么快乐的时光！”“用你的笔来记录下快乐的生活，真美！”“谢谢你让我分享了你的快乐！”“多么神奇的小作家！”“真喜欢听你讲故事!”……我把能让孩子有所启发和收获的文章，抽一点儿宝贵的时间读给孩子们听，孩子们都是这样认真地倾听，并且是这样兴奋不肯罢休，不想下课。我知道，每个人都在渴望着读到自己的“作品”……

我发现，有个别没交“故事”的孩子，但我什么都没说。这本来就是表达心情的一件事，我不想让孩子们有压力，我只说，只要你想给我讲故事，不管什么时候交，我都欢迎。我期待着，我也相信，渐渐地，每个孩子都会喜欢上这件事。我们慢慢来，先让孩子爱上生活，然后带他们品味、感悟，同时创造情境，抓住契机让孩子有表达的欲望，并体会到分享、交流的快乐，孩子就会“有话可说”，就会爱上“写作”。

生活中的语文是无声的，无影无形，却总在我们的身旁。春天盛开的百花，夏天清亮的鸣蝉，秋天累累的硕果，冬天皑皑的白雪，都是生活中的美丽。我们经常这样说“语文时时有生活，生活处处是语文”。在生活中，不仅仅是我们每时每刻都能感受到语文，我们也要利用生活资源，帮助学生时时能够感受到语文的存在，这种感受是无处不在，从而帮助学生学会从生活中学习语文。

生活因为有了语文而更加精彩，语文因为有了生活会更加鲜活。我们的课堂教学就是要帮助学生学会用自己的眼睛发现生活的美丽，学会用自己的心灵去聆听生活的倾诉——在生活中感受语文的魅力。让语文的课堂教学回归生活，让生活沁入语文的学习，孩子们就会发现自己学习的课堂是多么多彩和迷人。

三、追求整体教育价值的数学引导

数学教学的意义和价值是什么？如何实现教学目标的三维统一？如何让学生喜欢数学？如何让学生体会到数学之美？怎样抓住数学教学内容的核心和本质？怎样设计学生喜欢的教学活动？如何培养并提高学生

的数学素养？这些都是近年来北大附小数学教师一直在思考的问题。

近年来，北大附小数学教师在专家引领下，已经逐步摸索出一条有着附小特色的数学教育道路，即“整体把握教材，充分关注学生，通过联系生活实际，努力培养学生的数学应用能力”。

整体把握数学课程

多年来，北大附小在教材选择上有更多的自主权，由于多种原因，北大附小一直选择使用《现代小学数学》教材，其他学校一般使用北师大版教材、北京版教材、人教版教材，因此我们的教材与海淀区不统一，这样就造成与海淀区、西苑学区中心教研活动不能同步、教学检测不能同步，这些问题都曾经是我们最大的困惑。

随着一批高水平课改专家、教材编写人员、教研人员的引领，教材优势得到发挥。《现代小学数学》这套教材中有这样一段话：“一种先进的教学思想，一种先进的教学方法，在教材中体现出来。好的教材教法要取得成功不仅取决于教材本身所具有的各种特征，在很大程度上取决于广大教师对新教材的理解和掌握。”

小学数学教材体系一般包括两条主线：一是数学知识，这是一条明线；二是数学思想，这是编写教材的指导思想，是一条暗线。前者是教材写什么，后者是明确为什么这样写。前者容易理解，后者不易看明。这样，无论是一节课还是一个单元的内容都需要在整体把握的基础上进行设计和实施教学。具体地说“整体把握”就是从“课程目标”“课程内容”“学生学习”以及“数学素养和能力”这四个维度来把握。如图 11 所示。

1. 整体把握数学课程的目标

一节课的教学目标，既要从宏观上把握课程目标、学段目标和整个单元的教学目标，还要充分挖掘教学内容的学习线索和呈现形式。教学目标是三维的，即知识与技能、过程与方法、情感态度价值观。

在知识与技能层面，要求学生在掌握基本的知识和技能的同时，强

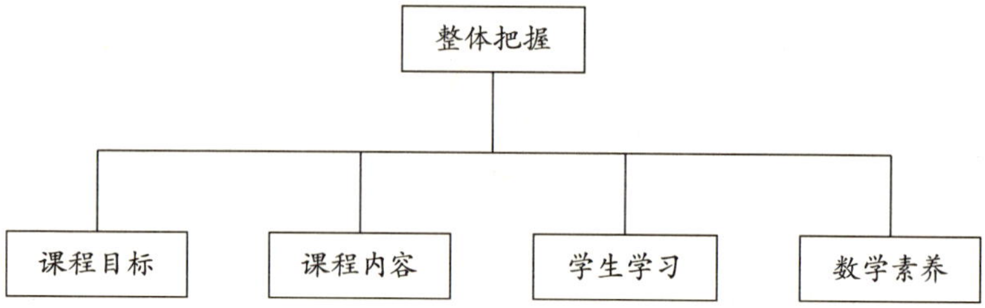

图 11　整体把握数学教学的框架

调获取知识技能的过程同样是重要的课程目标，强调学生数学活动经验的重要性，强调对基础知识和基本技能的理解和应用，强调基础知识和基本技能随时代的发展而发展。

在过程与方法层面，以初步学会运用数学的思维方式为核心，揭示了抽象思维、形象思维、合情推理、演绎推理、数感、符号感、统计观念等数学思考的丰富内涵。同时，要强调发展学生的一般能力，包括解决问题的能力、应用意识、实践能力、创新精神、合作、反思等，并且对解决问题的过程及学生在此过程中的发展进行了具体描述，使得这一重要的能力得以落实。

在情感与态度层面，涉及学生数学学习的好奇心、求知欲、自信心、不怕困难的意志、对数学价值的认识、实事求是的态度、质疑与独立思考的习惯等丰富内涵。特别是首次将建立对数学比较全面、客观的认识作为学生数学学习的重要目标，促进了学生价值观的发展。

三维目标中的“三维”是一体的，相互依赖、互相促进，是不可分割的有机整体，需要进行有机结合，整体把握。

那么，如何实现有机结合，怎样整体把握呢？以孙雪林老师所上的《圆的周长》一课的教学设计为例，课前孙老师进行了如下思考：

学习“圆的周长”，不是仅仅学会计算就可以了，学生的数学学习目标是成为全面发展的人，要让学生在学习的过程中，聪明起来，领略数学思想方法。因此，教师在把握学生真实情况的基础上，还要对教学内容有一个系统的、整体的认识，才能确定有针对性的教学目标，实施教学设计。在课堂上，为学生提供一个培养学习兴趣、科学的探究精神以及创新思维的环境，给他们以足够的时空，让他们能够独立地去想一想、做一做，相信会在让更多学生爱上数学的同时，也为他们的后续学习打下坚实的基础。

因此我从三维目标出发确立本节课的具体教学目标师，从而使教学内容更加厚实、教学活动更加丰富，教学环节更加科学有效，创造学生们喜欢的课堂。

孙老师这节课的教学过程大致如下：

（一）复习导入，明确方向

1. 周长概念

师：前几天，我们刚刚认识了一个新的平面图形，是什么？

生：圆。

师：今天我们继续认识圆、研究圆。（板书课题：圆的周长）

师：（举一个较大的圆纸片）请你来指一指，哪里是它的周长？

师：现在谁来说一说，什么是圆的周长？

课件演示：围成圆的曲线的长度——圆的周长。通常用字母 C 表示。

2. 提出问题

师：我们知道，正方形的周长与它的边长有关，长方形的周长与它的长宽之和有关。那么你认为圆的周长与什么有关呢？

生：圆的大小、直径、半径。

（二）实验测量，初步探索

1. 讨论方法，化曲为直

师：我们已经知道圆的直径与半径是 2 倍关系，因此我们只须得到圆的周长和直径有什么关系就可以了，那么我们又该怎样研究周长与直径的关系呢？想一想，一般情况下，研究两件事物之间关系时，你们认为首先得需要什么？

生：①实物模型；②数据、分析。

师：实物给同学们准备了，每组不同，有圆纸片、纸杯或硬币。拿出来，看看你们小组的实验材料，谁来说说怎样得到我们所需要的数据（尤其是周长的数据）？

生：（讨论后）可以用绕线的方法来测量周长；也可以用滚动的方法。

师：为什么要绕线？为什么要滚动？

生：这样可以把曲线变成直的。

师：要注意合作完成、要绕紧拉直、不要滑动、尽量精确（学生汇报测量周长和直径的方法，教师追问为什么这样做？适时提示指导测量方法及注意事项）

师：每个小组都有这样一张实验记录单，直径和半径都需要测量吗？注意单位，如果仍不满意，还可以估计读出一位小数。

第________小组实验记录单

实验次数	周长（mm）	直径（mm）
第 1 次		
第 2 次		
第 3 次		

师：（指第一列）这是什么意思呢？为什么要测三次呢？

生：可以用同样的方法多测几次；可以用不同方法；还可以小组内交换分工。

生：可以求平均数。

师：特别强调的是，做实验就要有科学、严谨的态度！因此在追求实验数据尽量精确的同时，更重要的是实事求是！测量的数据是多少就是多少！如实填写实验记录单。下面就用大家说的方法，亲自动手测量一下，得到真实的实验数据。

2. 分析数据、探索规律

学生汇报数据。教师直接填写在电子表格中。

	圆的周长(mm)	圆的直径(mm)	
第1组			
第2组			
第3组			
第4组			
第5组			
第6组			
第7组			
第8组			
第9组			

师：仔细观察数据，认真思考，你有什么发现？

生：(误差分析)

(1) 测量方法、测量工具、测量对象都会导致产生误差；

(2) 直径数据比较接近说明直线段更容易测量！但同样不可能绝对精确；

(3) 平均数的方法可以减小误差，但同样不能完全避免误差；

(4) 用测量的方法，无论是曲线还是直线，永远只能得到长度的近似值。

师：由此可见，采用实验的方法，误差是不可避免的。这是正常现象！

师：请你再次观察数据，你发现圆的周长与直径可能有怎样的关系呢？

生：都是3倍多一些。

师用电子表格计算比值（板书：$\frac{C}{d}=3.?$）

师：用实验的方法得到的数据，受误差的影响不够精确，那怎么办？到底圆的周长与直径之间存在的这个3倍多一些的关系是变化的还是确定不变的？如果是确定不变的又该怎样得到呢？

3. 适时反思、引发困惑

师：这可真是个令人头疼的问题。实际上这个令人头疼的问题同样曾经困扰了人类数千年！在古代巴比伦、印度、埃及、中国，由于生产生活的需要，人们用实验测量的方法就已经知道，圆的周长与直径之比大约为3。（PPT）公元前2世纪，中国的《周髀算经》里也出现有“周三径一”的记载。东汉时期官方还明文规定计算圆大小的标准是取周长与直径比值为3，后人称之为“古率”。用这个古率估计圆田面积时，没有太大影响，但以此来制造精细的圆形器皿就不太合适了。为求得圆的周长与直径更精确的比值，人类走过一条漫长而曲折的道路！

（三）观察体验，感受极限

1. 介绍割圆术

师：（PPT），观察，你有什么想法？

生：越来越像圆了。

师：想象一下，如果是一个正120边形，会是什么样？

生：那就更像圆了。随着边数越来越多，正多边形越来越像圆，它的周长也越来越接近圆的周长。

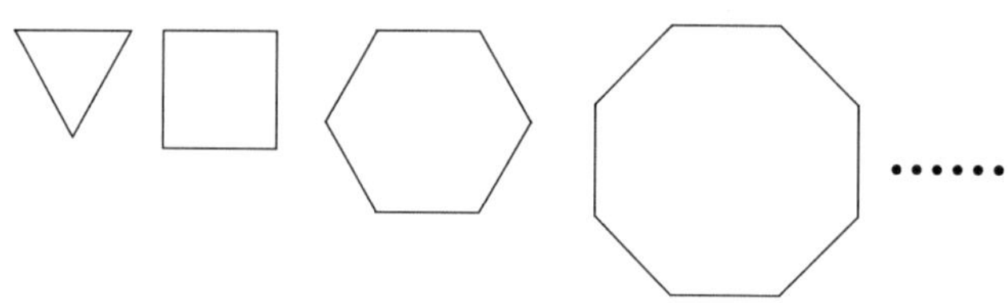

师：借助电脑来演示一下吧！不过这次我们是在固定的圆内来画正多边形。是不是与前面把圆多次对折再测量的情况有些类似。（演示：割圆）

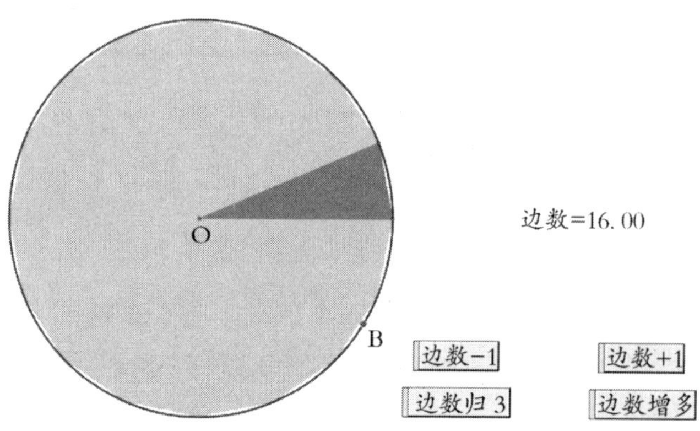

师：让我们再来看这样一段话：

割之弥细，所失弥少，割之又割，以至于不可割，则与圆合体，而无所失矣！

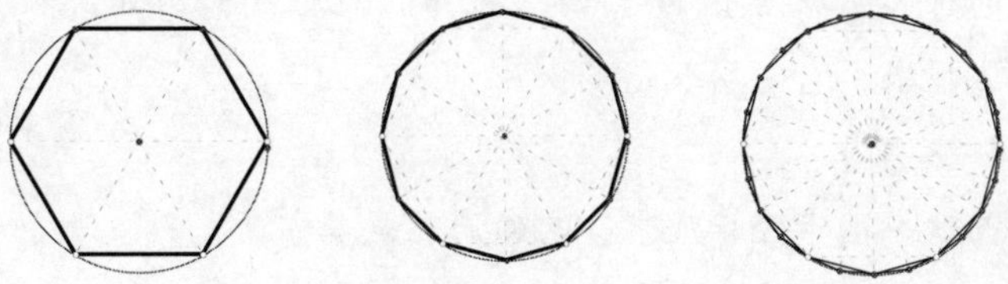

师：当然，此时这个正多边形的周长仍然只是圆的周长的近似值！但却是可以控制的了，可以用计算的方法来代替操作测量的方法了，而且这种方法所能达到的精确程度是操作测量永远无法达到的！这段话是我国魏晋时期数学家刘徽所说，他正是用这样一种全新的割圆思想来研究圆的周长与直径比值的！这就是著名的——割圆术！后来，我国另一位伟大的数学家祖冲之，继承并发扬了刘徽的思想，他将这个比值精确到3.1415926与3.1415927之间，这是人类历史上第一次将这个比值算得如此精确，并且这个纪录保持了将近1000年而无人超越！再后来，历经中外许多数学家呕心沥血、艰苦卓绝的演算、证明，人们终于认识到：圆的周长（C）与直径（d）的比值，是一个固定不变的值，是一个无限不循环的小数。称为圆周率，用希腊字母π来表示。

$\pi=3.14159265\cdots\cdots$

师板书：$\frac{C}{d}=\pi$（圆周率）

$\frac{C}{r}=2\pi$

2. 公式及练习

师：有了这个关系，我们就可以利用它来计算圆的周长了：板书：$C=\pi d$

师：已知半径可不可以计算圆的周长？

生：$C=2\pi r$

师：当然，人类对圆周率的探索从未停止过，计算机的诞生结束了人类手工计算π的历史，目前最新的世界纪录是：日本科学家利用超级计算机已经将圆周率算到了小数点后上万亿位！

师：实际上，圆周率小数点后更多的位数对计算圆的周长影响不大！通常的计算中取π值为3.14（板书）就够了！例如，老师手里的圆直径是2厘米，它的周长是多少？

生：6.28厘米。

师：而这个圆半径5厘米，它的周长是多少？

生：31.4厘米。

师：既然通常的计算取两位小数就够了，为什么还要不停地追求π小数点后更多的位数呢？

生：讨论、发言。

师生总结：可以检验计算机CPU性能；引发了许多新的数学概念和思想；正像圆周率小数点后的数字无穷无尽一样，人类对完美和真理的追求同样永无止境！

最后（PPT）播放对圆周率研究有过重要贡献的科学家：

……

（四）全课小结

孩子们，现在知道你们有多么了不起吗！你们用一节课的时间，经历了人类对圆几千年的研究历史，经历了人类曾经的探索中痛苦和发现时的喜悦！对圆的研究和发现，是全人类共有的财富，而今天，我们的这个研究历程，将成为你们的财富。

对于这节课，特级教师、北京教科院基教研中心吴正宪老师给出了这样的评价：

北大附小孙雪林老师的《圆的周长》一课，在培养学生实事求是的精神、渗透数学思想方法、发挥学生主体作用等方面给我们带来启示和思考。

首先，尊重学生已有经验，准确把握教学起点，产生学习需要。

学习活动是学生以自身已有的知识和经验为基础的主动建构的过程。本课教师重视学生已有的经验，在备课之前为更好地把握学生的认知基础，进行了课前调研。课上以学生回忆长、正方形的周长知识为切入点，从学生已有的知识经验出发，自然而然地过渡到圆的周长的学习中，朴实无华却充分利用和尊重了学生已有的知识经验，"我们知道，正方形的周长与它的边长有关，长方形的周长与它的长宽之和有关。那么你认为圆的周长与什么有关呢?"这一问题提得好，引发了学生的思考，使学生产生了学习新知的需要，为学生亲身经历知识的形成过程奠定基础。特别是根据学生对圆原有认识的实际，对"自己以往圆的周长教学"进行了调整，孙老师关注学生的学习现状给我留下了深刻的印象。

其次，在探索数学知识的过程中培养学生科学的研究态度和方法，培养学生的创新思维。

课上教师为学生创设了良好的探究环境，教师特别强调："做实验就要有科学、严谨的态度。因此在追求实验数据尽量精确的同时，更重要的是实事求是。测量的数据是多少就是多少！如实填写实验记录单。"

在教学中，学生经历着多次操作实验过程，教师引导学生正视误差、接纳误差并客观分析误差。在此过程中学生体会着一个科学规律的得出是要经过多次实验证明的这种科学的探究方法。特别是教师在"用操作实验方法得出的数据受误差影响不够精确，到底怎么确定圆周长与直径的关系呢?"问题中适时地介绍了刘徽的"割圆术"，学生随着课件"数形结合"的演示发现"随着正多边形边数的增多，正多边形越来越像圆，它的周长也越来越接近圆的周长。"从而体会着"化曲为直"、"极限"等丰富的数学思想在问题解决中的应用。

学生所认识的"π"不是信手拈来的，这种严谨求实的探究过程闪烁着理性科学的光辉，数学探索的科学精神就这样润物无声地浸润在师生真诚的交流中，在这个过程中学生获得的情感、态度、价值观，比单纯获取圆周率的知识更为重要。

一节好的数学课给予学生的绝不是一种单纯的数学知识，适时适度渗透数学思想、数学方法、数学文化，让学生亲历数学文化的发展，欣赏数学文化的智慧，乃是提升学生数学素养的有效途径。

最后，追求数学教育的文化品位，丰富学生的数学涵养，提升学生的认识水平。

本课在揭示圆周率时，教师没有例行公事地推出学生早已熟悉的祖冲之，进行爱民族爱祖国的教育，而是告诉学生：科学地研究这个常数的第一人是阿基米德，之后又数形结合地介绍了刘徽的“割圆术”，接着谈到祖冲之是站在前人的肩膀上才有了将π值精确到小数点后7位的辉煌成就。他特别补充道：“更有后来的许许多多中外数学家呕心沥血，甚至付出一生艰苦演算，才使人类终于认识到圆周率是一个无限不循环小数。”在此过程中，学生亲历正多边形逼近圆的过程，体会着割圆术中所闪烁的化曲为直、极限等丰富的数学思想内涵；同时使学生经历了圆周率的研究史，渗透数学文化和数学思想方法；学生还体会到人类对真理和完美的追求正像圆周率的小数位数无穷无尽一样，也是永无止境的。学生的心灵受到触动，强烈地感受着数学的文化价值。

本课通过教学情境的创设和学生操作活动的开展，积极实践自主、合作、探究的学习方式，使学生的主体性和教师的主导性都得以有效发挥，使教学内容更加厚实、教学活动更加丰富，教学环节更加科学有效，取得了较好的教学效果。

通过这个教学案例可以看出，三维教学目标的整体实现，是学生受到良好数学教育的标志，它对学生的全面、持续、和谐发展有着重要的意义。

在确定知识技能目标时，一定要找准本单元知识体系中的核心概念，并且分析这些核心概念所蕴涵的数学思想和教育价值。《圆的周长》这节课，不是仅仅学会计算就可以了，学生对“圆”并不陌生，但从学习直线图形的知识到学习曲线的知识，不论是内容本身，还是研究问题的方法，都有所变化。通过对圆的研究使学生初步认识到研究曲线图形的基本方法，同时也渗透了曲线图形与直线图形的关系，这样不仅扩展了学生的知识面，而且从空间观念方面来说，进入了一个新的领域。部分学生已经知道圆的周长计算公式，但对于公式的形成过程缺乏了解，只是处于知其然而不知其所以然的状态。如果将教学目标确定在公式掌握和应用上，并不能解决学生对圆周率的意义不清楚的问题，因此教学设计必须引导学生正确、科学的认识实验操作的价值。

在确定过程与方法目标时，要让学生在学习的过程中，聪明起来，领略数学思想方法，让学生成为全面发展的人。如教师在教学“体积”一课时，用到“曹冲称象”的故事，让学生体会转化的数学思想方法，启发学生用转化的数学思想方法解决问题。唯有深入到这一层次的数学教学，才是高水平的教学。在小学数学教学阶段有意识地向学生渗透一些基本数学思想方法，是提高学生思维素质，培养学生分析问题、解决问题能力的重要途径。小学数学中主要涉及的数学思想方法有对应、转化、数形结合、函数、抽象等。

情感态度价值观目标的体现，在以往《圆的周长》课上有时像贴标签一样，那就是把大家都熟悉的“祖冲之”推出来，然后请学生谈感受，似乎热爱祖国、热爱民族的这种情感就能油然而生。而在前面孙雪林老师的案例中，教师非常重视让学生体验科学严谨、实事求是的态度，体验人类对圆周率的探索历程，体验探索不懈追求真理的精神。这样的情感教育触及心灵，真实而自然，

2. 整体理解数学课程内容

小学数学知识是一个整体的系统。小学数学教学就是在教师系统、整体把握数学知识体系的基础上，开展师生共同的数学活动，促进学生主动、整体地建构、完善认知结构的过程。厘清贯穿于数学课程的几条脉络及其相互之间的关系，清楚它们是怎样发生发展的，也就清楚了它们在每一阶段所产生的内容或者发生了变化的内容在数学中的地位与作用，同时了解了数学知识的本质。

以空间图形的教学为例，学生最初是从平面图形开始认识的，在深入研究平面图形后，最后再到立体图形的研究，全部教学活动是一个对

空间图形的整体学习。在这个过程中，从静止到动态，从整体到局部，从实物到图形，从直线型到曲线型都是一条条螺旋上升的学习线索。

例如，在小学数学教材的第一学段和第二学段分别设置了《角的初步认识》和《角的认识》，这两节课的内容设置完全不同，但又密不可分。第一节课以感知角为主要目的，而第二节课才真正抽象出角的定义。但对这两节课的把握又不能割裂开。第一节课的感知要为第二节课服务，不仅要帮助学生充分感知角的形，而且要渗透角的变化。而第二节课要在第一节课的基础上，抽象出角的概念，进一步发展学生对角的认识。这两节课虽然分别设置在二年级和四年级，但是教师同样需要进行内容的整体把握。

在这样对教学内容的整体认识基础上，何秀雯老师在教学《角的初步认识》这节课前，做了如下思考：

（1）先抽象，还是先感知？

角是一个抽象图形，以往研究角肯定是从生活出发，从实物中抽取出数学中的角，指一指你身边的角，进一步认识角由顶点和两条边组成，之后设计做角的一些活动，这样的教学是先抽象后感知的过程。“从实物中抽象出角”这一环节，一般是由老师用电脑演示抽象角的过程，总感觉在“牵着学生的鼻子走”，是由老师告诉孩子“这就是角”。怎样才能利用学生已有的生活经验，让学生从感知慢慢过渡到抽象，达到自然认识角的过程呢？

（2）比较角的大小时，是“怎样比”重要，还是“比哪”重要？

以往教学“比较角的大小”这一环节时，学生会用多种方法比较：一眼看出角的大小；剪下来重叠比的方法；在每个角的两边等距之处连线，比较线段的长短的方法，等等。注重的是“怎样比”，即比的方法。而二年级学生是第一次学习数学中的角，对角的认识刚刚开始，“比哪”注重的是对哪是角的再认识。到底应注重“比的方法”还是

“哪是角”呢？

通过对学生调研的分析，在进行教学活动的设计时何老师又进行了以下设想：

（1）重点在感知与认识上

通过对学生的调研和对教材的深入探讨，老师应把这节课定位在“认识”两字上，在学生充分感知的基础上，呈现学生学习过程，认识哪是角。使学生真正建立起角的表象，认识角这样一个不同以往的抽象图形。

（2）先感知后抽象

学生已有的关于角的生活经验如此丰富，我们就放手让学生感知吧，听听学生的各种想法，了解学生的争议和困惑，让学生在这一过程中感知角、体验角、认识角，在充分感知的基础上抽象出角的本质。

（3）角的比较的重点

角的大小比较不同于长短、高矮的比较，它是一种新的度量方式，学生会出现“到底比哪”的困惑，所以我们要呈现学生学习过程中的困惑，展示学生的争议，使学生在辩解中得到正确的认识，使学生进一步认识哪是角，角的本质是什么。

可以说，设计本课之前，何老师对教材的内容已经有了深刻的理解、对学生已有的角的知识有充分的了解，对教学理念的定位也比较准确，因此教学活动的设计比较符合学生的认知，使整堂课显得很顺畅，学生的学习积极性被激发，学生的潜能得以发挥。

3. 整体把握学生的数学学习

在以学生为主体的基本理念下，小学数学课程应该帮助学生养成良好的数学学习习惯。如何帮助学生养成好的学习数学的习惯，是学生成为主体的必不可少的组成部分。终身发展能力就是一种学习的能力，而学习能力是需要靠学习习惯来支撑的。

以《平行四边形的面积》一课为例：通过前测我们发现，由于学生已经学过了长方形面积的计算，受知识迁移的影响，很容易得到平行四边形的面积等于边长乘积的推论。由于了解了学生学习过程中的困惑，我们有针对性地设计了教学活动，从而有效地帮助学生，感受平行四边形的“高”在面积计算中的重要作用。

而在《角的初步认识》一课中，何秀雯老师的教学设计把解决问题的自主权交给学生，提供给学生更多地建构属于他们自己思维空间的条件，提供更多地发挥他们自己思维方式和解题策略的机会，呈现学生认知过程，使学生成为课堂的主角，她说：“给孩子空间，就会有意想不到的精彩!”提供给学生多种学具，学生做出的角各具特色，做的方法也多种多样。

北大附小的数学教学，重点课程一般都会在教学活动之前对学生进行前测，分析学情，有的放矢地调整教学设计，在教学活动中充分关注学生的发展，在教学活动之后对学生进行后测，关注学生的掌握情况，真正地落实以学生为主体，真正整体上把握好学生的数学学习情况。

4. 整体把握学生的数学素养

数学素养和能力事关学生的主体发展，这方面的培养绝不是一朝一夕能完成的，而是一个长期的、系统的工程。因此，要求教师整体把握学生在不同阶段的培养目标，以及这些目标与总的发展目标之间的联系。

比如函数思想，就是一个几乎贯穿在小学数学课程始终的思想方法。它是可操作的，是有内涵的。从三年级对数量变化的感受，到四年级对字母表示数的认识体验，一直到高年级对正、反比例关系的理解，都是对函数思想的渗透，需要教师很好地整体把握。

李正辰老师《圆的认识》一课，就是在整体把握《圆》单元教学设计甚至是“空间与图形”整个版块基础上展开的。李老师对这节课的教学目标设定和大致流程设计有如下思考。

(1) 教学目标的设定

本节课是基于上学期我们对于圆的单元整体的学习与研究。整体把握教材，也就是要抓到本质与核心。

通过这节课希望学生在学习本单元的知识之前能对圆有一个整体的初步的感知和认识。能通过建立图形的对比与联系，由表及里地关注圆的特征，慢慢认识到圆的本质特征：“一中同长”，并能通过比较，初步认识到图形之间的联系。

(2) 教学活动的安排

第一部分：课前引入

出示课件

教师提问：想给自行车做个车轮，在下面的图形中，你会把车轮做成什么形状呢？

同学们会不约而同地把车轮做成圆形。

接着提问：到底圆与其他图形有什么不同呢？

学生此时会提到圆形没有直边，没有角，是曲线围成的等圆形的外部特征。

这时老师出示椭圆，这个图形满足所有学生刚才提到的特征，但却不适合做车轮。引发学生的思考，让学生关注到图形的内部特征，开始探索圆的本质特征。

第二部分：合作研究

让学生利用学具，试着从数学的角度来说明这个问题。为什么车轮要做成圆形的呢？

第三部分：集体汇报

让学生把他们研究的成果跟大家汇报一下，老师把他们的发现板书到黑板上。如一中同长、广泛对称、旋转对称、运动轨迹、圆出于方。

第四部分：小结质疑

看看学生还有什么疑问。

李老师在整体梳理教材、确定数学核心思想的基础上，使学生对《圆》都有了不同程度的更充分更深刻的认识，并归纳出几条认识上的主线。李老师恰恰是把握住了“小学阶段对圆是从整体上感知”这一关键点，紧紧抓住“车轮是圆的”这一生活现象，利用圆在生活中普遍应用的特点引导学生由整体到局部、由表面到细节，逐步认识圆的本质特征。

充分关注学生发展

大数学家华罗庚一贯提倡要“教会学生思考”。数学的学习就是不断地引领学生去思考、探究，数学思维应该是数学教学过程中的不变的核心。数学教学的本质也应该是以数学思维为核心的数学发生、发展的过程教学。

当教师以研究者的角色、以研究者的眼光审视自己的教学，并以研究者的精神发现问题、寻求解决的办法，教师自身的教学能力才能真正得以发挥。

李宁老师在讲授《质数与合数》一课时，利用教学的第一环节（用小正方形摆长方形）提出质疑，问拼摆方法的多少到底是由数的“大小、奇偶、约数个数……”哪种特征决定的？学生产生了强烈的探索欲望，在这样宽广的探索空间中，学生的创造力、对数学知识的理解和接受达到了较高的层次。

杨重生老师在讲授《平行四边形面积》一课中，学生面对“到底是算错了，还是想错了”的思维困惑，经历了由“山穷水尽”到“柳暗花明”的思维历程，在数学思维得到极大挑战的同时，体会了真正的数学学习所必需的探索、尝试、理解、明晰，同时情感上也获得了由困惑、疑问到豁然开朗的体验，使学生进入“山重水复疑无路，柳暗花明又一村”的意境中，这无形地拓宽了数学课堂教学的空间，能让学生感到数学就在身边，数学永远存在；建立起学生学习数学的平台，为学生的终身学习打好基础。

王杰老师在《比的认识》这节课中，从知识主线上来说，以低年级“倍”为基础，一直延伸到后续“函数”的学习。王杰老师引领学生进行大量丰富的感知，从生活中的比，到文化中的比、美学中的比，再到感受比的应用价值。他在引导学生掌握知识、培养学生技能的同时，特别重视孩子对数学知识本质的体验和感受，对数学知识价值的理解和认同；注重培养孩子们学习的兴趣，为他们积蓄发展的后劲儿。

在小学数学教学中，让学生理解知识点、形成技能学会思考都是必需的，也是相对容易做到的。而要让学生喜爱数学，让数学的思想和方法使他们终身受益，则需要教师付出的更多。如果把每个孩子比成振翅欲飞的雏燕，那么知识、技能的掌握以及成绩的高低是雏燕起飞必须具备的一只翅膀。然而，除此之外，还有没有比这更重要的东西？兴趣、快乐、好奇心、想象力、信念、梦想……我们认为，这些是能让雏燕厚积薄发、振翅远行的另一只翅膀，隐形的翅膀！我们的数学教学，就是要让孩子们双翼丰满！这样才能让他们在追寻幸福的人生路上拥有一个更广阔的视野、更坚定的信念，飞得稳健，飞得持久！

北大附小的数学老师，还利用数学学科的特点，培养学生的责任意识和理性精神。在学习四则运算时培养学生细心、认真负责的精神，这是将来参加工作必备的修养与素质；在学习小数时，可以用“小数点的悲剧”的事实引起学生共鸣；在讲计算题时，使学生明白所写的等号相当于签字，要对产生的后果负责；在讲几何知识时，则结合历史和现实中的问题让学生了解几何是解决实际问题的工具，是建筑、工程甚至航空专业不可缺少的基础知识……在此过程中，需要教师打破权威意识，敢于放手让学生挑战权威。当年华罗庚正是因为发现了前辈数学家的一个错误而得以有后来的成就，而陈景润又恰恰是指出了华罗庚论文中的一个错误而被发现。诸多事实表明，数学上，并不存在“人微言轻”的现象，只要一个结论还没有被证明，就只能称为猜想；只要有了完善的证明，则就可以被称为定理。

《圆的周长》一课中有一个为探求圆周率而测量圆的周长和直径，然后计算其比值的环节。在这一环节中如何发挥数学学科特点，实现育人功能呢?

如果我们只是一味地追求数据的精确，对于事实上早已经对 π 有所了解的大多数学生来说，他们会尽量迎合老师的要求，希望以精准的数据来赢得表扬，从下面这样的测量记录来看，很难相信这样精准的数据是仅仅依靠直尺、线绳这样简单的测量工具而得到的。

第______小组

测量记录表

测量物品	测量方法	周 长（cm）	直 径（cm）	周长÷直径
光盘	绕线	37.68	12	3.14

但如果这样的测量结果受到表扬，不精确的数据受到批评，会让学生有一种观念悄然产生：投机取巧有利可图，老实人必定吃亏。不难想象，学生在课堂中一次次经历这样的体验，反复的经验必定会逐渐形成一种价值观。

因此在这一教学环节，我们首先应该要求学生实事求是，测量的数据是多少就是多少，然后带领学生客观地分析误差产生的原因，结合阿基米德、刘徽的割圆术示意图，并介绍在探求这一规律中的贡献，然后再引出祖冲之，站在巨人的臂上，将圆周率的研究推向了更高的水平，实事求是的教育就是这样润物细无声地浸润在师生真诚的交流中。因此学生在其中也初步体验了数学探究的真谛——求真、求实！与此同时，学生还体会到人类对真理和完美的追求正像圆周率的小数位数无穷无尽一样，也是永无止境的。学生的心灵受到触动，强烈地感受着数学的文化价值。在这个过程中学生获得的情感、态度、价值观，比单纯获取圆周率的知识更重要！它无疑为学生科学探究态度的形成打下重要基础。

数学的学习过程本身就是探求真理的过程。通过数学的学习，必然会潜移默化地影响到人的正义感和独立判断真理与谬误的能力。因此，要慎重对待学生成绩起伏，帮助学生正确对待挫折，认真分析原因，特别是找出主观原因，找到克服办法，学会从挫折中吸取教训。要让学生经得起失败，更要经得起胜利的考验。对学生来说，有成功，也一定有失败。教师应对此正确引导，不可掉以轻心。很多学生仅仅是由于一次考试成绩不佳，一次老师不正确的批评，从此厌倦数学，成绩一落千丈，这对其今后的发展极其不利。学习任何学科都一样，要学有所成，离不开顽强的意志与毅力。数学学习是强度较大的思维活动，把学习想象得一帆风顺、轻松自如是不现实的。大量的计算、推理分析、创造性的思维活动，都要经过不畏险阻、锲而不舍、刻苦钻研才能享受成功的喜悦。因此在数学教学中，要坚持“跳一跳能够到”的做法，锻炼学生的意志品质，使他们成为意志坚强、毅力出众的人。

在北大附小，老师们希望学生能够通过数学学习，树立追求真理的理性精神，拥有自己独特的思考和见解，阳光的心态，健康的体魄，学会分享，懂得感恩，有一颗平常之心、宽容之心，有远见、有梦想，同时又乐观、淡定。这是幸福人生的基础，也是我们所理解的学生发展的终极目标。

尊重学生学习需求

义务教育阶段的数学课程，其基本出发点是促进学生全面、持续、和谐的发展。它不仅要考虑数学自身的特点，更应遵循学生学习数学的心理规律，使学生获得对数学理解的同时，在思维能力、情感态度与价值观等多方面得到进步和发展。新课程改革的基本思想之一就是：以学生发展为本，关心学生需要，以改变学生学习方式为落脚点，强调课堂教学要联系学生生活，强调学生充分运用经验认识进行建构性学习。然而，我们真的关注学生了吗？我们到底应该关注学生什么？从哪里入手去关注？怎样把这种关注和课堂教学结合起来？因此，在开展数学教学活动时，要充分了解学生学习的起点，把握学生思维的特点；要及时提出具有挑战性的问题，促进学生不断思考；要充分鼓励学生操作，并在操作中展示学生的思维；要提供学生充分思考和交流的时间和空间；要处理好生活和数学的关系；要处理好直观感知和理性思维培养的阶段关系，要处理好发散思维和集中思维的关系，浅层思维和深刻思维的关系……

“学生是数学学习的主体”“教学是为学生的发展服务的”，在这些教学理念的指导下，北大附小教师认真开展学生调研，前测、后测，访谈、问卷、小组观察，从学生的知识经验、生活经验入手，尊重学生需求，尊重学生认知规律，从学生中寻找“真问题”，真正在关注学生基础上进行教学活动的设计。

从《两位数进位加》一课的学生调研中，教师发现，对于书上的一个估算情境，一年级没学两位数加两位数，能正确计算的也达到了94.3%。而二年级学生仍然采用精确计算解决，在老师追问“还有其他方法吗?”之后，学生仍然没有利用估算解决问题的意识。这两个惊人的数据：100%和94.3%使他们发现学生的真问题是估算意识与估算能力的不足。

再如《分数的再认识》的研究中，我们对一至六年级的学生同时进行了前测，结果发现学生的实际和预想存在着巨大的差异。原来，学生对单位1和关系的理解不是真问题，在继续访谈中又发现，对于分数数量的理解才是教学真正需要解决的问题。只有找到学生的真问题，才能进一步确定本课的教学目标，找到学生知识的生长点。

在整体把握教材和学生实际的基础上，精心进行教学活动的设计。教学的最终目的是把知识与技能目标落到实处，数学教师为此设计许多精彩有效的教学活动。

在《两位数进位加》教学活动设计中，由估算导入，培养学生估算意识，使学生通过观察，容易引发思考“40本书够不够?”利用模型，使学生体会估算，培养估算意识。

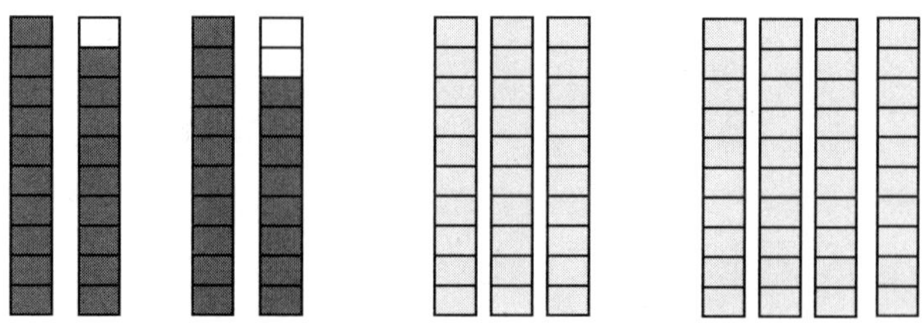

步骤一：用 3 条，能把绿色的格子都盖上吗？

步骤二：用 4 条，能把绿色的格子都盖上吗？

步骤三：女生 19 人，男生 18 人，每人 1 本，40 本书够吗？

再如《平行四边形认识》一课，以 5 个不同目的的活动贯穿，从不同层面直观感受平行四边形特点。其中，拼一拼环节是这样设计的：通过为学生提供由这样平行四边形打散的卡片，让学生在尝试拼图过程中，发现平行四边形角的特征。

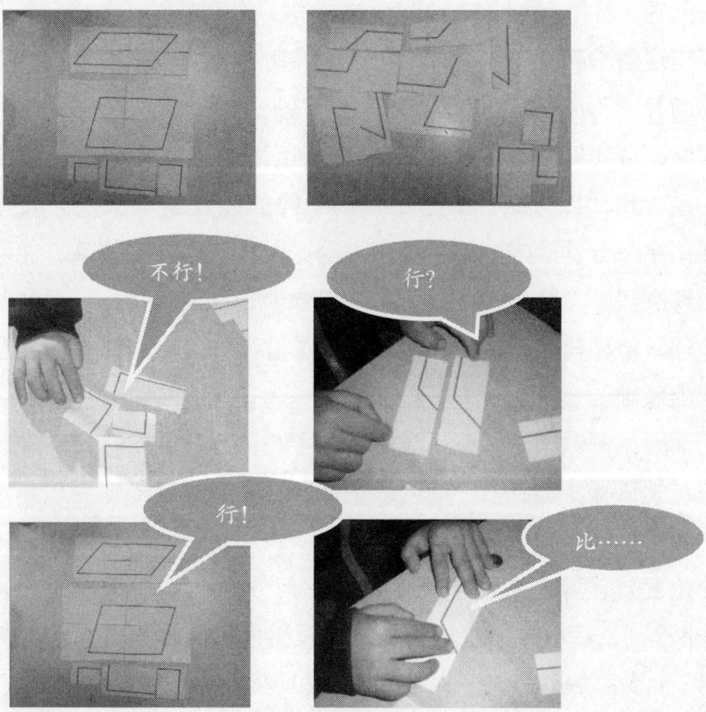

可以说，这样的课堂教学是在真正关注学生已有知识经验基础、认知需求、学习困难，真正关注学生的学习方式、数学思维，真正关注到学生的发展。

培养数学应用意识

数学教育的目的，不仅仅是为了让学生学到一些数学知识，更重要的是让其了解数学的应用，学会运用数学的知识与方法解决现实问题。数学课程标准明确指出：数学教学应向学生提供充分从事数学活动的机会，帮助他们在自主探索和合作交流的过程中真正理解和掌握基本的数学知识与技能、数学思想和方法，获得广泛的数学活动经验。只有加强数学与生活的联系，为学生的活动提供更开放和灵活的空间，让学生学会解决问题，才能使课堂充满个性与灵气，数学才会更富有生命力，才能真正实现数学教育的价值。为此，北大附小尝试在教学中进行综合实践活动的开发与研究。

数学综合实践活动是一种新型的学习活动，教师结合学生有关数学的生活经验和知识背景，鼓励学生以不同的方式去认识世界和思考问题，强调在综合开放的现实情境中主动探索，获得亲身体验，能综合运用知识解决问题，从中理解数学、认识数学，发展个性品质。这对于培养学生创新精神与实践能力，具有重要的意义，为学生的可持续发展打下坚实的基础。

北大附小的数学老师鼓励学生从数学与体育、数学与交通、数学与环境等与学科课堂教学有关的问题中选题，如为学校提供合理建设学校运动场的方案，学校运动场的设计（要考虑学校场地的局限性、树木及建筑的位置）涉及的数学知识主要有几何方面（如平面图形周长、面积、作图等）、算术方面（比例尺）以及树木相关知识等；涉及的技能有测量、计算、制图等。又如学生从学校生活和家庭生活中选题，像学校午餐浪费现象的调查；从周围社区和社会热点问题中选题，像银行存款利息和利税的调查；等等。

经过几年的摸索，我们惊喜地发现，通过开展数学综合实践活动，学生获得了亲身参与研究探索的体验。学生把所学数学知识运用到科学探究的实践中去，在发现问题、提出问题、运用知识、获取知识、解决问题的过程中，获得应用数学的体验，产生积极情感，激发出科学探究的欲望、建立学好数学的信心。通过开展数学综合实践活动，还提高了学生发现问题和解决问题的能力。学生在开放的环境中发现并提出问题，设计解决问题的方案，通过收集相关信息，处理信息，得出结论，实现问题解决，并进行成果交流活动。

学会与人交往合作、与人共同承担责任、共同分享快乐和成果是完成数学实践活动的基本保证。一方面，小组成员在选题和探究过程中离不开与人打交道，离不开别人的支持与帮助，只有通过分工协作，才能取得集体的成功；另一方面，小组与小组之间、学生与教师之间、学生与家长或社会也需要交往与合作。在收集、分析和利用信息的过程中，学生学会了分享与合作，拓宽了交往空间，团队精神得到培养。

开展数学综合实践活动，有效培养了学生现代人必备的合作交流意识和能力，同时更培养了学生的科学态度和科学道德。对问题的科学态度和科学道德是我们追求的高尚人文精神。探究课题要求学生尊重他人的思想和成果，认真踏实，实事求是地获取结论，来不得半点虚假。这有利于学生养成严谨求实的科学态度和追求进取的精神，磨炼不怕吃苦、勇于克服困难的意志品质。

开展数学综合实践活动还培养了学生对社会的责任心和使命感。学生们通过社会实践了解自然、社会和人的价值的空间；在学习过程中通过承担课题，体验自已所肩负的责任。我们参与研究的价值取向是促进社会进步和发展。科学技术具有两面性，它既能造福于社会又能危及社会，其关键就在于掌握它的人有无社会责任心。通过社会实践，学生深入了解数学对于自然、社会、人类的意义和价值的同时，学会关心国家和社会的进步，思考人类与环境的和谐发展，维护人类与社会发展的权利，真正树立起科学的世界观、积极的人生观，为学生一生的发展奠定基础。

提高学生数学素养

“数学素养”这一概念的提出，标志着我国数学教育目标从应试型向素质型方向的转变。提高学生“数学素养”是提高民族素质、丰富人才资源这一战略的重要组成部分，也是社会发展与经济建设的需要。

2008年北大附小首届“数学文化节”活动，通过开展丰富多彩的数学活动，为学生提供一个多途径、多方法、多角度亲近数学的舞台，培养学生参与、创新的意识，使学生在活动中学会思维、学会合作，拓宽认识数学的渠道，激发学习数学的兴趣，提高使用数学的能力，营造数学学科文化的氛围，在全校掀起了爱数学、学数学、用数学的热潮，从而全面提高学生的数学素养。

“数学文化节”活动包括三个阶段：第一阶段为展示汇报单元，主要包括以下活动：《数学手抄报》竞赛，展现学生们的个人创新及数学审美，其形式为班级评选—年级评优—全校展评；《数学综合实践活动成果汇报》，通过数学与其他学科的整合，体现数学的应用价值，展示学生数学的应用能力和综合素质，其形式为班级评选—年级评优—全校展评—六年级成果汇报；《数学小论文》、《数学日记》展评，其形式为班级评选—年级评优—全校展评—推荐发表；《数学家图片展》，由教师制作，介绍中外数学名家；开展《美丽的数学》讲座，聘请名师名家主讲；等等。

六年级的同学在老师的指导下，进行了丰富多彩的数学综合实践活动，产生了许多有价值的小课题成果，这从他们的课题汇总目录中就可见一斑。

校园篇

关于学校东门上下学交通“高峰期”的调查与研究

六年级的学习压力与睡眠的关系

校园规划新方案

六年级新年贺卡的购买情况调查报告

小小笔芯

小学生上网情况调查报告

关于教科书循环利用的利与弊

早餐及对早餐重要性认识的调查

小学生课业负担调查报告

关于零花钱的初步调查报告

关于零食的小调查

社区篇

创造低碳生活从小事做起

我们这一代的养老压力

生活中的优惠问题

大白菜 VS 娃娃菜

从冰箱看生活

小学生矿泉水瓶最佳尺寸调查报告

车辆限行与停车费涨价哪个对减少拥堵更有效的调查分析

探索篇

属于我们的键盘

关于课程表的初步研究

解密蒙娜丽莎之眼

手机键盘重组

学校的逃生路线

北楼送餐的最佳方案

楼梯设计

第二阶段为数学活动单元，主要活动形式为《数学游戏》竞赛，主题为“玩中学、做中学”，包括有“玩转 24 点”“巧拼七巧板”“数学谜题竞猜”“巧移火柴棒”“四子连珠”“五子棋”“拼图游戏”“棋盘覆盖”“最短路线”“解锁”“穿过 A4 纸”“数学计算比赛”“数学电脑游戏闯关”等限时类、竞速类、对弈类、合作类游戏。

第三阶段为数学解题单元，主要活动形式为《1—5 年级数学解题能力竞赛》。

以上三个阶段，既锻炼学生的数学思维，又锻炼学生的动手能力；既有学生自主活动的空间，又有小组合作的形式。

义务教育阶段的数学课程，其基本出发点是促进学生全面、持续、和谐的发展。这不仅要考虑数学自身的特点，更应遵循学生学习数学的心理规律，使学生获得对数学理解的同时，在思维能力、情感态度与价值观等多方面得到进步和发展。只有当数学课堂教学真正关注学生已有知识经验基础、真正关注学生认知需求、真正关注学生学习困难、真正关注学生的学习方式、真正关注学生数学思维，学生才能够得到全面的发展，教学实践才算取得了成功。

四、快乐共享的英语学习

21 世纪是一个社会生活信息化和经济体系全球化的新时代。作为人类认识世界和思维的工具，作为最重要的信息载体之一，英语在社会生活和国际交往中扮演着越来越重要的角色，已成为人类生活各个领域中使用最广泛的语言。英语学习是一个漫长的过程。在起始阶段的小学英语教学中，我们该怎样为学生打下持久学习英语的坚实基础？如何让学生真正喜欢学习英语？如何把以往的被动学习转变成主动地学习？如何帮助学生在学习英语的过程中体验不同文化的差异，开阔国际视野？

带着这些思考和问题，北大附小英语教研组的教师们开始了具有附小特色的英语教学改革探索之路。

“兵马未动，粮草先行”。北大附小英语教学改革的第一个突破口是大胆选用特色的小学英语教材。新一轮课程改革对小学英语教学提出了“听、说、读、写、唱”“learning by doing”“learning by playing”等的要求，而原来使用的教材显然已经不能符合这样的要求。经过慎重的考虑和比较，北大附小最终选择了由北京大学语言学博士及清华大学英语系范文芳教授主编的“清华一条龙小学英语”教材。这套教材语言地道，内容丰富。学生接触的语言内容从易到难，由简到繁，既有描述性的语言，也有对话性语言，既有学生喜欢并熟知的童话故事，又有寓言故事、人物传记、动物与科学等，语言内容开放，语言形式多样，特别是其输入量大、复现率高的特点，非常适合把英语作为外语学习的学生。在后期使用教材的过程中，教师渐渐开始参与到教材的修订以及教师教学用书和活动手册的编写工作，这样，教师更加深入地理解和把握了教材的精髓和编者的设计意图，提高了教材的使用效率。当英语教师成为教材的建设者、开发者，成为教育教学问题的自主研究者时，其教育教学理论水平便越来越高。

确定教材之后，英语组的教师开始了探索有效英语教学之路。多年来，教师在课堂教学实践中总结了经验，也发现了问题，这些问题引发了教师深入的思考：教师如何才能帮助学生轻松、愉快、高效地学习英语？学生英语语言能力发展是否是英语教学的最终目标？如果不是，那么，英语教学中我们还需要关注学生哪些方面的发展？如何关注？课堂是英语教学的主阵地，除此之外，我们还能否为学生开设英语学习的“第二课堂”，特别是为他们创设“观察语言、了解语言以及运用语言”的情境？带着这一系列的问题，老师们的英语教学研讨和实践更加深入而且富有成效。在海淀区五年级教学质量监控中，北大附小尽管没有使用作为监控命题主要依据的《新起点英语》教材，但我们依然连续三年在监控测试中取得了优秀的成绩。这样的成绩，得益于学校一贯坚持的“不唯分，只为了学生明天的发展”的办学指导思想，得益于学校顶住各方压力继续选择沿用了我们认为对学生语言能力发展更好的教材，得益于英语组老师们长期的努力和实践。探索之路是辛苦的，然而探索的前途却是光明的。

开启快乐学习之门

学生只有对英语及英语学习有积极的情感，才能保持英语学习的动力并取得积极的效果。让学生轻松快乐地学习语言，是附小英语老师们一贯秉持的教学信念。这种愉快学习体现在教师自始至终对学生情感的关注，从宽松、愉悦的课堂氛围到对学生需求的关注和满足。我们将自己的微笑与每一位学生分享，用自己的真诚和爱感动每一位学生。

1. 营造宽松和谐的课堂氛围，让学生敢于说英语

宽松、民主、活泼的课堂气氛和平等的师生关系是让学生敢于开口说英语，促进学生快乐学习，主动运用语言的首要条件。教学活动应该是一个知情交流的过程，教师在教学中应自觉地在传授知识、技能的同时，伴以积极的情感，达到以情促知、情知交融的效果，以自己对学生的良好情感去引发学生积极的情感反应，促成师生感情交融，形成良好的课堂教学气氛，发展和谐的师生关系。

（1）将我们的微笑与每一位学生分享

教师的一举一动、一言一行都会对学生的情感产生着多种影响，从而在一定程度上影响教学的效果。教师带着微笑、怀着喜悦的心情走进教室，学生会备感亲切、温暖，快乐之情油然而生。学生会在这种爱的感召下，受到鼓舞，从而亲其师，信其道。在附小的英语课堂中，我们看到的是将自己的微笑与愉悦带入课堂如“快乐小鸟”般的老师。在这里，14 名英语教师来自大江南北，学历、背景、年龄各不相同。他们或性格开朗活泼，或诙谐幽默，或沉稳严谨，或热情奔放。尽管性格和教学风格有所不同，但他们和谐快乐，有共同的奋斗目标和愿景，那就是：使我们的英语教学充满生机与活力，让我们的学生轻松快乐地学习英语。正如柴立男老师在她的教学反思中所写道的：分数是次要的，体会到学习的快乐是重要的。乐学必然会学，必然会欢乐而轻松地学。

刘若虹老师是一位有着 30 年教龄的老教师了。她性格开朗，热情奔放。尽管随着年龄的增长体质减弱，可是只要一走进课堂，她就像被打了“兴奋剂”一样的精神抖擞，仿佛浑身都有使不完的劲儿，时而慷慨激昂地与学生一起引吭高歌，时而手舞足蹈地与学生扮作各种小动物，课堂中的刘老师，永远是那样的红光满面、充满激情。

李瑜老师是一名诙谐幽默的男教师，在从教之前他曾是一名舞蹈演员。教学中，李老师始终坚持自己的教学理念，即：讲台 = 舞台，老师 = 演员。因此，他的课堂充满了表演性和戏剧性，给人以与众不同的感觉。他总是能从一开始就牢牢抓住每个学生的心，学生随时都会被丰

富多彩的肢体表现和充满激情的歌唱所吸引。

教学可以是活泼开放的，也可以是严谨沉稳的。张静和张俐老师是相对年长的两位老师。她们沉静内向，爱好读书。在她们的课上，你看到的不是教师的“手舞足蹈”，而是如同导演一般，微笑着冷静地站在讲台一角沉稳地指导学生井然有序、有条不紊地完成各种教学活动。这是一种理智严谨的教学，但这理智当中也不乏对学生的关爱和了解，因为她们总是能够组织学生完成他们感兴趣的活动，进而通过各种方式轻松愉快地完成学习任务。

（2）用我们的真诚和包容打动每一位学生

中国学生在学习英语的过程中，特别是在起始阶段，经常会有畏难和害羞情绪。由于语境的缺乏，他们没有大量尝试和练习的机会，缺少在实践中自我感受和纠错的过程。因此，在课堂学习过程中，他们缺乏自信，因为害怕说错而不敢张嘴说英语。在以往教学中，“善良”的英语老师希望每一个孩子学到的都是准确的语言。当学生在课堂发言中出现错误时，教师总是一遍一遍地帮助他纠正，直到他说对了为止。殊不知，这样“善良”的提醒在帮助学生掌握了一个单词或一个句子的同时，却使学生丧失了英语学习的自信。在北大附小的英语课堂中，我们看到的是另外一种场景：当一个学生读错了一个单词的时候，教师不是急于纠正他的读音，而是微笑着走到他身边，轻轻地摸摸他的脑袋，将正确的读音清晰地示范一下，然后请他坐下。接着，老师会继续请其他几位同学试着重复朗读这个单词，为那些依然存在困难的同学作正确的示范。最后，教师会请刚才发生错误的同学试着再练习一下。教师这样的宽容既达到了纠错目的，又巧妙地完成了教学示范，给学生留下了足够的自主学习和内化巩固的空间，更保护了学生大胆说英语的自信和热情。

和谐是师生之间的情感联系，爱是其中的核心要素。爱需要教师的真诚和包容，特别是对于学习有困难和淘气的学生。李瑜老师曾经这样记录了他和一个淘气“小老鼠”的故事。

我和一个淘气“小老鼠”的故事

教师　李瑜

那年，我教一年级四个班的英语。

开学的第一节课，我就被其中一个班的新生给“征服”了。这个班的孩子们，小脑袋里基本没有课堂纪律的概念：有的手里拿着玩具，全神贯注地玩着；有的把铅笔放在嘴里，有滋有味地嚼着；有的好像突然想妈妈了，神色恍惚或痛哭流涕；还有的则异常活跃，和前后左右的“邻居”们聊得火热，全然不顾站在教室里的我这个英语老师。

就在我准备开始这节课时，一名小男生突然手持塑料尺，向同桌的女生挥舞了过去，还没等那女生反应过来，他立刻起身冲向了教室过道，一边跑一边挥舞着尺子，嘴里还喊着：“我杀啊!”

好家伙！教了这么多学生，我还从来没见过这种架势!

好在我反应敏捷，一个箭步冲上前，拦住了他的去路，本想给他个下马威，谁料到他竟然强行从我胳膊肘下钻了过去，反手还给我后背上来了“一刀”。

全班一片哄笑!

我这个30多岁的大男人，一时竟然脸红了，不知道是被气的还是被羞的!

很快，我调整好了自己的心态，微笑着对他招了招手，说：“Hi，勇敢的小骑士。请回到你的座位上吧!”我和同学一起等待了大约5秒钟，他回头看了我一眼，然后带着“诡异”的微笑说了一句：“你来抓我啊!”

什么！竟然让我——英语老师——在上课的时候和他玩“抓人”!就在我骑虎难下，思忖如何应对这一突发事件时，班上另外一个男生自告奋勇地跳起来扑向那位男生，然后兴奋地向我喊道：“老师快来！我抓住他了!”看到这一幕，生气之余的我也忍不住想乐了。于是，我决定将计就计。接下来的情景，就和动画片《猫和老鼠》中的故事情节毫无二致，我像老猫Tom一样咬着牙在教室里追赶着小老鼠Jerry，而那只小老鼠却以自己的聪明才智一次次躲过了凶狠的猫。

全班已然哄笑成了一片，连刚才那几个安静的小女生现在也全然没有了起初的“矜持”，这会儿前仰后伏地张大了嘴巴。

我这只可怜又可笑的“老猫”啊！

不过，在哄笑的背后，我发现了一个秘密：除了刚才那位男生，全班同学看我的眼神发生了变化，有兴奋、有好奇，还有喜欢。甚至有学生在我奔跑经过的时候，使劲拽着我的衣服对我说：老师，你真有意思！

哈哈！有道是：歪打正着。虽然我始终未能捉到那个可气的“小老鼠”，但是这节课的后半部分却进行得非常成功，孩子们出奇的热情，纪律也突然发生了360度大转变，所有人的眼神始终都跟着我，似乎在说：这个老师太好玩了！

下课之后，我找了班主任老师，希望能从她那里了解到更多关于这个孩子的情况。我想他“与众不同”的课堂表现背后一定有原因有“故事”。果然，与班主任老师的一番交谈印证了我最初的想法，他果然是个特殊的孩子。从那天起，我暗暗地告诉自己：这个孩子很需要老师的包容和关爱，他其实可以“很可爱”。

为了这句话，我努力了半年：当“小老鼠”没有英语书的时候，我会把自己的书放在他的桌上，和他一起阅读；当“小老鼠”克制不住自己扰乱课堂秩序的时候，我会根据教学内容及时地安排一个游戏活动，并请他和我一起为同学示范，满足他渴望表现、希望引起关注的心理需求；当“小老鼠”安静的时候，我迅速给他一颗Sticker并及时表扬……

半年后的一天，一位家长向我走了过来，她对我说：“李老师您好，我是×××的妈妈，谢谢您那么照顾他，孩子回家总提到您！”

那一刻，我骄傲得像个孩子。我知道，孩子今天的转变来源于我的包容。包容，让我学会用欣赏的目光真诚地去看待一个学生的缺点；包容，也让我学会了静静地等待。等待的不仅有家长的肯定和鼓励，更有学生点点滴滴的成长与进步。

2. 激发学生的学习兴趣，让学生乐于说英语

俗话说，“知之者不如好之者，好之者不如乐之者。”英语学习是一个漫长的积累过程，学生的学习兴趣是英语教学成功与否的一个关键因素。学生一旦对英语产生了兴趣，就会自觉地参与各种英语学习活动，并从中获得乐趣。

将歌曲引入英语课堂是北大附小英语教师激发学生兴趣的有效手段。虽然这一做法在英语教学中并不陌生，但北大附小英语课堂中的歌曲学习却有几分特点，那就是：持续和创新。持续，是因为通过学唱歌曲学习英语，在北大附小是一个从一年级到六年级被广泛运用的方法，不论是刚入学的小朋友，还是临近毕业的大孩子，他们都能通过歌曲感受到学习英语的乐趣；创新，是因为我们的歌曲学习需要经历一个特殊的过程，即选曲—学唱—运用。

选曲。每一首歌曲都是经过教师精心选择的。例如歌曲曲调要简单易学，朗朗上口；歌词内容需要与当堂课所学的语言内容相关；歌词难度要符合学生语言水平。

学唱。为了让学生尽快学会歌曲，老师们可谓“绞尽了脑汁”，真是“八仙过海，各显神通”。能歌善舞的老师会根据歌曲曲调和内容，带领学生边唱边做动作，既能帮助学生理解歌词，还能满足小学生活泼好动的特点；内向不善于表演的老师会从网络下载歌曲的 flash 动画或视频，利用多媒体手段从视觉、听觉等多方位刺激；李瑜老师甚至将吉他和口琴带入了课堂，时而边弹边唱倾情演绎，时而为学生的演唱伴奏。

运用。激发兴趣，学会演唱并不是我们最终的目的。在学会了一首歌曲之后，特别是一些经典的儿歌，老师会请学生改编歌词，将所学过的语言内容通过熟悉的曲调演唱出来。在五年级的歌曲学习过程中，教师更是创造性地请学生边听歌曲边补全歌词，将歌曲学习与语言能力训练结合起来。

3. 引导学生在合作中体验学习英语的乐趣

《英语课程标准》明确提出合作精神是十分必要的。在小学英语学习中，提倡个人努力，更提倡共同进步。在合作的过程中，小组成员间相互取长补短，实现资源共享，共同完成学习任务。

通过合作完成学习任务，是北大附小英语课堂教学中常见的一种方式。

在朱晓媛老师执教的《Best and Most》一课中，教师在本节课四个学习环节的每个阶段都安排了小组合作学习。热身阶段——小组合作认读单词，找出“est”在单词中的读音规律；复习阶段——小组合作完成“抽卡片”造句，谈论“班级之最”的任务；学习阶段——30 秒快速记忆之后，以小组为单位完成“世界之最”的抢答任务；巩固拓展阶段——小组合作核对课前查找的关于“中国之最”的信息，然后在小组内展开“中国之最”的抢答游戏。在课后反思中，朱老师这样写道：在教师对学生的一对多的模式中，教师不一定能够保证每个学生都能在原有的基础上得到发展。小组合作学习则能够弥补这个缺点。在合作学习中，学生们通过互相帮助来学习。同学之间能够增进了解，在学习上也能互相帮助。同时这对于双方也是共赢的活动。如在小组抽词卡造句活动中，如果同学遇到了困难，那么其他的组员也可组织语言帮助别人。这样，学生在帮助他人以及运用语言的过程中体验到了英语学习的乐趣，巩固了自己所掌握的知识。

合作并不仅仅局限于课堂学习，它还可以延伸到课后。课文学习完成后，学生以自然组为单位，轮流担任“小老师”，互相督促检查，完成课文朗读和背诵任务；手抄报、课本剧的剧本编写及表演、小组循环日记等课后作业也需要以小组的方式合作完成；期末复习时，老师会为学生结成“一帮一”的学习互助“小对子”，提高复习效率。

满足个性学习之需

小学英语教学的效果很大程度上取决于学生是否真正成为了课堂教

学的主体，是否在积极独立地进行思考，是否主动地参与了学习的全过程。因为每一个学生都蕴藏着极大的学习潜能，每一个学生都有自己独特的个性内心世界。只有尊重并满足他们独特的个性和学习需求，他们才能充分发挥主观能动性，真正成为学习的主人，实现在各自原有基础上的不同发展。而这一点也正是英语课程的出发点和归宿。

1. 基于学生实际需求的活动设计

学生需求的内涵很多。就英语学科教学来说，学生的需求是综合语言运用能力的发展需求，具体体现为语言技能、语言知识、情感态度、学习策略等方面的发展需求。作为一名英语教师，要经常从学生的视角看一看，以学生的思维想一想，体察他们的感受和需求。语言学习的客观规律要求英语教学应该通过创设恰当的语言情境，帮助学生在语境中体验、参与、合作和交流，通过完成各种活泼有趣的活动，达到在“学中用、用中学、学用结合”的目的，满足学生运用语言的需求。

（1）语言的学习离不开情境

在北大附小的英语教学中，老师们总是充分利用多媒体、实物、图片、录像等手段，千方百计地创设英语学习情境，再现生活，将枯燥、抽象的内容寓于一个接近真实的模拟情境中，活化教学内容，为学生搭建表演的舞台，使课堂充满乐趣，将学生带入一个五彩缤纷的英语世界。

在周丽杰老师所执教的《Asking the way》一课中，在学习问路与指路的相关内容时，周老师在课前精心将教室的桌椅位置进行了调整，充分利用教室内桌椅和行间的位置在教室中布置出了一个模拟的街道环境，帮助学生展开对话练习。在活动中，学生在教室内或问答或行进，课堂活起来了，在活动中体会并运用语言的目的也达到了。

布置前的教室环境：

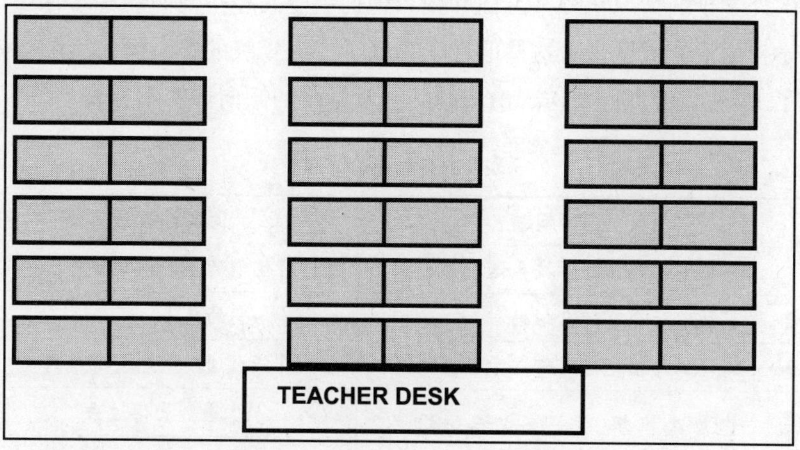

周老师精心布置后的教室环境：

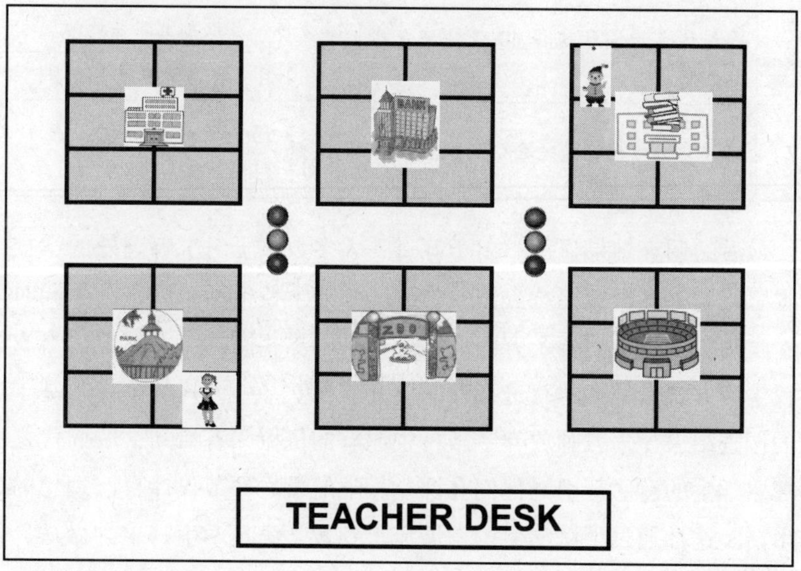

（2）课前调研

要满足学生的发展需求，教师还要有科学的教学观。课前的学生调研可以帮助教师设计符合学生爱好和需求的教学活动。

在朱晓媛老师就《My School——中西方学校生活之比较》一课进

行教学设计之前，首先思考了这样一些问题：学生愿意在什么情况下了解国外学校的情况？哪些方面和内容他们更感兴趣？他们会喜欢什么样的学校生活方式？带着这些问题，朱老师在三年级的5个班级里随机选取了15名学生进行采访。访谈的问题及学生的倾向性答案见表5。

表5　英语课前访谈

	访谈问题	倾向性答案
1	想不想了解国外学校生活？为什么？	想！对他们的生活感觉好奇。
2	了解以后会有什么帮助？	想体验不同的生活。
3	对他们学校生活的哪些方面感兴趣？	他们有什么活动？什么游戏好玩？
4	你喜欢班级里有多少人？22人？45人？	22人。人少老师管得过来。
		45人。人多朋友多。
5	你希望有一个老师还是多个老师？	多个。有新鲜感。
6	午饭休息时间你选择40分钟还是2个小时？	40分钟，可以早上课早放学。
		两个小时，可在学校里多玩会。
7	你愿意带饭吃还是吃食堂的饭？	带饭，妈妈做的饭好吃，还可以和同学们分享好吃的。

最后的调查结果显示：出于好奇，大多数孩子对了解国外的学校生活很感兴趣，并特别愿意去体验尝试未知的学校生活。调查结果同时显示：学生对学校生活各个方面的喜好却是不尽相同的。可见他们喜欢的学校生活方式是呈点状有选择性的，并非喜欢某一方式的整体。基于这样的调查结果，朱教师放弃了教材中原有的机械问答活动，取而代之的是尊重学生的意愿，引导他们在课堂教学的最后环节设计自己理想的学校生活。这种通过了解学生的发展需求到教学满足学生需求的做法，促进了教师的反思和提升，在成就学生的同时也提升了教师自身的专业素养。

（3）课后访谈

课后的调研、访谈可以帮助教师了解学生的学习实效，并根据学生的实际状况及时修订教学设计。

一位刚刚参加工作的年轻教师在讲授 empty 和 full 这两个反义词时，

借助许多实物给予呈现。授课过程中学生反应热烈，课堂气氛活跃，授课教师自己对本节课的教学状况还是比较满意的。然而听课教师发现了问题，并在课后带领授课教师对上课的10名学生进行了随机访谈。访谈的焦点针对学生对empty和full这两个单词的含义理解。教师指着教室中的几种实物提问Is it empty/full？请学生根据对empty和full的理解作出回答。学生的回答见表6。

表6　英语课后访谈

教师动作	教师问句	学生回答 Yes.	学生回答 No.
指着一个空杯子	Is it full	0	10
	Is it empty	10	0
指着一个装有一点点垃圾的垃圾桶	Is it full	8	2
	Is it empty	0	10
指着一个装满东西的篮子	Is it full	9	1
	Is it empty	0	10

访谈的结果显示：学生很准确地理解了empty（空的）的含义，并能在实际生活中灵活地运用。学生对full的理解却存在偏差。将近80%的学生将full（满的）的意义理解为：不是空的。

访谈结束后，听课老师和授课教师一起分析了学生对full的含义理解出现偏差的原因，即教师在授课过程中呈现full这个单词时没有注意区别“空的”—“不空，但不满”—“满的”这三种情形，因此造成了学生的理解错误。在后来的授课过程中，教师及时修订了自己的教学过程，并圆满地解决了这个问题。这种基于课后学生访谈和调研的教学设计修改，不仅能帮助教师科学、全面、及时地分析教学过程，发现教学中的问题并加以修正，提高教学质量，实现优化教学，而且这种严谨的治学态度也促进了教师，特别是年轻教师的专业成长。

2. 基于学生年龄特点的评价设计

评价是英语课程的重要组成部分，由形成性评价和终结性评价组成。小学生对新鲜事物总是感到好奇，爱玩好动，也渴望得到老师的肯定。教师一个欣喜的眼神，一句鼓励的话语，一份由衷的赞许，都能极大地调动学生的积极性，激发他们的荣誉感和自信心，提高他们的学习热情。在日常教学中，北大附小教师经常根据学生的年龄特点和学习需要设计恰当的评价方式，达到通过评价使学生在英语课程的学习过程中不断体验进步与成功，建立自信，促进学生语言综合运用能力。

范冰老师在讲《Jobs》一课时，结合本课关于职业的教学内容以及学生活泼好动的年龄特点，设计了邀请不同职业的朋友乘坐本组“公共汽车”的课堂评价活动。教师把学生分为几个小组，每一个小组都有一张用硬纸卡片裁出的“公共汽车”轮廓，并在车身位置开有6个车窗状的方孔，每个“车窗”正好能插入一张印有某一职业图片和英文单词的硬纸词卡，这些职业和相对应的英文单词就是本课要求学生掌握的新词。在上课过程中，学生以小组为单位，每完成一个学习任务则为小组赢得一张印有某一职业图片和英文单词的词卡，并把它插入“公共汽车”车窗的位置。在课结束的时候，“公共汽车”上“乘客”最多，并且所有组员都能正确朗读车上乘客所代表的某一职业的英文单词的小组获得优胜。

3. 基于学生能力和爱好的作业设计

语言学习需要不断复现和巩固运用，课后恰当的作业练习对于学生及时巩固课堂所学的语言知识是非常必要的。一般情况下，英语教师都会布置一些听磁带、朗读、抄写单词和句子等机械的作业。这样的机械练习对养成良好的听读和抄写习惯固然重要，但长期一成不变、缺少创造性的作业也可能会影响学生学习兴趣和热情。在北大附小的英语教学中，老师们经常结合教材语言内容和学生的能力与爱好，为学生布置一些比较开放的或是有创意的课外作业。

在五年级 Billy’s Adventure 故事单元的教学中，教师根据学生喜欢读故事、喜欢讲故事、喜欢发挥想象力编写故事的特点，设计了一个小组合作的课后作业。作业以手抄报的形式完成，包括三个部分：用几句话概括故事的大意；小组续编故事结局；小组成员在本课中学到的词汇。

孩子们的想象力让人佩服，他们充分利用了已有的内容和语言图式，结合自己的生活经验和语言能力，编写出了许多精彩的故事结局。例如在续写“小猫随风筝飞上了天”这一故事的结局时，有的学生就联系了生活中曾听过的“壁虎拍手，然后从墙上掉下来”的故事，写了这样的结局：Billy flew high into the sky with his kite. He was very happy，so he clapped his hands. Suddenly，Billy fell down straight to the ground. 还有的学生结合中国民间传说的关于“嫦娥”的故事，写了这样的结局：Billy flew higher and higher. He sat on a cloud. He saw a beautiful lady who was looking at him. He went to ask：Who are you? The lady answered：I am Chang E. Why are you here，Mr. Cat? Billy said：I flew here with my kite. I was so afraid. How can I go back to the ground? Can you help me? Chang E smiled and said：Ok. I’ll kick you back to the ground. One，two，three，Go!

在学习完关于保护野生濒危动物的内容之后，教师为学生设计了完成读书笔记的作业。

在学习了“在快餐店”订餐的课文之后，学生以小组为单位设计了自己的餐馆并编写了订餐的对话。

对于这些特色的创意作业，学生或是结合自己的生活实际独立完成，或是集合小组的智慧合作完成。在完成作业的过程中，学生主动去体验、实践、参与、合作与交流，在养成良好英语学习习惯，巩固课堂知识的同时，发展学生的语言运用能力，也有利于学生个性化、自主化发展。

插上“神奇”学习之翼

学生在基础教育每一个阶段的学习，都是一个学会学习的过程，而不是把某一门专业知识或专业技能完全掌握的过程，这是终身学习的需要。正如陶行知先生所说，“教师不是教书，不是教学生，而是教学生学。”在北大附小英语教师中流传着这样一句话：我们的教学不在于一词一句一篇，而在于学生是否掌握了学习的方法和策略。

1. 语音教学中的策略调控

英语是拼音文字，语音是英语学习的基础。掌握基本的语音知识和拼读拼写规律，可以为词汇记忆、听力理解、口语表达等多方面能力的发展打下坚实的基础。根据教材编写特点和英语课程标准的要求，北大附小英语教师共同研究整理出了从三年级到六年级持续不断的语音学习规划，帮助学生形成初步的语音意识。三年级：在字母学习的过程中，借助自然拼音规律，渗透辅音字母以及 5 个元音字母常见的两种读音；四年级：借助 Phonics 理论，在词汇学习过程中渗透常见字母组合的读音规律，并引导学生在遇到新词汇时尝试运用所学规律拼读符合发音规则的单词；五年级：借助 Tucker 手语理论，帮助复习巩固语音和拼读拼写规律，并尝试在手语帮助下根据规律拼写符合发音规则的单词；六年级：在语篇学习过程中渗透朗读技巧，比如重读、连读、停顿、升降调等。

2. 词汇教学中的策略调控

词汇是语言的建筑基石和语言意义的载体，它在一个人的语言能力发展中起着至关重要的作用。词汇教学不仅要帮助学生学习单词的音、形、义，更要帮助学生了解单词在句子中的运用以及学习单词的方法，既得“鱼”也得“渔”。以词义理解为例。

正确理解词义是运用词汇的基础。一般情况下，教师可以利用图片、实物、肢体动作等帮助学生了解单词的含义。北大附小的英语老师是这样做的：

在 entrance（入口）的教学过程中，教师首先利用课件为学生呈现了一个公园的入口图片，然后用英语为学生解释：Look, this is an entrance to the park. People come into the park from the entrance. 之后，教师再出示一张出口的图片加以比较，继续用英语解说：People come into one place from the entrance and come out of a place from the exit. 再比如，在学习 work hard 这个词组的过程中，由于 hard 是一个多义词（硬的；困难的；努力地），为了帮助学生准确理解 hard 的含义，教师为学生提供了三个选择项：A. not soft；B. not easy；C. try our best。学生结合学生所学过的知识，联系上下文，很容易理解了 hard 在这个词组中的意义—try our best（努力地）。

在这样的词汇教学过程中，教师通过英语解释词义、比较联想等方法，帮助学生逐步建立用英语思维的意识。此时，我们关注的焦点已经不仅仅是一个单词的读音或表层的意义，而是学生长远学习能力的发展。

3. 阅读教学中的策略调控

阅读是英语学习中不可或缺的一部分。但如何提高英语阅读教学实效性也是近年来一直困扰许多一线小学英语教师的教学难题。

北大附小所使用的清华一条龙小学英语教材在高年级阶段的教材内容基本以语篇阅读为主，阅读材料的内容覆盖面广，如：Animals and Science；Interesting Holidays；Great People 等，体裁涉及人物传记、科学小介绍、节日介绍等。这样的一些阅读材料或是由于没有吸引人的情节和图片，很难激起学生的阅读兴趣；或是对阅读材料所涉及的话题很感兴趣，却苦于语言能力不够，难于表达而产生学习过程中的为难情绪。课堂学习氛围沉闷，学生学习积极性不高，教学效率较低。面对这样的教学状况，首先老师们积极深入地研讨教材，借鉴数学老师的成功经验，在理论学习的基础上，将“思维导图”引入了高年级阅读教学中。

例如，在六年级《Special Days》一单元的教学中，教师将思维导图辅助的阅读教学分为这样三个层次完成。第一个层次是阅读前准备。为了帮助学生顺利、准确地理解课文，并绘制出思维导图，教师在学生展开阅读前应该就前一课或相同话题的内容以思维导图辅助的形式进行复习，帮助学生再次熟悉理解、整理并绘制这类课文思维导图的基本思路和方法。第二个层次是读后交流，加深理解。学生根据自己理解课文后制作的思维导图展开讨论活动，这也是全班范围内容的分享和交流活动。在这个活动中，教师可以帮助学生加深理解，调整思维导图框架和结构，并完成主要知识点的教学任务。这些活动可以是：教师提问，学生根据自己的思维导图抢答和补充；学生根据自己的思维导图提出与课文相关的问题，请其他同学回答。为了增加趣味性，这些活动都可以以小组竞赛的方式来进行。第三个层次是阅读后的复习巩固，输出语言。学生根据自己的思维导图进行课文的描述或复述。描述或复述可以是全文，也可以是片段，根据学生的能力和兴趣点自由选择，教师不做统一规定。

在不断的教学实践过程中我们发现：学生从最初的不理解、不主动参与、不能掌握课文理解和绘制思维导图的方法，逐步到后来的积极参与阅读和讨论活动，主动思维并绘制各自有特色的思维导图，对课文的理解和分析也更有深度和广度，阅读、复述以及制作思维导图的能力都有了明显提高。能力较强的学生不仅掌握了基本的思维导图制作方法，而且还能根据不同课文的语言和内容特点制作结构和框架不尽相同的思维导图。即便是能力较弱、英语基础不理想的学生，也能根据同类课文的思维导图绘制框架，在阅读后根据自己的理解将课文进行分析，并画出自己的思维导图。即使是同一篇课文，学生所绘制的思维导图的框架也是不同的。这反映了他们对课文结构意义的不同理解，更体现了学生思维的个性、开放性和创造性。

“语言和思维密不可分。语言是思维的工具，而思维则促进语言的发展。”在小学高年级英语阅读教学中使用思维导图可以激发学生学习兴趣，对提高学生理解能力、概括、分析和整理能力以及记忆和复述能力都有重要的帮助，可谓一举多得。

踏上实践学习之路

学习语言的最终目的是为了交际，而成功的交际除了依靠良好的语言知识结构外，隐含在该语言结构中的文化因素及其有关文化背景知识不可忽视。因此，学习英语的过程，是了解英语国家文化的过程，也是通过体验文化，实践并运用语言的过程。

1. 开展多种课外活动，拓宽学习渠道

英语课外活动与课堂教学有着密切的联系。开展课外活动可以为学生提供更多的语言的实践机会，创造更多用英语进行交际的环境。此外，学生通过参加课外活动可以接触丰富的词汇，帮助他们在实践中提高语言运用能力，保持他们学习英语的兴趣乐趣。

多年来，北大附小一直坚持开展多种形式的课外活动。

每周一播。北大附小每周有一次英语广播，由四年级至六年级的同学轮流主持。这些同学可以自己确定广播的主题，自己查找相关资料，自己录音并播出。教师在整个过程中只是担当“导播”的责任，从旁指导和协助。我们已播出的英语专题涉及：奥运、圣诞节、母亲节等各种节日、世界水日、好习惯的养成、英语学习小窍门、英语作文欣赏、歌曲欣赏等。

每期一演。结合教材内容，我们在每个学期都为学生安排一次表演课本剧的机会。学生以组为单位，根据课文创造剧本、准备道具、彩排演练，全部是学生自主完成。正是有了校内课外活动的良好基础，北大附小多次组织学生参加海淀区、北京市的英语短剧表演。2007 年，由李瑜老师自编、自导的英语歌舞短剧《One World，One Family——世界是个大家庭》以全场最高分获得了北京市 2007 年英语文艺汇演戏剧表演一等奖第一名。

竞赛和实践。除了常规活动外，我们还不定期组织学生参加各级各类的英语竞赛，从英语演讲到英语写作，从北京市科普英语竞赛到 CCTV 风采大赛，学校为学生搭设各种可能的舞台，让他们在实践中得到锻炼得到提高。另外，每当假期来临，老师会为学生精心设计假期实践作业，引导学生回到生活实际中、在运用中实践语言。例如：2008 年暑假，五年级的许多同学在学校的组织和老师的带领下观看了多场奥运比赛，之后，他们用手抄报的方式记录了自己的奥运“实践”经历。

2. 组织国际交流，在实践中运用语言

“请进来，走出去”是北大附小为学生搭设的另一个英语实践舞台。在学校确定了“与国际接轨的一流小学”的办学目标之后，学校开始多方联系，组织各种形式的国际交流，开阔师生的眼界，提供体验文化、实践语言的良好条件。

“请进来”。近年来，北大附小先后与韩国、新加坡、日本、美国等国家多所小学建立了友好学校关系。每年，校际间互派教师和学生作短期访问。当对方教师和学生到北大附小访问时，我们的老师和学生既要充当翻译的角色，有时还要将这些友人接到自己的家中住宿。访问期间，友好学校的学生会与我们的学生同堂听课学习，而教师则会为我们的学生讲课。

“走出去”。作为“请进来”的回应，北大附小也会定期向友好学校派遣教师和学生回访。除此之外，学校还多次以“艺术访问”等形式组织学生出国演出。2010 年 7 月起，在北燕培训中心的大力支持下，北大附小开始组织学生利用暑期赴加拿大进行 3 周的访问交流。

通过这样一“来”一“去”的交流活动，我们已经有越来越多的学生得以近距离地接触异国文化，在完全真实的情境中运用所学的语言完成交流的目的。学生们在开阔视野的同时，提高了英语思维能力和跨国文化交际能力，增强了学用英语的信心。

英语教学的开展要从学生的个性发展需要出发，适时适度地创设英语学习的氛围，营造宽松、和谐、融洽的师生关系，注重学习方法、学习策略的渗透，将语言学习与实际生活联系起来，多形式、多角度、多层面的寓教于生活，运用于生活。在课程改革不断推进的今天，北大附小将继续本着语言学习的客观规律，遵循课程标准的引领，将“快乐学习、主动学习、学会学习、实践学习”这样一条英语教学实践之路一直走下去。

第五章 德育建设：以美育德 文化育人

德育是学校教育的灵魂，它的核心价值在于塑造人、培养人、发展人。因为“人才奠基于健全的人格”，只有当拥有“知识”的人与其品德、意志、态度、情感、价值观等非智力因素有机结合的时候，才可称之为“健全的人”，进而成为“人才”。北大附小一直坚持以人为本的管理理念，实行以“人和”为目标的宽松、民主、和谐的师生管理模式，使人始终处于自由和愉悦的状态中，使其潜在能力和创造精神得以激情发挥。学校从教师的教育观念、方法、技能等各方面入手，不断提高自身素质，为德育工作的开展奠定良好基础。

在德育工作中，我们不断思考与尝试，结合学校先进的办学理念，充分利用百年积淀的文化资源，在继承传统的基础上，不断创新，构建了生动而美丽的文化育人平台，形成了“以美育德”“文化育人”的德育特色。

一、卓尔不群的北大少年

德育目标是通过德育活动在受教育者品德形成发展上所要达到的总体规格要求，亦即德育活动所要达到的预期目的或结果的质量标准。德育目标是德育工作的出发点，它不仅决定了德育的内容、形式和方法，而且制约着德育工作的基本过程。一所学校的德育目标首先要服从国家的需要，要完成国家新一轮课程改革的总目标；其次要为学校发展服务，要围绕学校工作的主题明确德育内容，凸显学校特色。北大附小在明确国家德育目标总要求的基础上，结合学校实际，将学校德育目标确定为培养“北大少年”，既使学生具有爱国主义、集体主义精神，遵守国家法律和社会公德，具有社会责任感、努力为人民服务等高尚的道德品质，又不乏北大附小德育特色。具体来说，北大附小培养“北大少年”的德育目标具体体现在以下几方面。

卓尔不群，厚积薄发

按照国家对德育培养目标的要求，北大附小结合实际将学校德育目标具体表述为：培养学生爱祖国、爱人民、爱劳动、爱科学、爱社会主义精神；培养学生的民族自尊心、自信心、自豪感；培养学生勤奋踏实、认真耐心的意志品德；培养学生乐于助人、团结合作思想品德；培养学生竞争创新、积极进取的奋斗精神；确立远大志向，为担负起建设祖国、振兴中华的光荣使命做好准备。

同时，学校秉承了北京大学爱国、进步、民主、科学的传统精神和勤奋、严谨、求实、创新的良好学风，充满了深厚的文化底蕴和浓浓的人文关怀。悠久的历史，幽雅的环境，爱国主义的优良传统，民主科学的文化氛围生生不息、一脉相传，这些都是北大附小得天独厚的文化优势与精神资源。因此，学校努力让每个北大附小学生都有一种卓尔不群的品质，让每个学生身上都能体现出北大附小德育特色，让世人真正感受到传统老校丰厚的人文底蕴，既富有时代朝气，又不失儒雅的风范。

在这浸润着文化内涵的校园中，曾经居住过著名中国文物及传统文化专家王世襄先生，著名历史学家、中国马克思主义历史学主要奠基人翦伯赞先生；著名法学家、法学教育家陈守一先生，著名现代散文家、诗人、文艺理论家何其芳先生。著名文学家、教育家冰心的亲笔题词“专心地学习，痛快地游玩”已成为学生们的座右铭，中国国学大师季羡林先生亲笔题写的“放飞理想”道出了附小办学的美好愿景。

这些德高望重、学识渊博的优秀学者留给附小的不仅仅是几处历经风雨的故居和几行沧桑的文字，而是一笔巨大的精神财富，也是一部生动的德育教材。对附小师生而言，他们可以是“北大”这块神圣的土地上几代最优秀学者的代表。他们丰博的学识、闪光的才智、儒雅的风范、庄严无畏的独立思想、刚正不阿的人格操守以及勇敢的抗争精神相结合，构成了一种特殊的精神魅力。这种魅力无声地浸润着北大附小这块育人的沃土，成为北大附小培养优秀“北大少年”卓尔不群、厚积薄发之精神的源泉。

主动探索，游刃有余

德育工作无处不在，无处不有。北大附小特别重视通过科技教育活动来培养学生的探索精神、创新能力和为社会服务的品质等。学校在科技教育实践中形成了明确的科技教育目标和一套有新意、有特色、行之有效的具体措施。围绕“培养学生的科学素养、信息素养和科学态度，爱科学、学科学、崇尚科学”的科技教育总目标，学校确定了“普及与提高相结合、基础与实践相结合、动手能力与创新意识培养相结合”的原则，立足于学生的全面发展、特色发展。学校将科技教育与民族传统文化相结合，激发学生热爱科学、崇尚科学、学习科学的热情。

2005 年 12 月学校被市教委认定为“北京市金鹏科技团”以来，每年科技节期间，北大附小少年科技论坛蓬勃开展活动，连续数场专家科技报告以“百名专家进百校”开场，随后进行的“天文知识讲座”“航空航天知识讲座”“疯狂科学体验报告会”等深受同学们的欢迎。这些讲座进行科普教育的同时，让孩子们大开眼界，积极参与到各项科技活动中来，吸引了一大批新的科技爱好者。目前，我校与中国科技馆、北京大学技术物理系机器人研究所、二炮研究院等科研单位建立了协作和基地。

学校还充分挖掘身边可利用的科技教育资源，不仅聘请学生家长中的专家学者到校讲座，还组织学生到其所在的科研单位参观。学生们走进不仅走进观科技馆、博物馆，还走进北大方正、联想集团、中科院高能物理研究所、中科院动物研究所等科研单位、北大生物系等，同时还参加秋游、采摘等活动，到大自然中观察科学、了解科学。

学校通过一系列丰富多彩的科技教育活动，使学生树立正确的科学态度、掌握一定的科学知识、科学技能和科学方法，养成良好的科学行为和习惯，并能够利用所学知识解决客观世界中的实际问题。在科技教育活动中，把培养学生科学探索的精神与严谨的科学研究态度紧密结合，通过动手动脑、亲自实践、感知体验，内化成学生的科技认知能力。这些都在无形中提高了学生的道德素养。

务善则美，尊重生命

墨子曰“务善则美”，孟子认为“充实善信”是美德之人，只有善的、诚实的、有学问的人，心灵才是美的。我们这里的“美”，是具有深刻内涵的、体现人生价值的、高层次的精神愉悦，是让全校师生的生活充满情趣，富有精神的追求，对自然和人类充满善意，懂得感恩，追求进步，追求光明，自信而乐观地面对生活的挫折和困难。

“兴贤育德，责在师儒。”“善之本在教，教之本在师。”我们的教师时时处处能够在各自的工作岗位上从不同角度，发挥课堂教学和学校生活的主渠道作用，充分挖掘心理健康教育资源，在润物无声的教学活动中培养学生健康、向善、向上、阳光；自尊、自立、自强、自爱；宽容、开朗、大度，志趣高雅的心态以及良好的行为习惯。

生命具有自己的独特性，每一个个体都是具有自己独特内心精神世界的鲜活、生动、特殊和具体的生命个体，这是不可重复、不可再造的价值主体。学校德育工作重视个体生命客观存在的个性差异，树立承认、尊重个体生命独特性和差异性的理念，关注学生的差异性，因材施教，使学生的身心能够自由地表现和舒展起来。同时，学校让学生参与到自己选择和设计的教育教学活动当中，引导学生做学习的主人、做生活的主人、做集体的主人。创设独立感知、独立体验、独立思考和独立探索的空间，充分发挥学生的主观能动性，满足学生主体发展的需要，激发学生主动体验、自觉实践的积极性。在这种环境下，学生能够畅所欲言，发表不同意见；能够自主地去获取新知识、探索新事物。这种环境使每个学生在无数的生活道德中，能够找到一条最能鲜明地发挥个人的创造性和个性才能的生活道路。

学校的这种教学氛围也在影响着学生，使他们逐渐认识到生命的重要、善的美德，促使其不断提高自己的道德品质，向着优秀的“北大少年”的目标迈进。

二、得天独厚的北大文化

创新的形式可以使受教育者在轻松、自然的状态下愉快地接受教育，可以使其得到情感的陶冶和理性的升华，进而增强德育的实效性。

学校坚持多种方法并用，创建灵活多样的德育形式。在德育课堂上，教师采用启发式、参与式、讨论式等各种方法，为学生营造民主和谐的氛围，尊重每个学生的个性和才能，以一种平等、博爱、宽容、友善和引导的心态来对待每个学生，使学生的身心自由地表现和舒展起来。除此之外，北大附小还充分利用得天独厚的北大文化和教育资源，开展了一系列独具特色的主题教育活动。

参观北大校园，感悟北大文化

北京大学校园内景色优美，四季常青，校内著名景观未名湖、博雅塔，湖光塔影交相辉映，为美丽的燕园增添了无限风韵。校内还有蔡元培、李大钊铜像，青年毛泽东铜像，马寅初铜像，“三一八”烈士纪念碑，北大革命烈士纪念碑，埃德加·斯诺墓等纪念建筑，反映了北大的光荣历史和革命传统，为后人留下了不尽的怀念。图书馆、赛克勒考古博物馆、地质陈列馆、校史博物馆等更是体现了北大浓厚的学术氛围。

美丽的校园，幽雅的环境，是北大学子读书、做学问的好地方，也成为了北大附小的爱国主义教育基地。老师们组织附小学生定期参观北大校园，走进校史馆、博物馆开展教育活动，了解北大历史，感受北大文化。附小学生们通过参观、写观后感、组织班队会、讨论会、制作手抄报等形式，表达对北大的向往与崇敬。在学生们的感言中，他们了解到，作为新文化运动的中心和五四运动的发祥地，作为中国最早的马克思主义和民主科学思想的源头之一，也作为中国共产党最早的活动根据地之一，北京大学为民族的振兴和解放、国家的建设和发展、社会的文明和进步做出了不可替代的贡献，在中国走向现代化的进程中起到了重要的先锋作用。爱国、进步、民主、科学的传统精神和勤奋、严谨、求实、创新的学风在这里生生不息、代代相传。一代又一代的北大学者，从这里眺望世界，以坚毅的、顽强的、几乎是前仆后继的精神，在中国辽阔的国土上传播文明的种子。民主与科学已成为这块自由阵地不朽的灵魂。

北大文化、北大精神一点一滴地融入到孩子们的心灵之中，成为北大少年的引以为荣的精神追求。同时，为更好地贯彻落实北大精神，北大附小结合学校特点，提出开展“以北大精神为荣”的演讲活动，通过学校广播，组织全校学生积极参加。学校教育学生作为北大少年，要学习和继承北大的优良传统，学会明辨是非美丑，要以自己文明的素养、高尚的情操、健康的人格、丰富的知识，为北大附小增光、为北京大学添彩。

开展《走进北大》队会活动

为使学生更好地了解北大、弘扬北大精神，学校组织开展了《走进北大》队会活动，要求各团队深入北大走访、调查，并能够写出活动报告。此活动的开展，使学生对北大所具有的爱国、科学、民主、博大等精神有了更深的了解，也促使着他们不断完善自己，提高自身品质，以不愧于“北大少年”的称号。

附：

《走进北大》队会活动案例

北京大学附属小学　　胡纯真

一、基地环境分析

（一）基地基本情况

北京大学——中国综合实力最强的大学。初名京师大学堂，创办于1898年。1912年改名为北京大学，严复任校长 。1917年1月，蔡元培任校长，对学校进行了整顿和革新，奠定了北京大学向近代大学转变的基础。抗战后南迁，1937年9月，与清华大学、南开大学在湖南组成长沙临时大学，1938年4月，又在昆明组成国立西南联合大学。1946年5月西南联大解散，北京大学迁回原址复校，同年10月正式开学。1949年人民政府接管北京大学。1951年6月，马寅初教授被任命为中华人民共和国成立后的第一任校长。1952年院系调整后，北京大学从北京城内沙滩迁到现校址，成为一所侧重于基础学科教学和研究的文理科综合大学。

北京大学占地面积为 2.72 平方公里（4080 亩），建筑面积为 142.23 万平方米，图书馆藏书 703.21 万册。

北京大学共有 5 个学部、43 个院系、360 个研究所（中心）、16 个国家重点实验室、18 个附属和教学医院；105 个本科专业、4 个第二学士学位专业、258 个硕士专业、249 个博士专业 33 个博士后科研流动站；专任教师 2926 人，博士生导师 1169 人。

北京大学的院士、“973 项目”首席科学家、教授、博士生导师、长江学者以及国家重点学科、重点实验室的数目，均居全国高等院校之首。北京大学图书馆为亚洲最大的大学图书馆，藏书 629 万余册。这些无不在为北大人铺就良好的出路，北京大学无愧于中国最优秀的大学，素有中国的“哈佛大学”之称。

（二）基地环境

北京大学与北京大学附属小学有着千丝万缕的联系。北京大学有着丰厚的文化教育底蕴，北大校园又称燕园，在明清两代是著名的皇家园林，数百年来，其基本格局与神韵依然存在。校园北与圆明园毗邻、西与颐和园相望。北大充分利用了这一难得的历史遗产，营建了风景如画的校园环境，使之既有皇家园林的宏伟气度，又有江南山水的秀丽特色。这里不仅有亭台楼阁等古典建筑，而且山环水抱，湖泊相连，堤岛穿插，风景宜人；校园内古木参天，绿树成荫，四季常青，鸟语花香，园林景色步移景异。优美典雅的环境内充满着丰富多彩、魅力无穷的校园生活，使学生可以同时感受到自然的风景和浓厚的人文气息。美丽的湖光塔影伴随着大师的背影，构成燕园中最美的图画。

北大精神不是一种物质的遗传，而是灵魂的塑造和远播。“思想自由、兼容并包”的传统在北大薪火相传，构成一种恒远而不具形的存在。“科学与民主”早已成为这圣地不朽的灵魂。在北大学会的不仅仅是单纯的知识，感受更多的却是北大对一个人人格的熏陶，从这片园子里面走出的人都会深深打上北大的“烙印”，具备特殊的精神气质。不愧为优良的校外教育基地。

（三）基地环境与学生的学习、生活的关系

北京大学附属小学与北京大学仅一路之隔，许多学生的家长都在北京大学工作，有些学生从小就在北大校园玩耍、活动。附小有许多活动都是在北大的世纪百年讲堂开展，每当学生们走入这百年校园都满怀崇敬。也有少部分学生对北大不太熟悉。北京大学是附小得天独厚的资源，为了帮助学生走进北大，了解北大，树立学生的远大理想，我们开展了“走进北大”系列活动。

二、活动目标

（一）学习内容的重点难点

让学生们走进北大校园，不仅欣赏风物景观，更要了解北大的历史传统、人文精神，品味出原本无形的“北大精神”，决心做今天奋力拼搏的北大少年。

（二）三维教学目标

1. 知识与技能方面

（1）锻炼学生综合运用所学知识以及口语表达、组织语言的能力。

（2）初步了解介绍校园有关人文景观的基础知识及背景材料。

2. 过程与方法方面

（1）通过学生亲自搜集资料，参与采访，评价交流，体验做北大人的骄傲与自豪。

（2）锻炼学生收集信息、整理信息的能力。

3. 情感态度与价值观方面

（1）通过实践性的活动，充分发挥学生的主动性。

（2）促进个性的发展，增强学生的自信心，培养创新意识。

（3）体会与人合作、与人交流的乐趣，增强团队意识。

三、活动设计思路

1. 了解北大的历史，引发激情

在活动开始阶段，组织学生参观校史馆。面对满墙的名人，这些名人中有许多是学生不知道，不了解的，有些名人都是学生们耳熟能详的。对熟悉的名人再次讲解，激发学生们走进北大，想要了解北大百年历史的愿望。随着讲解员的一一介绍，学生们由衷地感叹北大的名人真是数不胜数。

2. 自主探寻，寻找校园美景

在走进北大校园活动伊始，让学生们去自由寻找自己认为最美的景色，并用相机记录这一美景，有意识地把潜藏于学生内心深处的好奇心，求知欲诱发出来，给学生真正走入北大的文化精髓奠定良好之基调。在活动中学生始终处于活跃状态，时时都有美的发现，新的感受。在汇报成果时，学生的照片展览，使学生实实在在地感受到北大的美。

3. 自由组合，寻找校园特色

由于许多家长是在北大工作，他们对北大很了解，在自由分组中由家长带领各组在校园中寻找北大的特色。校园中留下了学生的欢声笑语，在分组寻觅活动中，学生渐渐地发现北大有许多铜像，在这铜像背后都凝集着北大的文化精髓。

4. 查找资料，共同体会北大的厚重文化

在这一阶段，学生在家长的帮助下，查找资料，图片，深入了解北大，搜集与北大有关的各种名人故事及趣事，在搜集整理的过程中学生深刻体会到这北大的百年历史讲也讲不完。有关北大的故事太多了，发自内心的感叹北大真是字字有故事，景景有逸事啊！

5. 调查访问，激发对北大今天之成就无比自豪之情

通过学生访问，采访的形式，让他们深入走近北大的各个院系，对自己所在班级的家长进行访问。采访是学生最感兴趣的，在活动中学生积极参与，热情很高。在提问和汇报的过程中，学生真的感受到北大为祖国培养了无数高端人才。

6. 参与班会，融入激情

在活动的后阶段，学生与老师一起共同参与到《走进北大》的主题班会中，学生们把亲身感受到的，了解到的排练成节目，在形式多样的节目中，使学生更深入地了解北大，树立远大的志向。

7. 品味过程，激发兴趣

在活动结束阶段，教师引导学生着重对活动过程中得到的体验，认识和收获进行总结和反思。对学生而言，这些都是最真实的，对他们都是一次最有效的自我教育。这也是主体性德育活动所须达到的目的。通过总结反思以及教师恰当的引导，无形中提高了学生参与活动的积极性。学生都以更大的热情期待着投入到下一次活动中。

四、活动过程

（一）感悟北大

西校门是典型的宫殿式建筑，进入西门后就可以看到雕刻精美的华表及原北大办公楼。学生在看到这些时都会问这门为什么修成这样，这华表又是怎么来的？由此引出两个男孩的对话，这段对话真实地再现了学生的真实情况。由这一处处美景，感叹这美景背后还藏着一个个故事。

（二）走进北大

北大最著名的三景是一塔，一湖，一图，俗称——塔湖图。在看似喝茶聊天中，既欣赏美景，又品味着美景中蕴涵的无形象征。正是这美景，正是这思想文化之地，培养了北大无数莘莘学子，无数大师也是从这里走出的。

（三）厚重文化

在前期活动中，学生已发现了北大校园中许多铜像，这一组组铜像的介绍，正像翻开了一页页北大的历史。

对北大名人的介绍是学生们引以为荣的主要环节，在这一环节学生身临其境，那种无比自豪，无限向往溢于言表。

（四）今日辉煌

二年级孩子好奇心重，让他走进北大各院系，那里有他熟悉的亲人，对他们的采访，使学生们更亲身感受到北大源源不断地为祖国培养，输送了无数有用之才。北大学子成就的取得无不与北大的培养紧密相连。

（五）以邻为美

与北大相邻，这是附小得天独厚，令人称美的资源。学生们就是在这种一次次走入北大校园的活动中受到了美的熏陶，爱的教育，种下了理想的种子。

五、活动效果

在本次活动中，我看到了学生的潜力。原本以为学生年龄比较小，许多活动学生会不理解，不感兴趣，但我发现我错了。学生们在活动中表现出了极大的热情，而且思维活跃，思考的问题有一定的深度，这都源于活动的参与。

到北大校史馆参观是我最担心的活动，学生会对校史感兴趣吗？会不会闹成一团？接待我们的讲解员也一直皱着眉，她只对大学本科生进行讲解，还从来没有给这么小的学生讲解。但在整个参观过程中，学生们井然有序，认真倾听讲解，依次排队观看图片，馆中的工作人员都冲学生们竖起了大拇指。回来后学生们都发自内心的发出感慨，原来只知道北大有许多名人，不知道北大出过许许多多大师、学者，许多名人都曾在北大学习过、工作过，更让学生感兴趣的是毛泽东还曾在北大图书馆工作过。

在分组寻找北大校园的特色时，学生热情很高，在校园里寻觅、拍照、了解资料。在汇报过程中，我原本担心学生只停留在校园的景色美，没想到学生竟发现北大校园有许多铜像，在对这些铜像的了解、分析、研究、介绍中对北大的深厚历史传统，人文精神有了更深的了解。更让我感到意外的是，活动中的学生与课堂上的他们大不一样，他们的自信、骄傲、自豪溢于言表，俨然把自己当成了一个小北大人。有学生兴奋地说："虽然我只是北大附小的学生，但我也把自己当作北大人了，我要在北大附小好好学习，从北大附小升入北大附中，再由北大附中考入北京大学，做真正的北大人。"还有学生说："北大图书馆有好多好多的书，其中有些还是北大人所写，我也想成为北大人，也想把自己写的书放入北大图书馆。"这是学生们的心声，是活动带给他们的迫切愿望。

三、涵养性情的校园文化

一所学校的文化氛围影响着它所培养学生的素质，创设良好的校园文化氛围是德育工作的重要内容。北大附小既注重校园的布局和绿化美化，又注重各种文化设施的建设，努力将学校建设成一个高尚的道德社区、优雅的成长乐园和神圣的学习殿堂。

走廊文化——彰显办学特色，陶冶学生心灵

在校园文化建设中，最有代表性的是走廊文化。北大附小整体思考，精心设计，把“丰富走廊文化，凸显学校特色，形成育人氛围”作为工作思路，组织相关学科的老师一起走访专家、参观借鉴、互相交流，最终分层次精心设计了新教学楼的德育长廊、科技长廊、艺术长廊以及教学北楼“北大少年成长历程”等，形成了丰富、立体的走廊文化，创建出文明、典雅、民族传统文化与现代建筑风格相结合的独特的育人环境和浓厚的礼仪氛围。

德育长廊

教学北楼一层的系列壁画“四育赋”，集中体现了多年来学校在德、智、体、美等方面的教育理念，画面采用传统的立粉画法，以四季为基调，展示了同学们丰富多彩的校内外活动，每幅图画配赋一首诗，时时激发学生积极进取、勤奋向上的精神。

阳光大厅一层，大型立粉壁画“乳燕初飞”浓墨重彩、金碧辉煌、场景大气、令人震撼，把北大附小的自然环境、人文环境描绘得栩栩如生。远处，博雅塔上，未名湖畔，一群小小的紫燕呢喃欢唱，快乐飞翔，深刻寓意精心浓缩于这一方画面之中。真可谓：“北大泱泱，附小堂堂，紫燕呢喃，书声琅琅。古轩红柱，五色沃土，春风化雨，桃李芬芳。”著名文学家袁鹰老先生为《乳燕初飞》题写了这样的寓意：“半个多世纪以来，北大燕园里先后飞出了数不清的紫燕：革命家、科学家、文学家、艺术家以及各条战线上的优秀人物。他们以自己的忠诚和才智为我们古老而又年轻的华夏大地增添了无限春色。今天，我们又看到一批又一批乳燕展翅起飞，呢喃燕语，使人欣喜。我衷心地祝福你们飞得更高、更远，无愧于前辈地飞向21世纪。”

艺术长廊

教学北楼三层的“艺术长廊”呈现了我校特色艺术活动——娃娃京剧的蓬勃开展。大型壁画《国粹飘香》把多次专场演出的精彩瞬间巧妙融合在一起，绚丽的服饰、传神的表情、动感的画面传递出孩子们对民族艺术的喜爱，生动展示了附小娃娃常年在国粹艺术的浸染下不断提升的艺术气质。

同时，艺术长廊也是孩子们自己的艺术作品天地，书法、国画、水彩、剪纸、蜡染、脸谱——形式丰富、异彩纷呈、充满童趣。

科技长廊

教学北楼二层“从南极到北极——生命的足迹”系列模型，采用声、光、景、物等多种表现形式，从南极的冰天雪地到热带雨林动物的狂欢节，再从亚热带森林和草原到冰雪覆盖的北极，形象生动地展现了地球地貌与生态特征分布，把介绍科学知识与培养学生的探索精神结合起来。

“从南极到北极”这一组模型，不仅是科学技术的展示，更展示了北大少年的进取精神：1985年，我国在南极建立了长城科学考察站。北大附小师生共同设计的“中国少年纪念标”在全国少年儿童创造性活动中一举夺魁。北大附小杨海兰同学代表全国一亿三千万少先队员，远赴南极参加“中国少年纪念标”揭幕仪式。至今仍矗立在南极的中国少年纪念标，体现了北大少年对科学与和平的美好憧憬，激励北大少年凭借力量、勇气和智慧，再将进发北极，实现全球、全人类与自然的和谐与美好！

阳光大厅二层，以“从小爱科学”为主题的大型壁画再现了附小师生积极参与科技实践活动的各种场景。“神奇的宇宙”则把孩子们带入了对无限空间的遐思与妙想之中，模拟实景的太空舱、宇航员、机器人生动、直观，引领学生对探索太空的向往。

一座“彩虹桥”将南楼和北楼连接在一起称为“中楼”，共三层。“信息天地”在中楼的二三层，大型计算机壁画，色彩艳丽，使人遐想；走道两侧的挂件及陈列品反映出信息技术的发展，激发了学生们科技探究的兴趣；学生的电脑作品，更是充满了童真、童趣。

荣誉长廊

从中楼一层走廊到小讲堂南门，有一组“荣誉墙”，展示了北大附小师生在各级各类比赛中获得的奖状、奖牌和奖杯，琳琅满目、熠熠生辉。还有不少国际国内交流活动中的精美纪念品。这里是附小学子的骄傲，被称为学校的“荣誉走廊”。

教学南楼“北大少年快乐成长”

教学南楼一层以“赏校园——温馨、和谐、健康成长”为主题，布置了附小 12 文化景观的摄影图片配附诗词的内容，突出爱校教育，教育学生热爱附小，做优秀的北大少年。二层是以“赞北京——文化灿烂、少年文明”为主题，突出文明礼仪，教育学生热爱首都，做文明的北京人。三层是以“爱中华——巨龙腾飞、立志报国”为主题，突出爱国教育，激发学生精忠报国，做堂堂正正的中国人。四层是以“看世界——奇妙多彩、造就英才”为主题，培养学生的国际意识，做视野开阔的国际人。

四个楼层的设计既相对独立，又紧密相连、层层提升，表现了北大少年在成长过程中对“如何做人”“做什么样的人”的新思考与新追求。

精心设计的育人环境，处处体现了教育性、艺术性、趣味性，传递着独特的校园文化和浓厚的人文气息，给学生深深的触动，自然营造出一种耳濡目染、润物无声的育人氛围。这样的校园，是读书求知的圣殿，也是陶冶性情的乐园。

校园景观——一部部生动的育人教材

随着校园环境的不断完善，加之有着百年的历史与文化积淀，北大附小形成了独特的校园文化。北大附小评定出了最独具特色的 12 处景观，分别是“奇石萌发”“生态学堂”“南极标赞”“五色沃土”“励志箴言”“红廊花架”“古松情深”“百草嬉戏”“翦老故居”“王家花园”“水墨怪柳”“放飞理想”并由附小师生共同参与创作“北大附小校园景观”赋诗以及诵读活动。这些景观，有的是名人故居（如“翦老故居”，是北大著名历史学家翦伯赞先生故居，“王家花园”，是著名收藏家、鉴赏家王世襄老先生的故居），有的是具有特别历史纪念意义的标志物（如“南极标赞”“励志箴言”）。师生们各显才华，为每一处校园景观创作出七言诗，配合摄影作品加以展示，同时掀起了全校师生积极诵读的热潮。赋诗诵读活动把校园景观赋予了更深厚、更丰富的文化内涵，把“赏景观、爱校园、讲文明、做主人”的教育融合于文化熏陶与感悟之中。

精练的诗句不仅对校园的幽雅景观、悠久历史进行了概括性的描述，还特别在简短词句中塑造出新时代北大少年积极向上、活泼文明的健康形象，以此激励学生时时刻刻在点滴言行中体现北大少年的良好修养和精神风貌。

师生创作的校园景观诗定稿后，我们利用国旗下讲话的时间，安排不同的老师每周介绍一处校园景观，并讲解景观诗。在介绍校园历史、感受校园文化、欣赏幽雅环境、诵读景观诗句的过程当中，激发学生的爱校热情和自豪感，树立小主人翁的责任感，渗透礼仪教育，提升文明素养。

为校园文化景观赋诗诵读活动，最终固化为爱校教育的校本教材，成为新生入学教育的必修课。校园景观，也成为了北大附小最有代表的文化品牌。

如，校园景观之一“励志箴言”——著名教育家、作家冰心老人为北大附小师生亲笔题词“专心地学习，痛快地游玩”。朴实的语言，寓意深远，启迪学生领悟学与玩的真谛，成为学校教育的追求与方向。2004 年学校将其定为校训，2005 年刻有校训的书形石雕在校园落成，象征着学生们畅游书海，享受美好童年。以下是描绘该景观的诗句：

苍松翠竹映书影，朝霞红石刻箴言。
前辈题书意深远，少年立志莫等闲。

又如，校园景观“五色沃土”——这是掩映在繁花翠竹之间的一块五色花形地台，名曰“五色沃土”。它传承了中国传统文化中和谐、统一的内涵。一粒粒五彩石子形似饱满的种子，寄寓着北大少年在北大附小育人的沃土中汲取养分，健康、快乐地成长，用丰富的学识奠基自己的五彩人生。描写该景观的诗句是：

石分五色晶莹耀，竹集一圃骄洁茂。
少年操练沐朝阳，诵读放歌乐陶陶。

“王家花园”是著名中国文物及传统文化研究专家王世襄先生的私人花园，园内花木繁茂、生机盎然。明清古建，雕梁画栋，引人注目。

王世襄先生为这座老屋题写对联："名曰花园种菜范匏还架豆，号称学子溜獒放鸽更搆鹰"。先生在勉励学生们专心学习的同时，也自谦地说："在北大的四年大学，玩物丧志，业荒于嬉，要以大学之我为戒。"王世襄先生学识渊博，对文物研究与鉴定有精深的造诣，尤其是对明清家具、髹漆和竹刻等均有深刻研究和独到见解，被人们称为"京城第一大玩家"，可他却玩成了大雅，玩出了文化，玩出了一门"世纪绝学"。王世襄先生的传奇一生，深深影响着北大附小的学生。描写该景观的诗句是：

秋黄春紫扮妆廊，青檐红柱俏雕窗。
历经风雨沧桑筑，还看今朝少年郎！

坐落在校园之中的石雕"放飞理想"，是一组具有现代创意与学校教育思想相结合的艺术作品，想象丰富，蕴意激情。一群群紫燕振翅高飞，穿越时空，飞向更高、更远的宇宙。著名国学大师季羡林先生为北大附小题写的"放飞理想"四个大字镶嵌在这座石雕上。激励着少年学子如紫燕一般，搏击长空，胸怀理想，放眼未来。描写该景观的诗句是：

撷风剪雨写诗行，幻彩摩云描乐章。
青壁犹绾飞燕翼，嫩芽初挺沐朝阳。

……

每一处校园文化景观，都凝练着一个生动精彩的育人故事。精练的诗句不仅对校园的优美景观、悠久历史进行了概括性的描述，还特别在简短词句中塑造出新时代北大少年积极向上、活泼文明的健康形象，以此激励我们的学生时时刻刻在点滴言行中体现北大少年的良好修养和精神风貌。校园景观诗的创作与诵读，把静态的文化景观融入到动态的文化活动之中，给学生深深的感染。学生由此自然萌生出对学校的热爱与自豪，而主人翁的责任感、礼仪教育、文明素养也潜移默化地融合在儒雅文化的影响之中。

高品位的校园文化，能为学生树立新的文化标尺，有利于培养造就大批有较高文化素质和人文精神的人才；高品位的校园文化，能陶冶师生性情，和谐相处，共享幸福。

四、启悟人生的精神文化

在北大附小活跃而充满人文气息的校园里，学生们不断受到艺术的熏陶、情操的陶冶、哲理的启迪和榜样的激励，从而使他们受到潜移默化的教育，促使个体人格不断健康发展，这使得德育工作润物无声地渗透于学校教育的每一个角落。在“提倡校园精神，树立良好校风，师生携手奋进，共创人文附小”的氛围之下，我们进一步加深师生对校园文化内涵的理解和认识，创设良好的育人氛围，组织开展了一系列加强校风建设的文化活动。

校训——专心地学习，痛快地游玩

走在北大附小校园，随处能看到名人遗迹，时时能感受到思想的启迪和激励。1991 年 12 月 11 日，著名教育家、作家冰心老人来到北大附小，为孩子们亲笔题词：“专心地学习，痛快地游玩！”

冰心老人的题词意味深长，不仅代表着老一辈文化名人对北大少年的殷切希望，更是以简洁的语言一语道出了青少年学习、成长的真理和铁律。“专心地学习，痛快地游玩”是对人生存状态的本真描绘，是还原人生底色的两种精神状态的生动写照。不仅如此，它们还包含着对儿童天性的理解和认识，对解放儿童的教育意义的理解和认识。它们是辩证的，是互补的，是相得益彰、缺一不可的。十字箴言堪称指引学生成长、教师育人最准确、最深刻的信条。

简洁的语言生动描画了北大附小的孩子们在附小这块育人沃土上健康快乐成长的情景：冰心老人的题词表达出老一辈希望孩子们从小立大志健康成长的愿望，她希望孩子们学本领，不虚度时光，不仅要专心地学习，还要痛快地游玩，玩出强健的身体、玩出高雅的情趣、玩出快乐的童年，使孩子们学会学习、学会生活、享受美好人生！

冰心老人的题词使附小师生深受鼓舞：生动活泼的学习风气使学生们终身受益，丰富多彩的娱乐活动让孩子们兴致勃勃，教室里琅琅的读书声与校园里银铃般的笑声共同回荡……2004 年学校将其定为北大附小校训。如今，它镌刻在厚厚的书形石雕上，形成校园一景——励志箴言，激励着一届又一届的北大少年奋发向上，快乐成长！

图 12　冰心奶奶的题词

校歌——快乐成长、志存高远

学校进入发展阶段之后，老校歌的内容和旋律已不能代表北大附小的新形象，不能完整地体现出不断发展的北大附小的风格和内涵。因此，学校决定重新创作新校歌，并成立了新校歌歌词创编小组，制定了创作原则：注重以人为本，突出北大附小独特的文化气质，树立北大少年的健康形象，同时发扬民主，倡议全校师生共同参与创作。北京大学中文系知名教授张颐武先生也热心参与，和北大附小师生共同创作。经过一个暑假的筛选、整理与汇编，又经过创编组的反复讨论、推敲与修改，凝聚着附小师生心血的新校歌歌词终于诞生！歌词简洁明快，通俗易懂，又意味深长，既体现浓厚的文化氛围和独有的校园景观，也塑造了求知、好学、胸怀理想、快乐成长的北大少年形象，既生动展现了北大附小教师投身教育事业的博大胸怀和奉献精神。同时，北大附小所推崇的“快乐教育”理念也不露痕迹地渗透于歌词之中。

新校歌歌词确定后，我们邀请著名作曲家戴于吾先生为新校歌谱写旋律。源于对北大和附小的感情，同时也因为被附小师生的才华所感动，戴先生为新校歌歌词倾心谱曲。最终，清新、流畅、充满深情的旋律流淌而出，配合朗朗上口的歌词，堪称“珠联璧合”，几经试唱，师生爱不停口！2006 年 9 月开学不久，新校歌《乳燕初飞》就在校园里传唱开来。

新校歌不仅得到了广大师生的喜爱和认可，也受到了许多专家和学者的肯定。随着新校歌的推广，学校策划拍摄了北大附小校歌 MTV。从设计、筹划到拍摄、剪辑、后期制作，经过一年多的时间，校歌 MTV 终于制作完成。如今，校歌《乳燕初飞》已经成为北大附小孩子们最喜爱的歌曲之一。

图 13　北大附小校歌《乳燕初飞》

校徽——方寸之间，意蕴深远

2003 年，在“提倡校园精神，树立良好校风，师生携手奋进，共创人文附小”的教育活动中，学校组织教师开展了系列校园文化设计活动，其中校徽的设计图稿经过了多次调整和修改，成为北大附小的标志。

北大附小校徽整体为圆形，蓝白两色，图案清晰，层次鲜明，由外、中、内三个圆环形成了层次变化。最外环的一圈文字是北京大学附属小学的全称，上面是中文，下面是英文；中环部分为视线集中区域，也是校徽的主体部分；底色为藏蓝色，白色镂空部分是两只对称的乳燕，两首相对，尾翼上扬，形成盾形图案。因为北大也称“燕园”，而成长在北大文化氛围之中的北大附小的孩子们就像是从燕园中成长、起飞的乳燕。两只乳燕造型丰满、可爱，颇具动感，象征着快乐成长的北大少年。乳燕下方的数字“1906”，表明了北大附小的历史——北大附小的前身为京师大学堂附属小学堂，始建于 1906 年。盾形图案的中间为内环，内环图案是北京大学的校徽，由鲁迅先生设计，以此表明北大附小与北京大学一脉相承的关系。附小秉承了北京大学的传统精神和良好学风，也充满着深厚的文化底蕴。

一方小小的校徽，色彩分明，寓意深刻。它浓缩了北大传统精神和附小的育人理念，两只乳燕的象征意义更让附小的学生引以为豪。

五、提振民族精神的古诗文诵读

北大附小历来注重读书活动，特别是古典诗文的诵读活动。中华古典诗文在历史文化长河中占着举足轻重的地位，它是中华民族文化的精髓，是世界文化艺术宝库中的一颗璀璨明珠。早在 20 世纪 90 年代初，学校部分年级就开展了专门针对经典古诗文的诵读活动。1998 年，中国青少年发展基金会成功推出“中华古诗文经典诵读工程”，这对于提高青少年的人文素质、传承中华文明具有重要的现实意义和深远的历史意义。于是，北大附小率先响应，积极参加，在原有的古诗文诵读活动的基础上，不断扩大规模，迅速发展。师生的诵读热情日益高涨，校园诵读氛围浓厚，很快形成了学校一大特色。

忽如一夜春风来，千树万树梨花开

最初，诵读活动是由学校四五年级自发组织的，后来逐步扩展，全校组织，人人参与。特别是从 1998 年，中国青少年发展基金会提出“诵千古美文，做少年君子”的号召后，学校为确保“中华古诗文经典诵读工程”扎实、有效地开展，成立了古诗文诵读活动领导小组，制订了《北大附小实施中华古诗文经典诵读工程计划》，确立了诵读目标，规定了诵读内容，落实了诵读活动的指导老师，并制定固定背诵时间、定时检查、定时表彰等一系列措施，为古诗文诵读活动在北大附小的开展提供了保障。

1. 组建富有活力的领导机构和辅导员队伍

学校德育处、教导处、大队部共同组成古诗文诵读活动领导小组，由校长任组长，德育处主要负责活动的总策划，具体负责诵读内容的安排，同时与教导处、大队部协同合作，负责诵读活动的督促、落实、检查和评比。由语文老师组成专门的指导教师队伍，具体负责古诗文诵读活动的指导。由音乐、美术老师做艺术辅导员，与器乐、书画、舞蹈、合唱、京剧、小品等喜闻乐见的艺术形式有机结合，激发学生参与古诗文诵读的积极性。

经学校古诗文诵读活动领导小组研究决定，学校总称“北大附小古诗文诵读团”，下设六个年级为六个分团，由年级组长负责，每个年级的各个班称为古诗文诵读社，由班主任和语文教师负责诵读指导。人人开口背，班班诵诗文，轰轰烈烈的中华古诗文诵读活动在北大附小全面展开。

2. 制订科学的诵读计划

在《北大附小实施中华古诗文经典诵读工程计划》中，我们明确规定以《语文课程标准》推荐的《小学生诵读80首》为基础（贴近教学），以《中华古诗文读本》12集为教材，以精选的部分唐诗宋词中的经典名篇为拓展，分年级、循序渐进地引导学生领略中华古诗文的博大精深。计划中明确了背诵目标：每学期每名学生熟读（诵）30—50篇古诗文，从低年级到高年级逐渐增加古文数量，小学毕业时能达到熟读（诵）200篇左右古诗文，学生参与古诗文诵读比例达到全校在校生的100%。2008年起，学校为了方便孩子们诵读，特别分年级为孩子们精心制作了"口袋书"——北大附小古诗文校本教材。

为保证学生有足够的诵读时间，我们在不增加学生负担的前提下，把学生在校在家的诵读时间作了科学安排。在校的时间分配为：利用每天20分钟的早读时间进行新篇晨读；利用每节课前的2分钟预备时间进行课前小吟；利用中午管理班时间进行午间趣读；利用每周的阅读课进行美文赏读；利用班队会时间进行评比赛读……

同时，我们通过家长通知书，把古诗文诵读活动的内容、意义、要求及时传达给家长，做好调研和宣传工作，以取得家长的支持和配合，唤起他们对传统文化的热情，并邀请家长担任经典诵读的义务辅导员，由家长参与监督和检查学生在家的诵读情况。

3. 制定比较完善的督促、检查、奖励和考评制度

古诗文诵读活动的意义在于未来，所以它很难成为学生的自觉选择。针对这种情况，我们采用了"分级负责制"，以班为单位的诵读社，由班主任负责诵读活动的组织、督促、检查和落实，对于背诵量达到50首以上的同学，可申报第一级别"诵读小标兵"的称号，对于背诵量达到100首以上的同学，可申报第二级别"诵读小诗仙"的称号；各班诵读社成立学生评审委员会，负责定期评审、记录符合条件的"诵读小标兵"和"诵读小诗仙"，学期末由学校古诗文诵读活动领导小组

审核各年级上报的“诵读小标兵”和“诵读小诗仙”的学生材料，通过审核后，将和“三好学生”一起在全校结业仪式上给予表彰，并颁发证书。根据各班“诵读小标兵”和“诵读小诗仙”的数量，评选出“古诗文诵读优秀班级”。

为调动学生的背诵积极性，老师们还根据各班情况采用了各具特色的鼓励措施。几年来，我们的学生无论在诵读数量上还是诵读质量上都有极大提高，少则几十篇，多则五六百篇，诵读水平也从原来的含糊不清到现在的韵味十足。古诗文诵读已经成为学生们生活中的一大趣事。

不识庐山真面目，只缘身在此山中

“中华古诗文诵读工程”作为加强学生德育的生动载体，不是一个孤立的活动，它与学校的教育教学活动相辅相成，充满了生机与活力。学校把“中华古诗文诵读工程”与学校教育教学活动、校园文化建设活动紧密结合，起到了相得益彰的作用。

1. 把古诗文诵读融入到民族艺术教育活动之中

“以美育德”一直是北大附小的育人特色：用艺术教育点燃学生创造的火花，开发学生的智力、陶冶学生情操，净化学生心灵，提升学生素养。学校民族艺术教育活动的开展颇有成效，因此，我们充分发挥艺术教育特色校的优势，把古诗文诵读融入到多姿多彩的民族艺术教育活动之中，拓展了古诗文诵读活动的空间，使它更加具有生机与活力，更加鼓舞人心。

“诵千古美文，做少年君子”的响亮口号，带动了古诗文诵读活动的开展，逐步形成校园文化活动的一个高潮。1999 年 6 月，“中华美文在校园中回荡”的大型诵读表演，北大附小师生全员参与，气势磅礴，学校领导亲自指挥，激情满怀，各年级诵读分团的表演各具特色。著名话剧表演艺术家曹灿老师、中央人民广播电台著名播音员方明老师、海政话剧团老团长陶浩老师以及朗诵艺术家郑建康老师亲临现场，和北大附小师生共同表演。经典诗文，声声回荡，场面宏大，振奋精神！

此后，北大附小又陆续开展了一系列颇具影响力的丰富多彩的大型活动，民族艺术专场演出年年推出。值得一提的是 2003 年的大型文艺专场表演《唱京剧国粹生辉，诵诗文古韵新声》，是北大附小创造性地把京剧艺术与古诗文诵读结合在一起的一次大胆尝试。北大附小早在 1994 年就成立了“娃娃京剧团”，校园京剧是深受北大附小学生喜爱、参与度很高的一项特色艺术活动。能否把校园京剧和古诗文诵读有机地结合在一起，拓展它们的发展空间，充分发挥它们的育人功能？一个是堪称国粹的古老的表演艺术形式，一个是沉淀千百年的经典文化精髓，在北大附小师生的精心策划下，它们珠联璧合、交相辉映，焕发出新的光彩、震撼着学生的心灵！铁蹄声声，策马扬鞭，在京剧歌舞的衬托下，《少年行》中驰骋沙场的少年英雄形象仿佛徐徐再现；新编儿童京剧《岳家小将》的精彩唱段，把岳飞的《满江红》中的精忠报国的爱国情怀演绎得淋漓尽致……台上台下，你呼我应，个个投入，人人参与，经典诗文，八方传诵！这次专场演出获得圆满成功，受到有关领导与专家们的充分肯定。此后，每次专场演出中，古诗文诵读都是以全员参与、台上台下共同表演的形式来表现，这也成为北大附小独特的表演风格。

“两岸四地小学语文交流活动”是全国小学语文界（包括中国香港、中国台湾、中国澳门）在内地的大型学术交流盛会。在 2007 年底的“两岸四地小学语文交流活动”中，北大附小获得了四年一度的承办机会，我们精心策划、筹备、组织了为期两天的交流活动。在开幕式和闭幕式上展示了北大附小最具特色的文化艺术活动。而古诗文诵读作为附小传统特色活动作为最精彩的压轴节目被安排在开幕式上。舞台上下，各年级师生高声吟诵，句句经典，声声美文，此起彼伏，气势如虹！从“举头望明月，低头思故乡”的思乡柔情到“但愿人长久，千里共婵娟”的深情祝愿，从“出淤泥而不染，濯清涟而不妖”的清雅从容到“少年中国，与天不老，与国无疆”的壮志豪情，古诗文诵读引领着两岸四地的教育同仁在荡气回肠的千古绝唱中，开启了一次穿越时空的精神旅程！同为炎黄子孙，同为中华文明的文化精髓而骄傲！我们的古诗文诵读触动了他们的思乡之情，激发了他们的爱国情怀，让他们热泪盈眶、心潮澎湃、赞不绝口。这次“两岸四地小学语文交流活动”的成功举办以及经典诵读引起的强烈反响，更让我们感受到古诗文诵读活动的深远意义。

2008 年，学校进行了全校以各年级为单位的诗文诵读展示活动，同学们诵读的积极性非常高，成果非常显著。一年级活动的主题为“读诗文，赏诗句；读诗文，明道理”；二年级的“经典释文诵读”；三年级的“唱响春天”；四年级的“徜徉在诗歌的河流中”诗歌朗诵展示活动，从《诗经》《楚辞》谈起，穿过“汉乐府”“南北朝”，进入经典的“唐诗宋词”等，为大家展示了我国诗歌发展的历史长卷；五年级“诗歌的热土”；六年级的展示活动是在各班诗文诵读活动的基础上进行的……活动给每位学生提供了一个展现自我的舞台。同学们对诗歌、对朗诵有了新的认识，在欢快优美的韵律中、耳熟能详的诗词氛围中，学生们得到了美的熏陶，对孩子们的眼界、胸怀、气质、品格、修养的提高都有实实在在的帮助。

2009 年《博雅乳燕飞，京韵扬国粹》金帆专场演出中，既有以“梅”为主题的诗文吟诵，又有师生同台的舞蹈、京剧，令人耳目一新；既有学校传统的古诗文诵读《少年中国说》，又有全场的京歌演唱《我是中国人》，气势非凡。

2. 把古诗文诵读融入到班级特色活动之中

在学校的诵读活动中，各班的班主任发挥了很大作用。每位教师发挥自身特长，把实施古诗文诵读同丰富有趣的各类中队活动紧密结合在一起，配合学校把诵读活动开展得生动活泼，真是“八仙过海，各显其能”。

你班来个赛诗会，我班来个擂台赛；这班来个古诗接龙，那班来个古诗新说；同学们你方唱罢我上台，大家你一首我一首。“古诗文知识竞赛”“最佳朗诵小诗人”“每周一星”“班级诵读之星”“古诗文朗诵会”“挑战诗仙”……既有切实可行的活动计划，又有目的明确的活动内容，还有灵活多变的活动方式。校园里书声琅琅，一首首经典诗词就像一曲曲动人的歌谣，在校园里久久回荡。

老师们组织诵读活动不仅是为了让学生记住名篇佳作，更注意挖掘古诗文中的育人因素，诵品结合，塑造人格。每学期，许多班级都会召开“知诗文”、“唱诗文”、“诵诗文”、“谈诗文”等多种形式的古诗文主题班队会。同学们在老师的组织下积极参加，沉浸在诗词美文的海洋里，感受“先天下之忧而忧，后天下之乐而乐”的胸怀、“富贵不能淫，贫贱不能移，威武不能屈”的操守、“己所不欲，勿施于人”“己欲立而立人，己欲达而达人”的道德原则。在持续不断的、不同形式的班队会活动中，学生们的思想认识、道德操守受到潜移默化的熏陶和影响。

此外，大队部还利用北大少年广播电台开辟“古诗文诵读专题广播”栏目。语文教师和各班学生代表轮流主持，品味诗文，畅谈体会，师生互通，交流情感。古诗文诵读专题广播每周还向同学们推荐一句经典名言，如“海内存知己，天涯若比邻”、“学不可以已”、“天生我材必有用”、“锲而不舍，金石可镂”、“敏而好学，不耻下问”……

在各年级的古诗文诵读活动中，老师们还充分利用家长资源，多次聘请中央广播电台的专家、播音员和艺术院校的朗诵艺术家到校辅导，这不仅对学生们理解古诗文大有帮助，也给同学们的诵读增添了无穷的乐趣。艺术家们深入浅出的讲解和栩栩如生的示范诵读，深深印在孩子们的心田，学生诵读水平大大提高。古诗文诵读活动在不同年级、不同班级开展得有声有色，营造出浓厚的诵读氛围。学生们在充满人文味道的环境中，陶冶性情、开阔胸襟、升华人格。各种形式的激励措施也不断激发着学生的内在兴趣，使古诗文诵读热情持续高涨、经久不衰。

等闲识得东风面，万紫千红总是春

北大附小古诗文诵读活动不仅在校内红红火火地开展，还经常走出去积极参与社会各界的文化交流与实践活动。

1998 年 9 月，中国青少年发展基金会发起和组织了“中华古诗文经典诵读，两岸四地文化交流活动”。北大附小学生与台、港、澳小朋友一起弘扬祖国的优秀传统文化。在 4 天的活动中，两岸四地小朋友拜访了国学大师张岱年、阴法鲁和王瑶等知名教授。北大附小学生在为大师们背诵古诗文、表演节目的同时，还聆听了他们的谆谆教诲。通过诵读古诗文、参观孔庙、国子监、恭王府、游览万里长城等活动，两岸四地的小朋友们不仅增加了了解，建立了友谊，而且共同感受中华文化的博大精深，激发起强烈的民族自豪感和归属感。

1999 年 1 月，北大附小部分同学在北京音乐厅参加唐宋名篇音乐朗诵会。

1999 年 4 月，北大附小吕道娜老师带领部分学生参加纪念孔子诞辰 2550 周年的诵读表演。

2000 年 4 月，学校 100 多名三年级同学参加了北大百年纪念堂“古诗文诵读”活动，获得好评。2000 年 10 月学校学生参加希望小学“古诗文诵读手拉手”活动。

2004 年 12 月，北大附小参加了中国关心下一代工作委员会主办的全国“少年中华唐诗行——中华小诗仙评比活动”。学校经初赛、复赛等阶段，评选出了 15 名学生参加华北赛区的选拔赛，之后又有 5 名同学入围全国决赛。在 2005 年的总决选淘汰赛中，学校三年级汪烁齐同学以年龄最小、年级最低的身份参加了角逐，闯过了唐诗接龙、才艺展示、快速拼诗和超级 PK、唐诗理解等层层关卡。凭借她对唐诗的熟练程度、理解程度和临场的快速应变能力，最终以 10∶6的绝对比分战胜了年龄最大的选手，从各大赛区众多优秀选手中脱颖而出，赢得了唯一的“少年中华唐诗行——中华小诗仙”的光荣称号。汪烁齐同学所表现出的综合能力和顽强的拼搏精神反映出了北大附小在古诗文诵读活动中注重培养小学生综合素质方面的实力和水平。

北大附小的古诗文诵读活动还成为一座桥梁，担当起传播和弘扬中华传统文化的重任。2005 年 7 月，我们 50 余名师生受邀参加了“纪念郑和下西洋 600 周年中国杰出青少年重走郑和路国际文化交流系列活动”。在新加坡华侨中学举行的盛大联谊活动中，北大附小精彩的古诗文诵读赢得了各界来宾的热烈掌声。在马来西亚中马商城，双方青少年举行了精彩的文艺联欢，北大附小学生诵读的古诗文，无论是满怀深情的《九月九日忆山东兄弟》，还是慷慨激昂的《少年中国说》都激起了当地华侨的强烈共鸣，有的老人听后流下了激动的热泪。诵读表演受到了马中友协秘书长陈凯希先生的高度赞誉，他说："600 年前郑和带来了 28000 名随员首航马六甲，传播了中华文化，促进了民族间的贸易和文化交往，今天迎来了'小郑和'，同样是弘扬中华文化，促进友谊和发展。特别是你们的古典诗词朗诵，给马来西亚人民留下了极其美好的回忆！"

2007 年 7 月，学校 20 余名同学参加了在中国香港举办的"四海一家"全球青少年中华文化交流活动，在文化交流过程中，同学们再次在优美的中华古典音乐的伴奏下，为与会的各地代表表演了古诗文诵读，受到了交口称赞。

2008 年 10 月我们学校的王维凯老师在日本上了一节《登鹳雀楼》，颇受好评。2009 年当新加坡学生来访，我们的贾宁老师给新加坡学生上了《送元二使安西》。

2009 年 4 月，北京市小学规范化建设工程系列展示活动之"走进海淀"现场会，在北京大学附属小学隆重举行。作为全国古诗文诵读工程先进校，北大附小全体师生首先为与会领导和来宾展示了声势浩大的古诗文诵读。诵读表演在"有朋自远方来，不亦乐乎！"的声声呼唤中拉开了序幕。从"春色满园"到"塞外边陲"，从"咏物明理"到"壮志少年"，师生们抑扬顿挫、满怀激情的诵读，伴随着振奋、激越的鼓点声，引领来宾共享中华文明的文化精髓。

此外，学校部分学生还多次参加了北京市委宣传部和北京电视台举办的"清明诗会"的诵读表演；参加了 2010 年北京市文化节圆明园端午诗会的诗文诵读表演。同学们还在多次赴美、新西兰、韩、日等国际交流中表演古诗文诵读。

问渠哪得清如许，为有源头活水来

作为教育工作者，对青少年思想道德教育的一个重要内容就是要教育学生做有理想追求的人、有生命精神的人、有高尚品格的人，也就是要把青少年培养成有民族自豪感、有生命感、有诗意情愫的人。北大附小开展的一系列诵读活动，就是把诵读古诗文作为对学生进行思想教育、道德熏陶和人格塑造的过程。比如，背诵《游子吟》就是教育学生爱父母尊长辈；背诵《明日歌》教育学生珍惜时间，发奋学习；背诵《静夜思》教育学生爱家乡；等等。老师们融亲情、友情、爱国情于古诗文诵读中，让学生感受风云气，体验悲悯情，抵制消极颓废情绪侵袭，为学生精神补钙，促进学生生命成长。

有位学生曾讲："过去我是一个怕困难的孩子，事情还没做，就开始发愁、为难，因此什么事都做不好，爸爸、妈妈、老师都为我着急。在诵读活动中，《为学一首示子侄》深深触动了我，我知道了'天下事有难易乎，为之，则难者亦易矣，不为，则易者亦难矣。'现在，我对困难不那么惧怕了，因为我知道了'自胜者强，强行者有志'。"

古诗文诵读的最大受益者是学生。那一首首工整优美、寓意深刻、振奋精神、温润生命的诗词，让学生获得极大的精神满足和思想境界的提升，对学生道德、品行、性情、气质产生了耳濡目染、潜移默化的影响，是极见功效的人格熏陶教育。我们能切身感受到诵读好的孩子表现出的是性格开朗，自信乐观，品格有相当内化、深化现象，这大概就是"腹有诗书气自华"吧。同学间、师生间、家庭成员间关系也更和谐一些。古诗文诵读的益处还表现在孩子识字量增加很快，诵读中学生在无意识状态中自动识字，随着诵读活动开展，识字量逐渐增多，写作水平迅速提高。同时，古诗文诵读对提高学生记忆力、专注力也有一定效果。

经典古诗文是中国文化的最好载体，修身、齐家、治国、平天下的道理蕴涵其中，是传统的民族精神之所在。那些经过一代又一代生命参与和历史证明了的诗词精品，似空气一样从学生的口中进入大脑，流入血液，渗透到生命深处，让学习的主体在诗品、诗意、诗格、诗韵汇成的大海里遨游，从而实现学习的快慰、成长的欢欣和人生的积极。这些融于诗中的智慧、操守、人生态度以及文学模式等，将成为建立人生信念的永恒资源。春风化雨，润物无声，这是多么扎实有效的教育啊！

从1996年开始至今，北大附小古诗文诵读活动从未间断。国学大师季羡林先生、唐代文学研究家程郁缀先生、语言学家林涛先生都先后对北大附小的古诗文诵读活动给予过高度评价。十多年的努力，北大附小古诗文诵读活动取得了优异成绩。听着孩子们朗朗的诵读，看着孩子们才华的展示，感受着学生整体素质的提高，华夏几千年来传统文化的精髓在这一代孩子们身上得以继承和发扬，这不正是“中华古诗文诵读工程”活动开展的初衷吗？今天的孩子们能够站在中华五千年历史文化的基石上面向世界，开创未来，这正是热爱中华民族、热爱民族文化的具体表现。让他们与经典同行，与圣贤为友，让他们在活动中接受中华文化经典的滋养和熏陶。古诗文诵读为学生们展开了一个琳琅满目、异彩流光的精彩世界！

六、异彩纷呈的少先队活动

少先队组织在引导和教育少年儿童的过程中，形成了独特的教育思想，其概括起来就是：把少年儿童组织起来，尊重少年儿童在组织中的主人地位，发挥他们在教育过程中的主体地位，引导他们在广泛的社会实践中遵循党的教导和时代的要求，提高其综合素质，促进其全面发展。即以组织性为前提，强调主体性、实践性和社会性。少先队独特的教育思想使其组织发挥着学校、家庭和社会所不能代替的特殊作用，使它成为学校德育工作不可缺少的组成部分。

采用“多动”形式，达到教育目的

少先队工作要以儿童为本，一切从教育和促进少年儿童全面、和谐发展出发。要使少年儿童养成良好的道德行为习惯，增强国家意识、科学意识、劳动意识、审美意识，有爱心、有行动、有成长，就要引导他们参加广泛的教育活动。为此，北大附小采用了听、说、读、写、演“多动”形式，收到了显著成效。

“听”，指的是辅导员要放下架子、躬下身子，听听队员的心声，设计活动来满足他们成长需求。北大附小大队部的位置设定，就是在学校最中间的明显位置，大队办公室的门时时都向队员打开，成为每一位孩子可以说话、可以倾听他们意见和建议的地方，被誉为“少先队员的家”。

同时，“听”还指少先队员通过听新闻听广播，会听国旗下的讲话关心国家大事，学会了解重大事件。在奥运会前期，我们利用广播时间宣传奥运：星期一是少先队专题，介绍奥运知识；星期二是体育卫生专题，介绍体育比赛项目和观赛要求；星期三是音乐美术专题，介绍奥运歌曲和与奥运相关的标志性建筑、体育雕塑等；星期四是外语专题，介绍各国礼节和常用问候语；星期五是科技专题，介绍与科技奥运绿色奥运相关的知识。除此之外，我们还请奥运冠军刘璇进校园讲述她刻苦训练的故事，请北大城环系的大学生进学校，讲述他们研究的成果。队员们从横向多渠道、纵向多层次反复地听，开阔了视野，陶冶了情操。

“说”，就是说说班级的好人好事，说说自己的心里话，结合改革开放30年说说祖国翻天覆地的大变化，说说几代人成长的不同条件，说说与“手拉手”小伙伴之间的差距，等等。拿一年级的队前教育来说，我们坚持运用“手拉手”活动的形式，让高年级队员带领一年级同学学习少先队知识，安排高年级队员给一年级小伙伴佩戴小红花，说说心里话，增进感情、加深了解。高年级队员现身说法，重温入队誓词，讲述自己在少先队集体中取得的进步，增强了责任感，树立了进取心。一年级同学从高年级队员身上找到了看得见、摸得着、做得到的榜样作用，意识到了入队的光荣，决心为红领巾增光添彩。闻名全国的“网上入队”，就是一年级小同学利用网络，说出自己在家里的表现，说出了自己想加入少先队的强烈愿望，在那个非常时期，我们采取了一种特殊的入队形式，利用网络举行入队仪式，让身在不同地区的孩子在同一时刻加入了少先队，极大地增强了少先队的凝聚力和感召力。

“读”，就是多读书，多读报。读书交朋友，求知懂道理，不但可以培养良好习惯，而且能提升人的素质。在我们的倡议下，读书活动得到了全校队员的响应，大家从一本书开始，每学期能读许多书，学校的阅览室为队员们开放，不限次数地让他们借阅图书。不仅如此，队员们还和农村的小朋友一起，开展手拉手读书活动，如“和四川小朋友共读一本书”的活动、为河南登封梅村小学送字典600套的活动，二年级为四川灾区的小朋友订队刊、队报，在提高自己的同时，也帮助农村少先队员养成了勤读书、读好书的好习惯。

“写”，队员们除了参加平常的征文活动外，我们还号召队员们写博客，这已经是我们队员每个人都会做的事。自北大附小“红领巾博客”创建以来，就吸引着许多少先队员在课余时间，把他们听到的故事、看到的变化写进自己的博客。许多队员拿起手中的相机拍摄北京的新变化新面貌，赞美改革开放取得的成就，揭露不文明的社会现象，还为海淀区少代会写出提案，参加中青网组织的“网上祭英烈，共筑中华魂”活动，用真实的笔触写出人与人之间真实的感人故事。被誉为“当代儿童文学作家”的吴子尤，是我校第一个开博的队员，创立的“子尤博客”点击率过百万，在生命的最后一刻他用生命写下了《谁的青春有我狂》和《画天》。

“演”，就是演出自己的创作作品。队员们自编自导、自拍自剪辑了许多故事小品，还在北京市获奖。《水》、《波斯猫减肥》连续两年获得北京市团委颁发的科普短剧创作奖；《戏迷》、《民间玩具》、《微笑日记》等影片连续获得日本松下公司“童眼看世界”的最佳创意奖。队员们喜欢创作，喜欢表演，他们参加的“5·12”汶川大地震周年特别节目打动了许多观众。在举世瞩目的北京2008年奥运会开幕式上，杨沛宜同学以一曲甜美、清纯的天籁之音——《歌唱祖国》打动了亿万观众的心！开幕式的排练时间恰逢七八月份，这是北京一年中最热的时段，杨沛宜参加的好几次排练都是从中午12点到晚上八九点。几次回家后，看着孩子通红的小脸和一身的热痱子，家长很是心疼，可是她没有半点怨言，还是很努力地配合导演组的安排。尽管后来杨沛宜没能站在奥运开幕式现场的舞台上演唱，但她把自己对祖国的热爱通过歌声传递给了全世界所有的人。当记者问她没有站在主会场领唱是否遗憾，她回答“在奥运会上有我的歌声，我就满足了！”杨沛宜小小年纪就懂得“我参与、我奉献、我快乐”，这是少先队的光荣，也是对奥运志愿者精神的最好诠释。此外，全校的大型精彩表演从“娃娃唱戏，国粹生辉”到“诵千古美文，做少年君子”给每个队员都创造了展示才华的机会。

巧借“飞镖”原理，实现教育目标

很多人都会玩飞镖，是的，飞镖取材方便，叠法简单，趣味无穷。飞得越高越远，玩者就越有成就感。如果要想让它飞得更高更远，就需要把它叠得更科学、更合理。

经过十多年的工作实践和潜心研究，我们发现辅导员的工作重点有时与叠飞镖极为相似。少先队活动方案的设计就如同一张 A4 纸，上面无序地写满了队员的名字和要做的大小事情，有的人看不出所以然，因为杂乱无序、无法理顺；有的人不愿深思，随意勾连在一起，做完拉倒；有的人看看想想，把它叠成“豆腐块”，有条有理，分项执行。我们的做法是认真分析、仔细思考、精心设计，把大事放在中间，主题列在前面，小事围绕左右，脉络一目了然。把队员和中队辅导员分类，根据他们的特长赋予不同的责任，把他们的积极性和创造热情充分调动起来，加上科学的激励机制，犹如把一张纸折叠成一个纸飞镖，用力一推，让它飞起来。打开一个个飞镖，我们会发现纸正中心有一个中心轴，边缘是由许多大小不一的三角形组成，靠近中心轴的两个最大对称三角形是少先队活动的重点，其他大小不同的三角形也分别有不同的侧重点，每个时期都可以根据工作重点的不同，完成不同的任务。辅导员的工作就是把每个活动设计成样式不同的纸飞镖，使少先队工作能够有声有色，深入开展。经过十多年的摸索，我们把它命名为“飞镖工作法”。

运用“飞镖工作法”，有利于我们较好地完成任务。2008 年，奥运会在北京召开，又恰逢改革开放 30 年，众多活动纷至沓来。我们大力倡导“我参与，我奉献，我快乐”的理念。首先，确立了“北大少年，唱响奥运”的主题，将所有活动围绕这个中心轴展开。我们把队员分成若干个主题组，形成飞镖上的一个个三角形，队员们如同每个小三角形的底边，最大限度、最多数量地参与各种活动，这就是这张 A4 纸的周长，所有的小组都向尖端靠拢，形成合力。如建立“奥运会纪念日演唱组”，有近千人参加了奥组委组织的倒计时 1000 天、500 天、100 天、敲响 2008 钟声、志愿者日和奥运会开幕式。又如，建立 15 个“奥运特色中队”，队员们在和家人比童年的同时，在宣传奥运的同时感受到伟大祖国 30 年来的变化和发展，思想和认识大为提升，形成了又一个三角形。还有，我们通过北大少年网站和宣传手册、手抄报的形式宣传奥运知识，大家用绘画、征文、采访、知识问答、观赛做文明小观众等多种形式，出色地完成了任务，真正做到了唱响奥运。我们把这些三角形放在飞镖上，抓住中心轴，调整好各个三角形之间的比例抛出去，飞镖有力平稳地飞起来，向着既定的目标飞去。

特色活动设计

经过多年努力，学校少先队组织不断壮大，少先队活动丰富多彩，并形成了自己的特色。

特色之一：小干部挂职锻炼，培养队员责任意识

为了有效培养少先队员的责任意识，帮助他们形成良好的心态，促使他们主动了解学校的少先队工作，学校对大队干部实行轮换制度，也叫“挂职锻炼”。这主要是采用自荐、推荐相结合的形式，先由本人提出申请、班级推荐，再由大队部根据候选人的特点进行合理的组合，并通过学生自主产生新一任的大队委员会。大队委员会会根据情况尽全力实现少先队员们的愿望，让更多的队员真正参与到学校少先队的管理工作中。

学校的中队干部每学期都要参加不少于两次的培训。培训方式多采用分类培训和分年级培训的网格式培训。所谓“分类培训”是将七大类中队委员分别培训，让他们了解自己的职责。“分年级培训”就是按照年级特点进行培训，根据学生的年龄特点，争取达到相应的管理水平。

对于少先队员的常规管理，我们采用各种方式，建立层层检查的联动机制。如全面宣传好人好事，树立典型；辅导员深入浅出讲道理；大队维权委员和中队维权委员一起制定检查评价标准；教师和同学值勤上岗佩戴标志等。

标志上写着“我参与、我奉献、我快乐”的标语，这体现了少先队员愿意主动自觉地参与管理、主动维护学校秩序的快乐心情。目前，学生主动排队放学，在公交场所排队候车已经形成良好的风尚。

特色之二：最具魅力的“队前教育”

一年级的队前教育是少先队工作的起点，也是让队员了解少先队组织的重点。为了让一年级学生理解“少先队组织”的含义，争取早日戴上红领巾，学校每年会从 2 月开始组织一年级学生观看《红孩子》《集合在星星火炬下》等优秀国产影片。组织一年级学生和高年级队员到郊外种下“友谊树”、写下“同心卡”。同时通过手拉手活动，让高年级队员带领小同学学习少先队知识。高年级队员在学习少先队知识的同时，重温入队誓词，回顾几年来在学校参加的少先队组织的活动，懂得了更加珍爱红领巾，增强了责任感和自信心，并鞭策自己为一年级同学树立好榜样，为红领巾增光添彩。一年级同学听到高年级队员的事迹，觉得榜样就在身边，好孩子就在眼前，只要努力，自己也可以成为大家学习的榜样。

多年来，学校的手拉手队前教育已经形成特色，学校网站上也有对应的栏目，使家长能及时了解孩子的情况，配合学校一起对孩子进行队前教育。

特色之三：“手拉手”活动和爱心教育活动

北大附小的“手拉手”活动丰富多彩：有和黔西南地区小朋友的“四同书信交友”活动；有邀请西藏藏热小学的同学来北大附小的“同

在蓝天下”活动；还有和西部母亲手牵手的“母亲水窖”豆豆储蓄捐助活动以及为河南登封县梅村小学捐助图书、教学用具的活动。所有这些活动都由中队干部开会商量活动形式，并在广播中对其进行广泛的宣传，以使活动有始有终，深入人心。

除此之外，大队部还注意紧密联系实际，与社会团体、兄弟组织及社区等合作，一起举办一些特色活动。例如“挺进大别山”爱心社义务支教活动、北京红十字会组织的护老院慰问活动、北京红十字会“风雪救援行动”“爱在太阳村”慰问服刑人员子女、为四川地震灾区的孩子捐款，等等。在教师的组织和带领下，学生们积极参加这些社会活动，他们为贫困地区的同龄孩子送上自己的衣物，学习用品，并和他们交朋友，做游戏；在敬老院里，他们帮助老人打扫卫生，给老人表演节目等。在这些活动当中，孩子们懂得了感恩，懂得了珍惜自己现在的生活，懂得了孝敬父母和老人，养成了自己的社会责任感。

七、温润生命的班级文化

班级，作为学校教育的基本组织形式，对学生的成长具有重要的影响，其思想品德的形成、情感兴趣的发展，都与班级教育质量有着很大关系。因此，着力创建一个健康、积极向上的班集体，让它成为孩子们生活与成长的摇篮，是每一位教育者应有的责任。

在班级建设中，班级文化是很重要的一方面，它可以给学生潜移默化的影响，使学生在无形中形成积极的道德情感，从而将道德认识升华为道德信念，落实于日常行为当中。北大附小很重视班级文化的建设，从物质文化、精神文化等不同层面促使每个班级创建自己的文化，彰显不同的特色，使学生在不同的文化氛围中、在不同的班级活动中学会与人共处、学会正确处理个人与集体的关系，提高自身的组织性、纪律性等。

人人可以当“官”，当“官”服务人人

在班级管理中，班干部是班级管理的核心，一个坚强有力的班集体领导核心相当重要。北大附小班干部的产生摒弃了过去指定人选的做法，引入了竞争机制，发扬民主精神，加强学生自治，满足学生自主自立的要求，增强学生成就感。班干部选举前进行竞聘演说，由全班同学选举，竞聘上岗的班干部都有一定的任职期限，任职期满再进行选举。同时，实行班主任助理、班级小秘书或值日小班长制，让每一位学生都能当一天或一段时间的班级“总管”，并根据学生兴趣、爱好、能力、特长、需要，把班级内的各种管理职能分解成一个个具体明确的岗位，如建立学习互助岗、生活自理岗、信息交流岗、板报宣传岗、环境保护岗、图书管理岗、热心助人岗、文体活动岗……力求使每一个学生能在班级管理中找到自己满意的位置，做到“人人有岗位”。全班同学都可参与竞选，选定各岗位上的队长，再由队长招聘一个或多个助手。这些岗位吸引了全体学生参加，每位学生有自由选择的权利，从而使全班同学人人有责任、个个担担子，既是管理者、参与者又是被管理者、合作者，做到“事事有人管、人人有事管、人人有人管、人人能管人”。

班级用人制度与管理制度的创新，淡化了小干部的“官”意识，调动了更多的学生参与班级管理的积极性，使更多的学生得到锻炼的机会，增强了学生的自信心；促进了学生平等相处、公平竞争的意识，培养了学生的民主意识和民主作风。同时，更好地培养了学生的小主人意识与能力，增强了班级的向心力、凝聚力。

班班重实效，彰显班级特色

一个优秀的班集体应该是能够帮助学生实现自主发展、内在发展和可持续发展的，能实现学生自身的主体地位。北大附小重视班级建设，注重实效，创建了各种特色班级。较为有特色的班级中队主要分为两大类：一是目标认定型中队；二是结果认定型中队。目标认定型中队即先给中队命名，按照事先认定的目标开展活动，它包括李四光中队、奥运

特色中队。结果认定型中队亦即在开展活动中设定目标，按照活动的侧重点和结果来命名，如科技特色中队、古诗文特色中队。

1. 李四光中队

李四光中队主要是以环保节能为主题，组织进行资源再利用活动的中队。例如2005年，北大附小苏小娜中队和黄小平中队，在继张青中队之后也被国土资源部、全国少工委评选为“李四光中队”，这些中队积极参加绿色环保和资源再利用的实际行动。此后，在李革教师和李蓓教师接班之后，他们继续发扬李四光的精神，带领学生参观地质博物馆，用塑料垃圾制作时装，唤起大家对白色污染的重视。孙心怡同学还获得了国土资源部和全国少工委颁发的全国百名“环保小卫士”的光荣称号。在他们的带动下，全校同学参加了由国家环保总局发起的“绿色小天使”碧海行动，31名队员入围，以实际行动获得了“绿色小天使”的光荣称号。2006年和2007年，全校队员参加了“回收废旧光盘，还北京一片蓝天”的活动，各个中队积极踊跃，共捐献25000多张旧光盘，仅四年级（10）班一个班就捐献了1万多张废旧光盘，这次活动获得了“优秀组织奖”。另外，各中队还有自己的节能措施。如垃圾分类，回收废旧电池；收集废旧水瓶、换取班费；互换图书，丰富班级小书架；打印纸的背面做草稿纸；换取并使用环保购物袋，等等。2008年4月20日，北大附小的张青班级被国土资源部评选为首批全国优秀“李四光中队”。

2. 奥运特色中队

为加强奥林匹克教育，北大附小于2007年6月1日申报了一批西苑中心级别的奥运特色中队，这些中队是在自愿报名、年级推选的基础上推选出来的。特色中队的出现，突出了奥运特色，意味着从名称入手，抓重点，抓特色。要通过假日活动或者班会、队会的展示，让队员们更细致地了解奥运，扎扎实实地做奥运志愿者，为奥运作贡献，进而也可以培养学生的爱国情感。如心灵手巧——巧巧中队、互助友爱——贝贝中队、爱心飞翔 ——刘翔中队、棒球少年—— 棒棒中队、加油鼓劲—— 啦啦中队、欢欢迎迎—— 礼仪中队、探究数字—— 鸟巢中队、绿色天使—— 环保中队、唱想奥运—— 福娃中队、从小励志——拼搏中队、勤奋学习—— 李宁中队、科技奥运—— 创新中队、传递圣火—— 健康中队、五环同心 ——乒乓中队、One class one dream（一个班级一个梦想）中队等都积极开展有特色的教育活动。

3. 科技特色中队

科技特色中队注重科技创新，对学生思维能力和动手能力培养起了至关重要的作用。横向来说主要是特色中队，纵向来说分为社团活动和兴趣小组。北大附小最突出的科技创新活动之一便是机器人活动。电脑机器人活动是一项充满趣味、挑战、创新的动手实践活动，孩子们在这项活动中不但学会亲自动手搭建自己的机器人，而且还可以熟练地利用图形化语言编写机器人运动所需的程序。学生在活动中利用大量的活动配件，动手搭建成自己的机器人，然后在计算机上进行编程，让程序驱动机器人的各种动作。在不断地搭建、调试、探索过程中，锻炼了学生设计、搭建及计算机编程的能力，丰富了他们的想象力和创造力，使得他们能够有机会参与科技交流活动、开拓视野，激发学生对科技和机器人世界的不懈探索。同时，在此项活动中，还培养了活动成员之间分工明确、密切配合的团结合作精神。

开展特色评比，促进快乐发展

学校每学期会进行“特色班级”评比，经过班级总结自荐、申报，年级推荐，学校评定，每学期都会评选出 10 个左右的特色班级。

案例 1　“温馨一家人”特色班级

班级：一年级（14）班

班主任：曲红

班级活动内容：

第一阶段：“我们是一家人”。一年级刚入学，首先将教室布置得温馨、干净、舒适，让学生感到学校就像自己的家，有一种亲切感。接着，通过班会，讲故事，帮助他们简单算一算“一天在学校要待多长时间？一周呢？一个月一年呢?”使他们感到同学之间就像兄弟姐妹，应该相互尊重，相互帮助。然后，帮助学生将这一观念落实到行动上，鼓励他们相互交朋友，更支持不同性格的孩子在一起玩儿，以达到各方面互补。

第二阶段：“我爱我家”。教师通过班会引导学生谈“怎样才是爱家的表现。”其重点为：

第一，家要干净。爱家的孩子要讲究卫生，看到教室、楼道里的废弃物要随手拾起，不往地上扔垃圾，每天安排一组值日生。

第二，家要分享。每人从家里带来课外书，放到书架上与大家一同分享。

第三，家要温暖。遇到生病的孩子返校上课，要主动问候。

第四，为家争光。积极参加学校、年级组织的各项活动，尽自己最大的努力。在交光盘换环保袋的活动中，共上交了400余张，换取21个环保袋；在跳绳比赛中，获团体总分第三名；科技竞赛上，李梓贺获科学幻想画一等奖。并鼓励学器乐的孩子报名参加比赛。

第五，为家尽责。同学们轮换做值周班长，建立评比表和荣誉树。以小组为单位每天从纪律、卫生、作业和午饭等各方面进行加分评比。

班级活动成效：

根据一年级的特点，以养成教育为主，让孩子们在团结的氛围中有上进的目标。一学期下来，孩子们都有了明显的进步。班主任认为本班：教室干净、整洁、美丽；学生爱集体、有爱心、懂礼貌、讲道理；同学之间团结友爱、待人真诚。

点评：

结合年级段需要，落实管理，共享快乐生活。

案例2　“绿色盎然”特色班级

班级：二年级（10）班

班主任：秦瑞莹

班级活动内容：

为了营造一个优美、整洁、温馨的学习环境，教师率先买来了绿色植物，摆放在教室的窗台上，以装点美化教室。主题班会上，配合集体主义教育，鼓励孩子们自愿献花，很快，接二连三地，孩子们纷纷带来自己心爱的鲜花……

后来，教室的窗台上就摆满了大大小小的盆花。孩子们在教师和家长引导下，在自己的小花盆上贴上花名、养花小知识及自己的名字，并精心地护理。课间，经常看到几个孩子三五成群地站在窗台前细细欣赏这些植物，抢着浇花，擦花叶，修剪干枯的枝叶；还在一起交流、观察花卉的生长，比谁的花生长得好。看着自己亲自种养的小花，孩子们乐此不疲……

一盆盆绚丽多彩的植物在孩子们细致的呵护下更茂盛……

又是班会时间，教师引导孩子们讨论：教室的植物给我们带来了什么？

“这些植物美化了我们的教室。”

“鲜花让我们闻着很香，心情高兴！”

“绿叶可以吸收空气中的有害气体。”

“花盆上的介绍使我们增长了有关花的知识。”

……

一段时间后，教师再开班会，交流养花的收获。孩子们自豪地说：“我们班最漂亮！”“我们班最好，不仅花漂亮，其他方面也最好！”还有的孩子在日记中写道：“我们班评上了绿色班级，我们大家都很高兴。暑假我把花带回家养，眼看快开花了，我盼着开学，好让大家都看见美丽的花。”“下一次，我还要把我种的小西红柿带到班里，让大家尝尝，我都吃了好几回了呢。”还有的写：“我家的花园里种的小彩椒成熟了！

有红色的、绿色的、黄色的、紫色的……好看极了！我还给班级带了一棵小彩椒呢！教师和同学们非常喜欢！”

班级活动成效：

孩子们拿来的花越来越多，以至窗台上都放不下了，有的孩子出主意，可以放在楼道的窗台上，让更多的同学感受到绿色带来的美，给大家带来了无穷的快乐。孩子们更爱这个集体了，责任心加强了。生活在花园般的校园、生活在绿意浓浓的教室里的孩子们是幸福的！

点评：榜样的作用不可忽视，认真做一件事，持之以恒会有出乎意料的收效。

案例3　“博雅文化布置”特色班级

班级：三年级（11）班

班主任：董茂静

班级活动内容：

教师从苏霍姆林斯基的理论“让每一面墙壁都会说话”中受到启发，根据北大附小的特点，确定了班级目标——“培养学生博雅人格”。在一个学期内，教师通过班会，先后完成了“文明礼仪从我做起”、“我的文明小提议”、“了解中华传统文化”、“理解、‘博雅’、内涵”等内容的教育，并充分利用班内墙壁的条件，把班会讨论后大家认同的内容、结果等贴在墙上。同时，还开辟了“我们的百草园”、“文明礼仪从小事做起”、“科海探奥”、“笑奥北京”等专栏，及时展示班会活动过程中学生优秀的作文、绘画、书法作品、手抄报以及小书虫读书报告单等，加上学生提供的色彩鲜艳、好看有趣的图片，再配上学生自己整理的通俗易懂的文字说明，或者学生收集的一些科学知识和常用的礼仪知识，构成了特殊的班级文化氛围。特别是在家长的大力支持下，在班级的后面有几个特制的大书架，每当早晨读书时间或写完课堂作业后，学生都会自觉到书架处取书来读，让“博雅文化”浸润学生的心灵，熏陶学生的性情，提升学生的价值观念。

班级活动成效：

丰富的课余活动，营造轻松快乐的气氛，让学生在快乐的日常活动中交往、成长。

点评：确定主题，明确目标，积极创造条件。

案例4　“强身健体”特色班级

班级：四年级（10）班

班主任：丁晓阳

班级活动内容：

教师结合奥运教育，将重点放在了提高身体素质、加强体育锻炼上。

首先，通过班会讨论简单可行的体育锻炼方式，并引导学生交流这些活动的好处。为此，学生查了很多资料，拿到班会上进行交流，如“踢毽子可以锻炼孩子身体的协调性，还可以培养学生的注意力，锻炼人的机敏，增强反应能力，刺激大脑皮层，增强智力，甚至对学习也能起到辅助作用”；“从运动量来说，持续跳绳10分钟，与慢跑30分钟或跳健身舞20分钟相差无几，可谓耗时少、耗能大的有氧运动。”“跳绳能加快胃肠蠕动和血液循环，有利于儿童健康成长；能确立数字概念，有助于他们把抽象的数字与实际事物联系起来；能培养儿童的平衡感和节奏感；能够自觉地形成组织纪律性；能培养其团结协作精神和集体主义观念。”……班会的交流，使孩子们对跳绳这项活动有了全新的认识。一段时间的练习后，孩子们跳绳、踢毽水平提高得很快，后来在学校的跳绳比赛中，班级成绩非常突出。进入冬天后，总有一些体质弱的孩子生病，并因此而耽误学习。于是，今年刚一入冬，教师就组织班里的学生利用每天早晨的时间进行长跑运动（早晨7:40以前），并告诉孩子们期末要评选15名“长跑明星”，出乎意料的是，本以为一直坚持跑步的孩子会越来越少，可是近两个月下来，有近一半的孩子能做到每天都坚持长跑，有个别学生由于坐班车来得晚，有时赶不上长跑，也要想办法补上。通过近两个月的锻炼，班里大部分孩子的体质加强了，生病人数减少了。

班级活动成效：不仅锻炼了身体，更重要的是培养了孩子们克服困难的精神，磨炼了刻苦耐劳的顽强意志。良好的体育活动无论对于我们的身体还是对于树立学生的拼搏精神都非常有益，而且对学生团队意识的培养也起到了重要作用。

点评：充分相信我们的孩子，创造机会，他们能够做得很好！

……

"特色班级"评比活动的开展，可以促使学生积极投入到班级文化建设中，提高学生的积极性和主动性，培养其对集体的热爱。从班级活动内容也可以看出，这些内容大都是针对学生实际设计的，使活动能够有针对性地解决学生生活中的困惑，并且有利于引发学生的反思，关注现实中的自己，不断提高、完善自己。

除了这些特色组织活动外，仅以六年级（7）班为例，在不到一年中就开展了以下主题活动："讨论制定班级公约"、"想说就说"、"快乐分享"、"做优秀毕业生"、"誓言声声"、"岗位中有我，责任中有我"、"爸爸、妈妈，我想对您说"、"《读者》伴我成长"、"图书博览会"、"环保与我"等，还有教师节时的"师恩难忘"、军训时的"我是一个兵"、秋游时的"收获"，等等。每个学期，学校都会指导班主任和中队员教师做班会或队会展示，班队会把发生在身边的小事编写成小品、歌唱、快板、辩论、相声等形式，展示给大家，在反复的排练过程中加深了学生对文明的理解，并促使学生把学到的知识用于生活实践中。同时，在优秀中队辅导员和班主任学科带头人的影响下，各班教师都把这样的教育内容融合在生动、活泼、富有感染力的活动形式之中，设计出许多新颖别致的班队会，如"'没头脑'漫游礼貌城""美丽校园，育人沃土""慧眼识网""童心唱奥运""诚信在我身边""做文明的小观众""人心齐，泰山移"等。学生们带着愉悦的心情，在欢快的歌声与笑声中，认识着礼仪规范，培养着自己良好的行为习惯。这些班级活动都收到了很好的德育效果。

附班队活动两则：

保护鸡蛋——培养学生的责任心

教师　郭　琼

秋游民族园时，我发现学生们丢东西的现象较为严重。看看我手中的拾物：相机，滋水枪，戒指，校服，玩具……可能是孩子们的生活条件太好了，使得他们对自己的东西不够珍惜。孩子们还经常乱丢垃圾，当让他们捡起来时，有的孩子竟说："不是我的。"然后就掉头跑掉了。其实，我们平时也经常说这个问题，对爱护环境卫生和提高素质的教育可以说是常说不懈，但孩子们对这一认识还是停留在口头层面，没有真正落实到行动上。为了培养他们的责任心，我决定开展一次特殊的活动——"保护鸡蛋"。

首先，我们布置了一项作业：保护鸡蛋一周。然后我们进行了宣誓：

在这一个星期里，我会用我的责任心，用我的爱心，用我的细心，给予我心爱的宝宝——鸡蛋，最最周全的保护。我会给它一个温暖的家，我会让它常常伴在我的身旁。我会记住：虽然世界上的鸡蛋有很多很多，但它是唯一的一个！我会学习：做一个大人，做一个有责任心的人，做一个有爱心的人！我的目标——一个星期以后，它还是完整无缺的。

于是孩子们怀着新鲜和兴奋投入到这一特殊的活动中。

在这次活动的开始阶段，有的孩子就给鸡蛋准备了家，还起了各种名字。如黄紫涵同学这样记录下自己的行动：放学回家后，我准备给鸡蛋宝宝起一个名字。叫什么好呢？美美，不！太俗了。乐乐，好像又不大好听。哎！就叫它美美吧！我很高兴，就用一个月饼盒来当它的房子，再用几张餐巾纸铺在了房子里。哇！真像一张白色的小毯子。最后，我又用了几张纸盖在了美美身上。大功告成了。再看看盛汀苑的：为了不让鸡蛋破，我准备了一个小布袋，将里面填满了棉花，这才把鸡蛋放了进去。我带着它坐上了班车。我发现，同学们都用着不同的方式在保护鸡蛋：有的放在铁盒里，有的放在药盒里，更有甚者，将鸡蛋放进了自己的手套里……下课之后，我突发奇想，给鸡蛋做了两只眼睛，一个嘴巴，看着好可爱！还有向洋同学：回到家，我迅速拉开冰箱，望着众多鸡蛋，我真不知道挑哪个好。最终，我选了一个最小最可爱的柴鸡蛋，它拥有其他鸡蛋都没有的美丽银装！我将装玩具小猫的粉色的小盒子拿出来，又从纸盒里抽出两张餐巾纸将鸡蛋轻轻地裹起来，放在小盒子里。我可爱的小鸡蛋躺在柔软的纸巾里，就像一只小鸡躺在妈妈给自己的窝里一样。我将装有鸡蛋的小盒子慢慢地举起来，捧在手心上，然后将盒盖轻轻地盖上。最后我小心翼翼地将我的小宝贝——鸡蛋，装进了我书包中最安全的地方……

孩子们还记录下了保护鸡蛋过程中的一些有趣的、重大的事情呢。让我们翻开他们的记录瞧瞧吧：

鲍方泰：第二天是中秋节，我让鸡蛋闻了月饼的香味，看了又大又圆的月亮，还让它住进了一间大房子里，这间房子是红色的，而且香气扑鼻，你们知道它是什么吗？对，就是月饼盒。我还在里面放了些纸巾和鸡蛋做伴。

于汉尧：兜里装着一个易碎的鸡蛋可不是好玩的。上课下课我都用手护着它，不让它受到桌椅的磕碰，同时尽量避开同学们的碰撞，连走路都要踮着脚尖。出入校门时，我都要用身体挡住拥挤的人群。

李天惟：在练习棒球时，我小心翼翼地把盒子放在一棵大树旁。练习时，我打飞的球一下子奔向鸡蛋盒，我大吃一惊，连忙飞快地冲了过去，一下子扑倒在地，用手及时地挡住了球。

黄紫涵：今天放学回家，我手中捧着我心爱的美美想：整天让它待在家里，它一定很郁闷吧？于是，我把它从房子里拿出来放在了我的英语书上，准备默写单词。这个单词的中文意思是什么呀？我怎么想不起来了？算了，还是看看英语书吧！我顺手把英语书拿了过来，突然，美美从桌子上掉了下去。我大喊一声："啊！这下可糟了！"奇怪？鸡蛋掉下怎么没有声音呀？我立即用眼睛环视四周，哈！原来它侥幸地掉在了塑料拖鞋上了呀！我心想，这次真是不幸中的大幸呀！

……

孩子们在这次活动中也有了很多的收获。看看他们最真实的心声吧：

鲍方泰：通过这件事我知道了，对什么东西都不能粗心大意，而且一定要关心它，一心一意地对待它！

李天惟：因此，我明白了一个道理：如果你想有所作为，就必须认认真真。

任牧晨：通过这次保护鸡蛋的活动我才明白：父母养育我们有多不容易啊！他们一定是千小心、万小心才把我们养大，而且让我们长得那么强壮。我们保护的“鸡蛋宝宝”一周可能就破了，何况父母养我们这么多年呢？

尚泽森：这次活动培养了我的责任心，让我知道了妈妈照顾我的辛苦。

李牧云：这次的保护鸡蛋活动，让我真正体会到了父母养育我的辛苦。我以后一定要好好孝敬父母。

裴菲：这周可真有趣呀！不仅让我们当了一回“马小跳”，还让我们增加了爱心和责任感。

朱家辉：我觉得这项活动非常有意义，它让我知道了，做什么事都要有责任心。

……

一周结束后，我们班上虽然只有不到一半的孩子圆满地完成了任务，但所有的孩子都有了收获：他们显得成熟了，做事情时多了一份责任感。不信？那就看看他们自己是怎样说的吧：

我是鸡Mother?!

学生　　母慧荞

鸡蛋，是一种很可口、富含蛋白质的食品，它深受人们的喜爱。不过，我这天从冰箱里把它拿出来的目的可不是要做饭，我是要保护“鸡蛋宝宝”一个星期，这可是老师布置的任务呢！

“保护鸡蛋，保护鸡蛋，保蛋，保蛋。”我在嘴里念叨着。用什么可以保护鸡蛋使它不受任何伤害呢？我迷离的目光在房间里漫无目的地搜寻着。突然，我脑子里灵光一闪：如果用一个外面硬、里面软的东东装蛋蛋的话，蛋蛋不就安全了吗？说干就干，我找来了一个方形的硬盒子，先在里面垫上了一层餐巾纸，然后把全副武装的鸡蛋（全身包着一层又一层的纸）小心翼翼地放了进去。——嘘！完成了。做完之后，我细细地端详着它，总觉得还缺了点儿什么。哦！我明白了！我一蹦三尺高，头差点跟天花板来了个亲密接触。它的外观不行！我又找到了一个装橡皮泥的半透明盒子。这个盒子的外观就像一只头上还顶着蛋壳，刚刚破壳而出的小鸡！我又忙活了半天，给鸡蛋宝宝把家搬了。看着“小鸡”，我心里很高兴为“宝宝”找了一个家。

第二天上学，我把“小鸡”轻手轻脚地从书包里拿出来，对它轻声说了一句：“早安，宝贝儿”，又把它平平地塞进了桌洞里。又一节课下了，我把蛋宝宝小心翼翼地掏了出来，一遍遍地抚摸着它，用自己手中的热气去温暖它，我甚至异想天开地想孵出一只小鸡来！

下课铃打响了一遍又一遍，我也检查了鸡蛋一遍又一遍。其中还发生了不少险情呢！例如有一次，当我拿着鸡蛋仔细端详时，一个同学突然走过来和我拿着鸡蛋的手来了个亲密接触！啊！我惊叫了一声，万幸万幸，鸡蛋仅仅在我的手掌心里转了几个圈。还有呢！有一天早上，把手伸进书包里的我，竟发现“小鸡”的肚子空空如也，吓得我在书包里一通乱摸，终于在一团纸中找到了瑟瑟发抖的蛋蛋。

五天一眨眼就过去了，还好，我的蛋蛋完好无损。经历了N次脑细胞紧急集合的我发现，我像一个小妈妈，整天紧张地照看着自己的孩子，生怕出什么意外。我想：我才照看几天，就累成这个样子，那我们的好妈妈们在漫长的岁月里又是多么的艰辛！那一刻，我明白了老师的良苦用心，也体会到了妈妈对我深沉的爱！

我用数学看奥运

教师　　韩　鹏

问题提出

数学是科学，更是一种文化。课标指出“人人学习有价值的数学”，而数学的价值正是存在于人们对问题的解决过程之中。如何让队员感受到数学的力量和作用，只有通过必要的实践活动才能得以体现和发展。

2008 年是奥运之年，如何响应科技奥运的理念，贯彻全民奥运的精神，这个敏感的话题成为了队员们心中的焦点。而奥运的范畴也远远超越了竞技和体育，它像数学一样，每分每秒都在改变着我们的生活。

正是由于数学和奥运在许多方面都有着千丝万缕的联系，因此如何引导队员发现并揭示这一现象，对于提高其数学素养，激发学习兴趣，培养学习习惯等各方面，都有着极为重要的推动作用。通过活动使每个队员重新从一个全新的角度观察了数学与奥运的联系，进一步体会到生活中处处有数学，处处用数学。

适用对象

本活动适合于 9—12 岁、三年级至六年级的儿童。

活动建议

需要约一个月的时间。

活动目标

1. 通过创设数学与奥运的情境，充分调动每个队员学习积极性，在愉悦热烈的氛围中感受奥运，感受数学，人人受益、全面发展。

2. 组织队员自主参与，在参与数学与奥运的互动中，充分发展队员的个性特长，在探究奥运中的数学问题时受到启迪，得到开发。

3. 通过奥运活动，有目的地指导队员运用数学知识解决问题，提高解决实际问题的能力，感受到生活中处处有数学，处处用数学。

4. 培养队员健康的道德情操和顽强拼搏的精神，在生动活泼的自主活动中，情感、意志和良好行为习惯得到进一步形成、巩固和发展。

活动资源

1. 各小队查阅数学和奥运的相关资料。
2. 组织队员学习奥运歌曲。
3. 鼓励队员制作体育剪报。
4. 引导队员积极参与数学与奥运的相关研究活动。
5. 制作《数学与奥运》手抄报。
6. 收集视频、音频资料，制作演示文稿。

活动过程

一、确定活动主题

1. 鼓励队员搜集奥运与数学相关的资料。
2. 指导队员制作手抄报和图画，并在班内展示。
3. 在收集的资料基础上，着手设计各小队研究的问题。

（1）统计小队——统计分析

（2）鸟巢小队——鸟巢实验

（3）方阵小队——方阵设计

（4）组合小队——组合问题

二、各小队分头开展研究

1. 统计小队从统计表、统计图、总数和平均数等方面进行分析，发现在奥运火炬传递的过程中存在着许多数学信息。通过分析这些信息，可以得出“北京奥运会是火炬传递时间最长、参与人数最多的一次”这个结论。

2. 鸟巢小队从模拟体育场馆设计和建造的实验中，发现了每层建筑使用的小棍数量与建筑高度之间的关系，进而证明在奥运场馆的建筑中存在数学问题。

3. 方阵小队研究了奥运赛场上的团体操队形的问题，并能结合数的知识进行讨论。进而证明在奥运的表演中，同样存在数学问题。

4. 组合小队通过对比赛的分析，发现赛制中也蕴涵着许多数学问题。比如单循环赛和淘汰赛。

5. 其他队员积极参与相声、诗歌朗诵等节目的制作。

三、中队长发言

队员们，你们知道吗，奥林匹克运动是人类历史的一项杰作，它的影响力早已经超越了体育运动的范畴。就像数学一样，它无声无息地影响着我们每个人的生活。数学和奥运难道真的存在联系吗？如果有联系，又会在哪里呢？今天，我们就从一个全新的角度，一起来解读奥运。

（一）各小队展示研究的问题

1. 统计小队汇报《统计分析》

主题：正是因为有了统计知识的帮助，传递活动才能顺利进行到今天，数学对奥运的帮助非常大！奥运离不开数学！

2. 相声表演《奥运与数学》

主题：奥运和数学谁也离不开谁。

3. 数字小队配乐诗朗诵《数说奥运》

主题：0.1 秒就能决定一个冠军，要抓紧每分每秒的学习时间。

4. 数字让我思考，队员自由发言

主题：用奥运精神鼓舞我们的学习热情，用实际行动改掉自己学习上的毛病。

5. 鸟巢小队汇报《鸟巢实验》

主题：奥运建筑中不仅有数学知识，更有数学的科学和严谨的精神！所以奥运离不开数学。

6. 方阵小队汇报《方阵设计》

主题：在奥运会的团体操表演中，许多大型方阵都是由这样的小方阵组成的，这里面也有数学知识。

7. 组合小队汇报《组合问题》

主题：在赛制中隐藏着许多数学问题，比如在分组时，为了公平常常采用抽签的方式，这就用到了数学中的概率问题。所以我们坚信在奥运比赛中也离不开数学。

（二）队员自由发言，展示实践成果

展示交流研究成果——数学和奥运手抄报。

1. 很多比赛需要计时，比如在游泳比赛中我们就能看到数学中时、分、秒的知识。

2. 田径比赛的跑道里也有数学知识，像400米起跑时，运动员并不在同一条起跑线上，这里就有圆周长的知识。

3. 比赛中会出现很多数，比如运动员的号码是整数，射击的环数会精确到小数。

4. 环境指数对运动员的影响。

5. 温度数据对运动员的影响。

主持人：

数学和奥运之间确实存在着千丝万缕的联系！可以说，没有数学，就没有奥运比赛，就没有奥运成绩与奥运记录，更不会有那些绚丽多彩的奥运文化了。

华罗庚爷爷曾经说过，宇宙之大，粒子之微，火箭之速，化工之巧，地球之变，生物之谜，日用之繁，无处不用数学。我想，我要是只做一个数学迷就很不够了，我要和你一样，成为一个奥运迷。

奥运是人类体育史上的一个杰作，数学是人类智慧皇冠上的一颗明珠。队员朋友们，让我们一起热爱数学、学好数学，愿我们每个队员都既是奥运迷，又是数学迷！用一双充满数学智慧的眼睛去观察奥运、鸟瞰世界吧！

（三）中队辅导员讲话

今天我和队员们一起乘着数学的翅膀，畅游了奥运的世界。数学和奥运是人类身体与智慧的结晶，它们将继续鼓舞着我们每一位队员去学习数学，参与奥运。让数学和奥运伴着我们一起成长、一起前进吧！

反思感悟

奥运的范畴已经远远超越了竞技和体育，它像数学一样，每分每秒都改变着我们的生活。正是由于数学和奥运在许多方面都有着千丝万缕的联系，因此如何引导队员发现并揭示这一现象，对于提高其数学素养，激发学习兴趣，培养学习习惯等各方面，都有着极为重要的推动作用。通过活动使每个队员重新从一个全新的角度观察了数学与奥运的联系，进一步体会到生活中处处有数学，处处用数学。

这次队会不仅使队员对数学和奥运有了一个全新的认识，更是对自己有了一次全新的审视。首先，通过队会，队员们进一步丰富了奥运的知识，同时也提高了数学的素养，在研究数学与奥运问题的过程中，深刻体会了数学的力量与魅力，培养了热爱数学、学习数学的意识，真正将知识与实践有机地整合为一体。其次，队员们积极主动地参与，也进一步激发了他们对奥运独特的情感与体验，他们需要这样的机会和平台来展示与锻炼。

因此要求辅导员不仅要在平时注意队员们习惯的培养、品德的塑造、能力的展示，更要创设丰富多彩的活动，让每个队员在活动中，思想上受到启迪和教育，身心上得到锻炼和发展。逐渐形成健康向上、积极进取、团队意识浓厚的风格与特点。

通过队会，队员们不仅对数学和奥运有了一个全新的认识，更是对自己有了一次全新的审视，真正将知识与实践有机地整合为一体。辅导员要创设丰富多彩的活动，让每个队员在活动中，思想上受到启迪和教育。

背景资料

在纷繁的奥运知识中，首先引导队员收集信息、观察问题、捕捉问题，并运用已有的数学知识经验去解决问题。大处着眼，小处着手，以题激智，以小见大。用数学的眼光，从不同的侧面对奥运进行了全新的解读，最后以汇报的形式进行展示。在这一过程中不仅提高了队员的综合能力，更重要的是，小队合作的方式进一步培养了团队精神。

八、独具特色的网络文化

网络文化代表了一种先进的科技文化。网络生活成为现代人一种生活方式。当今的少年儿童对网络更是情有独钟。当然，网络对少年儿童有着积极有益的一面，同时也有消极负面的影响，作为教育组织的学校，就是要趋利避害。北大附小早在1998年就建立了校园网，十多年来，学校领导十分重视网站在学校教育中作用的发挥，校长亲自挂帅，德育副校长、大队辅导员牵头，中队辅导员和中队网络委员负责管理，有计划、有目的地开展了一系列主题教育活动，发挥了网络的德育效果。

让静态的页面动起来

2003年4月18日非典期间，温家宝总理来到北大附小视察，看到了“真情互动”论坛和“有声课堂”，他对这些栏目给予了充分的肯定，这给了我们巨大的鼓舞。同年5月，学校举行了一次别开生面的网上入队仪式，这是在一年级小同学的强烈呼吁下，借助互联网优势举办的少先队活动。从那时起，我们就尝试着把静态的网站建设成一个互动交流的平台。

“无论你在何处，请收下少先队对你的关怀；无论你在何方，请写下你加入少先队的愿望。”当这个消息发出，一周就有300多名学生在北大附小的论坛上写出申请，汇报他们在家里的表现，表达他们积极要求加入少先队的愿望。5月17日那天，孩子们守候在电脑旁聆听着家长们唱过的老歌《中国少年先锋队队歌》，在家里和家长一起举行了入队仪式。

为了把“网上入队”进行得更加完美，2003年7月1日，操场上彩旗飘飘，家长们人头攒动，五年级队员和一年级的同学在这里举行了一个主题为“戴上红领巾，重温入队誓词”的联合队会。当五年级队员手捧鲜艳的红领巾戴在一年级小同学的胸前时，一种满足与快乐荡漾在他们稚嫩的脸上，他们互敬队礼，互换祝愿卡，《中国少年先锋队队歌》响彻校园的上空，激荡在队员们的心间。

这次“网上入队”举办得生动感人，引出了值得深思的话题，网络是虚拟的，还是现实的？在这个危难的时刻是什么力量把大家的心联系在一起？在众多的留言中，葛小哥家长在论坛上的留言道出了缘由：

“记得那天，已是夜里11点了，打开电脑，发现祝贺的跟帖依然源源不断地涌来，看来黑夜阻挡不了孩子、家长们的热情。今天有那么多人参加了网上入队活动，恐怕是学校及好多家长没有想到的，甚至“招惹”来高年级的同学、老师以及雏鹰网、海淀少工委的加入。上百条帖子、上千次的点击率，渗透出家长和孩子热情洋溢、幸福快乐乃至激动不已的心情，也表达了家长对您和其他老师所做工作的感激之情！

在那个特殊的日子里，面对着冰冷的电脑，可以说是有史以来最冷清的入队活动。没有鲜艳的红领巾，没有集体的宣誓，没有老师们忙忙碌碌的身影，没有活泼的场面，甚至连一个孩子都看不到。可是，孩子们又从全国各地涌来，跨越了时空的障碍，在这虚拟的空间里，奔涌着最热烈的话语，最真挚的祝贺。听着二三十年前熟悉的少先队队歌，感觉是那么的遥远而又亲近，想象着孩子不久戴上红领巾的模样，一种莫名的感动涌上心头。”

是组织的力量让那么多人面对冰冷的电脑写出火热的誓言。“无论你在何处，请收下少先队组织的遥远祝福；无论你在何方，请参加少先队组织的网上队会”。两个“组织”意味深长，一个是名词的“组织”，表现了少先队的性质，体现了少先队关怀每一位少先队员；另一个是动词的“组织”，体现少先队的特点，有组织有计划地开展少先队活动。正是这句话把身在异地的小朋友的心拢回网上家园，架起了爱的桥梁。

利用“真情互动论坛”不但可以组织“网上入队”，同样也可以组织同学们创编诗歌作品。那年，学校少先队响应少工委的号召征集新童谣，王楠同学就把自己创编的“小乌龟”发布到网上。结果，许多同学都给予了评价，有的说好，有的说这个童谣略显稚嫩，也没有主题，简直就是一只无聊的小乌龟。看了大家的建议，她仔细推敲后，把大家提的建议都融到里面。改完之后，她发现小乌龟变好了，变得爱学习了。当王楠的《爱学习的小乌龟》获得了北京市新童谣评选一等奖时，她惊喜地问："这是给我的吗？应该是集体创作的！"王楠发自内心地说："要不是大家通过论坛及时给我提出批评和建议，我无论如何也不能取得这么好的成绩。我十分感谢在网络上帮助我的哥哥姐姐，我也十分惊叹网络的无穷威力。是网络使互不相识的人通过它相互帮助、相互支持，彼此成为朋友。"像王楠这样的队员还有很多，许多队员都是用实际行动创作健康向上的作品，向不良行为宣战。

目前，我校的"真情互动"板块开设了诗歌创作、经济联盟、英语天地、音乐聊吧、棒球小子、子尤创作、灌篮高手、跆拳道、乒乓球、绘画摄影等多种栏目，队员们在网络间徜徉，享受着信息时代给大家带来的便利，开拓了队员们的视野，提升着他们的道德品质。

让动起来的论坛再静下来

我们在追求健康上网、文明上网的过程中，又在寻求与门户网站同样的新模式——创立属于少先队员自己的红领巾博客。博客的介入是健全少先队网络机制的重要因素。应该说，"少先队博客"是继原来静态网页看活动、BBS论坛看互动之后的第三个发展阶段。现在，北大附小师生几乎人人有自己的博客，他们在彰显自己才华的同时，帮助着他人，传播着文明。

子尤，一个被誉为"当代少年作家"的少年，就是利用博客宣传网络文明的典型。

2002年，团中央等八部委向全社会发布了《全国青少年网络文明公约》。在北大附小主会场的启动仪式上，子尤的妈妈柳红作为家长代表讲述了她是如何指导儿子上网获取有用信息、进行文学创作的。两年后，这个孩子不幸身患绝症不能上学。重病期间，他尽情享受病中的生活，汲取、创造，风采依然，出版了文集《谁的青春有我狂》。在充分燃烧自己的生命，使之发出光之后，他于2006年10月22日去世。这位年仅16岁的少年被誉为"当代少年作家"。

子尤曾是北大附小的一名队员，在四年级的时候就凸显出超人的写作天赋。那时，他带领队员们创办"月亮文学社"，一起改编莎士比亚的作品，和社员们到中央电视台儿童频道表演，带动了一大批社团蓬勃发展，把学校社团活动推向高潮。当时北大附小网站的“每周一星”专门介绍了他的业绩。在他病重的两年间，他建立了子尤博客，记录病中生活、见闻，还把一些作品放在博客上，吸引了一群愿意与他共同创作的网友。当子尤去世的消息发到子尤的博客上后，人们表达了深切的缅怀之情，纷纷前去为子尤送行。此后，有更多的人关注子尤的博客，最多的时候一天有三四十万人次的访问量。在他去世后的日子里，他的博客并没有停息，仍然有许多人在他的博客里继续进行文学创作。子尤用行动向大家诠释了这样一个道理，即利用网络是可以开展有意义的活动的。

有人说，写博客的人喜欢突出自我，孤芳自赏。殊不知，博客中自有博爱之人。人们在记录自己点滴行为、点滴体会和不寻常经历的同时，也在展示自己博大的胸怀。好的博客具有一定的号召力和影响力，人们不再把博客看成是虚拟的世界，而是真实地呈现人们的心灵世界，呼唤着爱，他们已经用自己的思想和行动换来了大家的爱戴。

“爱在北京”是2008年最具影响力的博客群体之一，他们是一群利用网络博客互相认识的群体。2008年春节，北京电视台要播放“爱在北京”的访谈片。采访中记者发现，这个群体竟是40多个素不相识的热心人聚集在一起的，最小的是北大附小8岁的李怡然，最大的是星光大道总监老韩，网友们怀着同样的爱心来到敬老院与一群八九十岁的老人一起过春节。当时老韩和北大附小的王丽萍老师分别用博客发帖子，号召大家积极参加“爱在北京”风雪救助行动，动员那些不能回家过年的人到北京红十字会的护老所跟老人们一起过年，没想到一呼百应，网友们纷纷用博客传递着爱心，表达着浓浓的爱意。在短短的时间里，经过网络联系，周密策划，买年货，准备衣物，编排节目，大年三十那天大家开着车浩浩荡荡地会聚到位于通州的北京红十字护老所一起包饺子过大年。北大附小的同学们在辅导员的带领下，还带来了歌舞和京剧，大家度过了一个愉快而温馨的大年夜。

博客中有博爱，行动中见真情。在这次“爱在北京”行动中大家为着一个共同的目标聚集在一起，正是这种力量，超越了年龄、性别、祖籍、职业的限制，怀揣同样的爱心，走到一起。他们来不及问其真实姓名，呼唤着网友的网名，有钱的出钱，有力的出力。所有人的心里都知道，我们有一个相同的网名就叫“博爱”，也许这就是一个“博客群”的力量。

在信息技术飞速发展的今天，北大附小网站顺应时代潮流，努力做到以人为本，坚持为广大少先队员服务、为学校服务、为整个社会服务，树立前瞻意识，努力使网络成为沟通人们心灵的桥梁。因此，经过十多年的发展，北大少年网站已经形成了学校有主页，班班、组组有论坛，人人有博客的比较完整的网络体系，充分发挥了校园网络的德育功能，也是发挥网络在少先队活动中作用的一个重要创举。

动静结合的网络教育新时代

面对日新月异的网络，学校管理者们敏锐地意识到：互联网的快捷性与开放性能够使家长、教师、学生、管理者充分沟通，能够在强化情感交流的基础上形成家校之间的“超链接”。于是，附小通过学校网站、利用各种网络工具，动静结合，开启了“网络教育”的新时代。

1. 塑造新型网络达人

学校网站信息丰富、更新速度快，是家长们全面及时地了解校园生活的窗口，因而备受家长青睐。对于这一点，作为网络管理员之一的王老师十分自豪，而她也因此愈加忙碌——维护网络、回复网上留言，成为她工作中不可或缺的一部分。

家长们最常用的交流平台是北大附小网站上的“互动论坛”，这是一个典型的 BBS 虚拟社区，在上面可以进行各种网络交往活动。互动论坛中最热闹的版块当数“家长论坛”，家长和教师们在这里讨论问题、分享信息和资源、寻求帮助等。简言之，有事只须上网发一帖，就能获得回复和援手。大家一致认为“家长论坛”方便了家校之间的交流与沟通，“无论在北大附小、在其他社区还是异国他乡，都可以及时了解和参与学校的活动”。

除此之外，家长和教师还经常用电子邮件、QQ、博客等网络工具进行交流；北大附小几乎“人人有邮箱、人人写博客”。从这个意义上说，北大附小的教师和家长绝对是新型网络达人。

2. 开通全面了解孩子的渠道

了解孩子，是家校沟通与合作的首要前提。现代社会中家长普遍工作繁忙，教师的业务负担也日益加重，家长和教师面对面交流的机会越来越少。为此，学校管理者开通了多种网络渠道，建立起网络交流的制度，帮助家长和教师们全面了解孩子在校和在家的表现。

二（7）班的班主任江琳老师是家长们赞不绝口的人物，被家长们尊称为“江大侠”。这不仅因为她经常在网上对家长们仗义施援，还因为她总是变着花招在不同的网络空间向家长展示孩子的校园生活，耐心地与每一位家长交流。

朴素而内敛的江老师表示，她带的班级是寄宿班，家长们工作都比较忙，一个星期才能接孩子回一次家，更不用说与老师见面了。她很能理解家长们惦念孩子的心情，因此，平日里除了完成教学任务、照顾学生外，她每天大部分时间都是泡在网上的，和家长们发邮件、聊MSN。

为了让家长们能够及时看到孩子每一次的进步和成长，江老师还会把每次班级活动的照片传到论坛上，也会把孩子们的各种艺术作品一份份贴在自己的博客里。哪怕这些工作会耗费大量的时间和精力，她也在所不惜；她的想法其实很简单，就是尽量让全班40个学生家长都放心、都满意。

3. 充分实现家校资源共享

“网络家校合作模式”最突出的特点就是能够在家校之间充分实现资源共享，最大限度地为形成教育合力创造物质条件。为此，学校为教师和家长们着力打造资源共享的网络空间。

教师会把课堂教学的相关内容和复习资料传到论坛上，以供家长们下载，帮助孩子学习。语文教师江琳的资料总是炙手可热的香饽饽，每学完一个单元的课程，她就会参考许多教辅书和自己的教学研究，整理出一份全面的复习材料上传。从词语到句子，再到文章阅读练习，一一俱全。李昂其妈妈说："有了江老师的资料，我们家长就知道孩子在学什么内容，每个学期需要完成哪些任务，我们感觉很踏实、很放心，都不用亲自去书店为孩子找复习资料了。"

北大附小像江老师这样善于总结、乐于分享的老师为数不少，为了让一些优质资料能够最大限度地流传，学校还在论坛上开辟了各年级讨论区，老师们将不同版本学习资料上传，家长可以根据孩子的情况自行选择，自由下载。

在帮助孩子学习的同时，家长也积极利用网络学习，提升自我。李昂其妈妈说：孩子刚上小学时，她自己缺乏经验，都不知道该怎样教育孩子。后来发现许多老师会在论坛上发一些家庭教育方面的文章，她认真地学习那些文章，受益匪浅。另外，家长之间也会互相交流教育经验，比如在网上发帖讨论：怎样培养孩子的良好性格？怎样让孩子改掉坏习惯？怎样让孩子更爱学习？……论坛也因此成为家长的学校，家长在其中成长从而改进自己的教养方式。

在北大附小的"网络家校合作模式"中，不仅有学校为家长提供信息、帮助，家长也给予学校诸多支持。大队辅导员王丽萍老师反复强调的一句话就是："我们的家长太热心了，太有才了！"她说，平日里学校有什么困难和需要，只要在网上一呼吁，很快就会有家长响应帮忙。一次学校急需民族服装，有家长看到了论坛上的帖子，在很短的时间内就帮学校筹借了民族服装。有一个班的老师想给学生增加课外的地质知识，就在网上表达了需求，立即有搞地质工作的家长专门到学校给学生做讲座。

很多时候，学校甚至没有要求家长帮助，家长们都会自发地为学校和老师们出谋划策、提供资源。最近，学校组织学生为汶川大地震捐款捐物的活动，当天有 7 位家长主动放下手头的工作来到学校帮忙。在减轻教师负担的同时，也监督了整个捐款过程的透明、公正。还有一些家长震后奔赴灾区当志愿者，他们通过自己的各种渠道，主动将师生们捐的一部分物品和学生们为灾区小朋友制作的贺卡、爱心信带到灾区，既代表学校师生为灾民们尽了一份力，又减轻了当地民政部门运送救灾物资的负担。

其实，对于学校办学而言，家长无疑是一笔丰富的资源。理想的家校合作模式应该善于利用家长资源，这种利用并非是为学校或教师牟私利，而是为孩子们提供尽可能优质的资源。北大附小“网络家校合作模式”的透明化和公开化有效规避了传统家校合作模式中校方可能以权牟私的弊端，也使家长们能够全心全意、没有后顾之忧地为学校出力。

4. 用博客为孩子建立成长档案

博客是北大附小网站上最个性化的空间。学校管理者为教师、家长和学生提供博客服务的初衷正是为了鼓励个性张扬，同时也给予一些成功的教育个案以展现的空间。

二（7）班的李怡然是个剪纸小能手，年仅 8 岁的他看见生活中感兴趣的事物，只需挥舞几下小剪刀，就能创造出一个栩栩如生的剪纸形象：汽车、飞机、福娃、奥运火炬……同时，他还是个不折不扣的汽车迷，从小就喜欢各种各样的汽车，街上汽车的品牌、型号他几乎全都认识，还自己动手组装各种汽车模型。

怡然的妈妈为了鼓励儿子发展这些特长和兴趣，在他 8 岁生日时送上了一件特殊的礼物：“怡然汽车屋”——她给李怡然开通的博客。这是一个属于怡然自己的网络空间，妈妈建议他用博客记录生活中的新鲜事，把对于剪纸的热情，对于汽车的梦想延续下去。从此，怡然开始精心打造自己的小屋，只要一有新的剪纸作品和新的汽车模型设计，就会上传到博客，邀请小朋友们来访问，一同分享。

当看到老师和同学在博客上给他留言时，怡然总是很有成就感，他总是激动地说：“妈妈，妈妈，老师和同学又夸奖我了！”班主任江老师了解到李怡然的剪纸特长之后更让他在社会实践课上当小老师，教全班同学剪纸。渐渐地，他由一个内向腼腆的孩子逐渐变得开朗、活跃起来。用怡然妈的话来说："博客促使怡然把对于剪纸和汽车的激情完全释放出来。"而令她最感动的是儿子在研究博客时的专注力和精益求精的态度。

与此同时，怡然妈妈也开通了自己的博客，她细心地描绘着怡然成长过程中的点点滴滴：怡然得到老师表扬了，怡然某天淘气了，怡然在国际剪纸比赛中获得金奖了、怡然上鞠萍姐姐的节目了……她用博客为怡然建立成长档案袋的同时，也在不断总结反思自己的教育方法。怡然妈妈说："我把博客当做自己陪伴孩子成长的思想轨迹。"

在北大附小，像怡然妈妈这样用心做博客的家长和老师还有很多，他们用文字、图片、视频全方位地记录着孩子们的生活，把孩子在家庭和学校中的成长历程连通成为一体。"学校给我们提供博客真好！等孩子长大了，看着自己走过的脚印，该是多么有意义呀！"怡然妈妈动情地说道。

5. 用 QQ 群组织集体亲子活动

QQ 无疑是现代最快捷的网络沟通工具之一，北大附小的管理者除了重视教师和家长的交流，还鼓励家长与家长之间紧密地联系与沟通。家长团结起来，不仅能为学校管理减轻压力，还能组织更多更新颖的校外活动以弥补校内活动的不足。

二（10）班高凡的妈妈是个热心肠的人，她经常组织同班家长和孩子利用周末进行集体亲子活动。班里的热心妈妈们建立了 QQ 群，每周约定一个时间，一起上线讨论近期活动事宜，众人在 QQ 上确定分工之后，就各自分头行动：写活动策划方案的，联系活动地点的，提供交通工具的，收取经费的，安排餐饮的……在此过程中，教师也会给予一定的建议和帮助。万事俱备后，在班级论坛上发一个活动公告，家长和孩子们就按照通知的时间地点集合出发。

通过这种方式，二（10）班已经成功举行了多次周末献爱心活动：去敬老院为老人们表演节目，去红十字会为南方雪灾捐款，去太阳村和服刑人员的子女联谊等。汶川大地震发生后，热心妈妈们又筹划了"六一”义卖活动，在海淀公园表演节目吸引路人买书，再将卖书得到的钱捐给灾区的小朋友……

其实，各种活动不仅能够开拓学生们的视野，促进课堂学习，还能培养他们良好的精神品质，如协作、坚强、感恩。但是学校的活动往往不能保证每个孩子都充分参与，因此，家长们在校外组织的集体亲子活动对于孩子来说就显得尤为重要，它们是对学校活动的延续和补充，而QQ等网络工具，恰恰促进了这种互补作用的发挥。

第六章 创新体制，激活教师队伍

学校的竞争力归根结底是人的竞争力。在人的因素中，教师又是最为重要的。因为在教育过程中，教师处于教育者、组织者的地位，是学校进行教育教学工作、实现教育目标的主导力量。教师队伍整体素质的高低直接影响到学校的教育质量。北大附小要创办“国内领先，世界一流”的学校，当然离不开一支优秀的教师队伍。

自2002年以来，北大附小逐步进入快速发展期。其重要标志就是学生规模不断扩大。2002年附小有学生2183人，45个教学班；2003年，学生2187人，48个教学班；2004年，学生2279人，52个教学班；2005年，学生2536人，59个教学班；2006年，学生2737人，65个教学班；2007年，学生2919人，70个教学班；2008年，学生2978人，73个教学班；2009年，学生3116人，76个教学班；2010年，学生3116人，有76个教学班。如图14、图15所示。

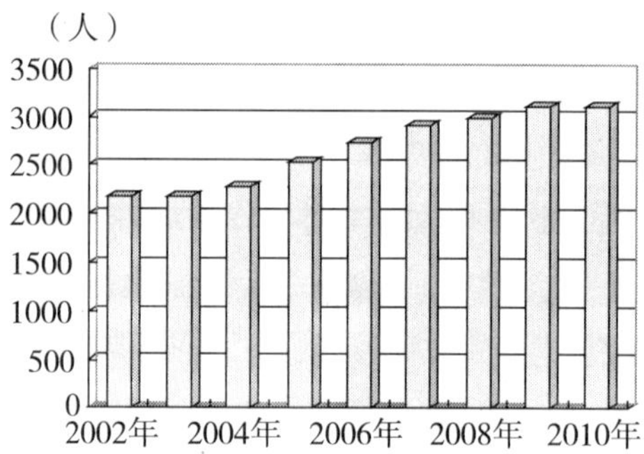

图14　北大附小学生数量变化图

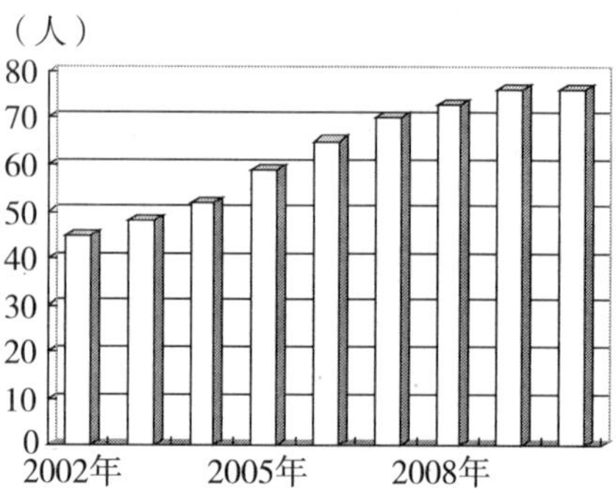

图15　北大附小班级数量变化图

学生规模的扩大，必然相应带来教师数量的增加。2002 年，学校专任教师 96 人；2003 年，专任教师 101 人；2004 年，专任教师 105 人；2005 年，专任教师 114 人；2006 年，专任教师 123 人；2007 年，专任教师 129 人；2008 年，专任教师 137 人；2009 年，专任教师 150 人；2010 年，专任教师 150 人。如图 16 所示。

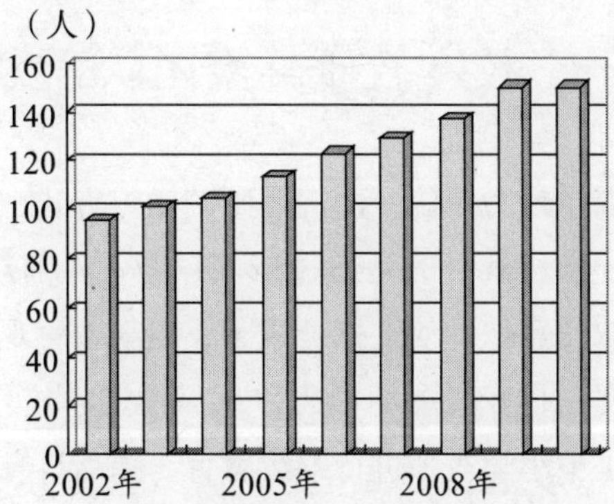

图 16　北大附小教师数量变化图

需要说明的是，虽然北大附小学生规模不断扩大，但我们坚持的原则是，宁可增班，而不扩大班级人数，保持班级人数在国家规定的范围内。这样必然会增加教师数量。目前，北大附小专任教师有 150 人，这些年，通过培养和引进，骨干教师数量不断增加，截至 2010 年，中学高级教师 7 名，北京市学科带头人 4 名，北京市中青年骨干教师 9 名，海淀区学科带头人 25 名，海淀区骨干教师 11 名。与此同时，近几年进入北大附小的青年教师也占有相当比例。虽然北大附小专任教师本科以上学历达到了 100%，但相当一部分教师刚刚走上教师岗位，缺少教书育人的实际历练。所以，北大附小始终把全面培养教师、打造名师、形成优秀教师团队作为实现“国内领先，世界一流”办学目标的最重要的基础工作。

什么样的教师才称得上是优秀教师呢？叶澜教授曾指出：优秀教师“应该具有对人类的热爱和博大的胸怀；对学生成长的关怀和敬业奉献的崇高精神；良好的文化素养；复合的知识结构；富有时代精神和科学

性教育理念指导下的教育能力和研究能力”。而优秀教师队伍的建设不是一蹴而就的，它需要最大程度地调动教师的智慧与能动性，需要在增强教师的使命感、教师职业理念和教育教学实践能力这一系统工程上做好文章，走出自己的路。为此，北大附小实施校内体制创新，坚持人才强校战略，为教师发展创造各种条件和良好环境。

一、校本教研凝聚团队合力

校本培训是以学校为单位，面向教师的学习方式，内容以学校的需求和教学任务为中心；其目的是通过培训，增强教师对工作的使命感、紧迫感和自我进取的意识，使之拓宽视野，更新教育观念，加快知识结构的调整优化，提高自我发展的能力，从而推进学校教育的整体运作。当前，校本培训是中小学教师进行继续教育、提高自身业务水平和教育教学能力的重要途径。那么，如何开展校本培训、学校应拥有什么样的校本培训理念是能否发挥其作用的关键。基于这一点，北大附小在结合自身实际的基础上，创新校本培训模式，坚持“应教师所需，助教师提高，帮教师成功”的校本培训理念，在开展校本培训过程中，突出自主性、灵活性，重视纵向引导和横向交流的结合，创出了自己的特色。

志存高远，师德高尚

校本培训不能脱离学校长期形成的优秀的传统文化，因为这种传统文化是学校宝贵的财富，北大附小在教师当中始终坚持不懈地开展“事业心、责任心、进取心，爱学校、爱学生”的传统教育活动。多年来，学校还结合工作实际不断创新教师职业道德培养模式，让各种不同的活动融合起来，积淀校园文化，弘扬附小精神。活动的开展，对学校教师的职业观和工作态度产生了积极的影响，教师逐渐达成了共识。如：

教师肩负“托起祖国明天的太阳”的重担，不仅仅是知识的传播者，而且是“文化的使者”，是指引学生“终身幸福的播种者”。教师同时也有自己的喜怒哀乐，也离不开油盐酱醋。每一天，教师都在神圣与平凡中行走，始终面向未来做好眼下的工作。

学校的发展与成功需要教师的敬业、才华和卓有成效的工作。工作是一种满足人内在需要的自然活动，教师也正是由于有学校这个舞台，才能成就自己，并获得回报。

爱学生是教育的起点。真诚的师爱，深厚的师生情是教师责任心的流淌，是工作魅力的展现，是教育效果的保证。教师与学生是一对互相依赖的生命，是一对共同成长的伙伴，教师在学生的成功中获得自身的幸福。

由于有这样的共识，教师们心怀高尚、热爱、感恩之情，涌动着建功立业的渴望和自信，向往着做一个能够影响学生健康发展的人、一个永远让学生记住并学习的人。久而久之，附小形成了良好的校风和育人模式，并不断相传。

下面是北大附小一位学生家长对教师的评价。

高尚师德亲其师　言传身教信其道

二年级5班家长　　曲浩轩

2007年8月28日，从这天起，我的孩子上学了，要背着小书包迈进北大附小的大门了。这是他人生新阶段的开始，作为家长，我们在为孩子高兴的同时也不由得产生一些担心。我的孩子老实、听话，但也存在胆小、适应性较慢的问题，他能适应北大附小这个陌生的新环境吗?

高兴

2007年8月28日，入学教育前的一天，“铃……”家里的电话响起来，“请问是×××家吗? 我是他的班主任于老师，我想了解一下孩子的情况，行吗?”听到这一连串的发问，我悬着的心放下了些，这是一个对工作有责任心的老师。当了解了孩子的情况后，电话那边传来了:“那我想跟孩子聊一聊，让他听听我的声音，行吗?”这一句话就能看出这是经验丰富的老师。当时孩子跟姥姥出去了，等孩子一回来，我马上跟他讲，让他给老师回电话，孩子表现出犹豫、畏缩，在我的鼓励下，他拨通了老师的电话，电话在这对没见面的师生中间架起了一座沟通、信任的桥梁。放下电话后，孩子非常高兴，他告诉我们:“于老师说希望明天见到我这个小伙子!”孩子的高兴，让我们家长都高兴。通过与于老师初次接触，不仅让我们感受到，于老师是一个有爱心的人，而且让我们自信地认为，孩子交给她没错，北大附小是一所充满了浓厚的人文情怀的学校!

感谢!

随后的第一天、第二天、第三天……看到孩子每天都是高高兴兴地上学去，快快乐乐地回家来，兴奋地跟我们讲着学校、班级发生的各种事情，我们揪着的心终于放了下来。我们知道，孩子之所以平稳地过渡到了小学阶段，跟班主任于老师、数学王老师、英语李老师以及各学科老师付出的努力是分不开的。于老师不仅以自己的亲和力博得了孩子们的信任，为其营造出了良好的学习环境，而且还注重老师、家长每天和孩子的交流，及时将孩子的情况反馈给我们家长。特别是针对每个孩子的不同特点，分别给予特别的关注和培养，对孩子们一点一滴的进步及时给予鼓励、表扬。

从和孩子的交流中，我们知道了孩子每天在学校的学习和生活情况，听着孩子纯真质朴的言语，我们感受到了学校和老师非常重视孩子们的养成教育，培养每一名同学都喜欢学校、热爱学习、信任老师、关心集体、爱护他人。

感谢北大附小的老师们，是你们帮助孩子顺利地完成了幼小衔接的过渡，是你们帮助孩子快乐地学习、生活!

到今天，我的孩子在北大附小这块沃土中，在北大附小人文、开放的办学理念下，一天天健康快乐地成长起来。从一个胆小的男孩，成为了一名成绩优秀、关心集体的小学生；从不爱说话转变成开朗的性格，与同学相处得很融洽；第一批成为预备队员戴上红领巾，每个学期末都能得到学校、班级发的许多奖状，二年级还被选为中队长……千言万语只有一句话——感激北大附小！

下面是2006年7月3日在2006届北大附小毕业典礼上一位家长代表的发言：

尊敬的尹超校长、尊敬的老师们、亲爱的同学们：

大家好！

非常荣幸，我能够站在这里，代表北大附小2006届毕业生的家长们来见证这一激动人心的时刻。同学们，不知道你们是否意识到，今天，是你们最后一次在这里隆重的相聚，向你们并不宽敞但却朝气蓬勃的母校道别；向教会你们知识更教导你们做人的老师们道别；向同窗共读、朝夕相处的儿时伙伴们道别；也向你们在这里度过的纯真美好的童年岁月道别！

作为家长，我由衷地为同学们感到庆幸，庆幸你们的小学时代能够在北大附小度过。在附小的校园里，你们专心地学习、痛快地游玩。在老师们春风化雨、润物无声的培养下，系统地接受了人生的第一课，逐渐脱去了童年的稚气，为今后的成长、成才打下了坚实的基础，为迎接未来的挑战作好了基本的准备。六年，回忆起来似乎是那么漫长，而今天面对离别又显得那么短暂。难忘那争创优秀班集体的日日夜夜，难忘那筹备联欢会的朝朝夕夕，难忘那公开课上争先恐后的发言，难忘那运动会上你追我赶的竞赛……六年的日积月累，积累了知识，更积累了情感，师生情、同学情将成为你们人生旅途上最为珍贵的收藏。

而作为家长在伴随你们成长的这六年里，从许多侧面、许多细节、从同学们的只言片语中，我们感受更深的则是附小的精神，“精神”似乎是无形的，然而精神的力量更是无穷的。当我们了解到，校领导班子为了筹建新校舍、提升附小的软硬件水准殚精竭虑时；当我们了解到新的教室、新的课桌椅是老师们放弃假期休息亲手布置时，我们感受到的是附小的精神。当我看到班主任老师以高度的责任心和人格魅力把一群懵懂少年凝聚成团结、友爱、向上的集体时，我感受到的是附小的精神。当我看到任课老师一个人管理着好几个班，但却对每一个孩子的情况了如指掌、如数家珍时，我感受到的是附小的精神。当我们家长去接送孩子上下学，看到无论酷暑严寒，老师们都风雨无阻地在校门口疏导交通、保障学生安全时，我们感受到的还是附小的精神。优良的精神铸造优良的校风、优良的学风，在附小，不仅能学到知识，更重要的是，还能在这里受到良好的学风、校风的熏陶。在此，请允许我代表北大附小 2006 届毕业生的家长们，向为了孩子们健康成长而奉献心血与智慧的老师们深深鞠躬！

毕业是结束也是新的开始，衷心祝愿同学们把握好人生的方向盘，驶向美好的明天！衷心祝愿北大附小能培育出更丰硕的桃李，造就出更多的栋梁来服务国家！

（北大附小 2006 届毕业生　何临青家长杨华）

自尊自主，自我反思

在校本教研中，教师不仅是实践者，也是研究者，通过自我反思可以使教师的教育理论水平和教育教学能力不断得到提高，这也是教师发展成熟的有效方式。附小在开展校本培训中重视培育每位教师的自尊自主与自我反思意识，强调每位教师要自主、自信，要客观地分析自己的优势和不足，扬长避短，充分发挥自己的优势，制订科学合理的成长目标与专业发展规划，并直面自我实践中暴露的问题，不断地自我反思，尝试用不同的方法和策略解决问题，尽显自己的人格魅力。

在每一次教研、科研活动中，我们都不忘提醒教师们要进行自我反思，提示大家反思可以从多角度进行，如从自我经历反思、从学生的眼睛看问题、与文献之间的对话等，并使大家明确反思不是一般意义上的“回顾”，而是思考、反省、探索和解决教育教学过程中存在的问题。在这样的引导下，附小教师们对反思的重要性有了深刻认识，反思水平也不断提高。教师经常通过撰写反思日记、教学后记、案例分析、教育叙事和行动研究等方式，思可取之处，思不足之处，思疑惑之处，思重难之处，思创新之处，不断提升自己的素养，实现可持续发展，一些教师已经形成或正逐步形成自己的教学风格和特色。

团队合作，共同成长

教研组（年级组）是落实学校教学工作计划，开展教学研究、进行学科教学管理的重要基地。在校本培训中，教研组还是培训教师的重要阵地，是一个学习型组织，是一个有力向上的团队。在教育改革形势日新月异的今天，学习应该是每一名教师的生存态度，而任何一项学习活动都需要在发展中互相促进、共存，所以建设学习型教研组非常重要。

建设一个好的教研组（年级组）的关键因素，首先是选择一个好的组长。附小针对各教研组、年级组人数较多的状况，任用工作中有良好的师德修养、优秀的业务素质、精明的组织能力、勤恳的工作态度的教师为组长，加强教研组、年级组的建设。同时任命 8 位市级学科带头人（市级骨干教师）为主任及教师，分别主管高、中、低年级的语文、数学及英语教学。在各教研组（年级组）组长及主任的带领下，附小教师经常开展集体备课、教学观摩、说课评课、案例分析、问题会诊、专题研讨、教学沙龙等教学研讨活动，就学校的各项科研课题、学生问题等展开讨论，加强沟通，分享经验。

教无定法，八仙过海，各显其能。教师之间迥乎相异的教学特质是一种宝贵的教学资源，发掘每位教师头脑中潜在的想法、直觉和灵感，共享隐性知识（个体长期实践中摸索而积累的），使其得到不断增强。附小教研组、年级组的研究活动使集体的智慧处于共同发展之中，促使每位教师开放自己，敞开胸襟，接纳别人，接纳鲜活的精神财富，形成相互交流经验、相互切磋心得的研究团队。教师在群体资源的开发过程中互补共生，不断成长。

北大附小数学组是一个优秀的团队，他们在参加学区中心、海淀区直至北京市的说课活动后，团队成员李正辰老师写下了下面这篇体会。

找到自己的价值，做个快乐的老师

每件事情，我们都希望能从更高的角度去看待，总想去找寻事情背后隐藏的价值，我们知道那些才是最重要的。

比如这次说课吧，从开始的中心说课到区里再到市里，我们从开始就定了一些方向，并随时调整，回顾整个过程，我们收获很多。

中心说课，本着自愿参与的原则，希望让更多的年轻老师参与，从中得到锻炼，而没有为成绩而考虑选手。正是这样，刚工作一年多的刘健才有机会崭露头角，是参加区里说课最年轻的老师，并取得了好成绩。

然而好成绩就重要了吗？不重要！我们认为最有价值的是，刘健找到了更多的自信，更开朗了，每天都快乐地工作着。（老教师的肯定是一种激励。）

参加区里说课，我们取得了很好的成绩，得到了大家的认可，我们也没太当回事儿。让我们感到高兴时的是，我们把数学教学与关注学生很好地结合在了一起，把课堂教学和北大附小的教育理念很好地结合在了一起。

“流动在指尖上的智慧。”

“广阔的视野，广阔的胸怀，广阔的志向。”

“起航之地。”

“隐形的翅膀。”

……

如今想起来这些还依旧让我们怦然心动。这些是以前积淀思考后的总结，也是我们未来追求的方向。我们仿佛找到了做教师的另一片更广阔、更美丽的天空。我们坚信我们走的是一条正确的路，这条路就是我们一直在寻找的，虽然原来有些模糊，但现在越走越清晰。有些会让我们如找到宝藏般快乐无比，那就是真理与价值。

这其中还有很多的美好回忆让我们想起来就觉得温暖。

雪峰、雪丽虽同是选手，但有的是无私的帮助与祝福，没有丝毫的狭隘与自私。这是咱们附小传统，要继承，更要发扬。

面对每一次的困境，大家彼此支撑，同舟共济，把巨大的困难转化成了更大的成绩。增进了朋友的关系，团队更有凝聚力了。

“认识我们自己”。我们是一个自信的团队，也是一个谦虚的团队。我们不妄自菲薄，也不狂妄自大。我们有自己的个性，有我们的追求。不因困难而退缩，不因权势而低头。我们虚心听取意见，我们更坚持自我。我们不迎合别人，我们希望去征服别人。事实也证明了这些。

刚刚结束市里的说课。24 个小时的时间。比的是什么？比的是学校的教育理念，是教师背后的团队，是说课老师的综合素质。

艰辛的 24 小时，让我们感到很多的快乐。快乐的不是这个活动、不是成绩，而是有共鸣的人，有共同追求的人，借助这个活动碰撞着思想，寻找着共同的价值观。跟爱的人懂得人结伴而行，共同追寻的感觉真好！

这次让我们有什么新的感悟呢？

“团队的高效运转”。分秒必争的 24 小时，咱们附小团队的统筹规划，合理安排，分工合作，有条不紊。这些都体现得淋漓尽致。

“看到了我们的局限。”我们这个团队的确有优势的地方，但我们也的确有不足的地方。我们会在后面多学习多思索。

“总结，不能只是回顾，而是要思考前面的路。”在说课活动的过程中我们就想了很多我们接下来要做的事，每件都很有意义和价值。我们要慢慢去实现它。

“做个不俗的教师，做个快乐的教师。”做到不俗，似乎并不简单。要有智慧、要有思想、要有境界。做些有意义的事，找到自己的价值，做个快乐的老师。

“学生应该是最终的受益者。”教师的付出，学校的付出，所有的一切都是为了学生。每一次大大小小的活动都是让我们做个好老师，上好每一节课，把智慧和思想带给孩子们。

刚刚走出校门的青年人，面临着身份的转换，即要由学生变为老师，走进课堂。其初为人师，必然缺乏实践经验，需要人来指点引路。学校领导都会与他们亲切交谈，倾听他们的想法和要求；同时也一定会讲述附小人的奋斗史、胸襟与情怀、目标与未来，谈出他们的激情与向往、决心与干劲，鼓励新来的教师超越自我，在附小的土地上实现自己的理想和追求。另外，学校会请经验丰富的班主任、学科带头人和快速成长的青年教师与新教师一起开座谈会，畅谈工作、畅谈学生、畅谈学校、畅谈人生，使新教师尽快融入集体，促其形成同样的价值观，让科学、民主、进步、和谐精神驻扎心田，敬业、爱生、勤学、善教成为共同的作风。为了加强教师队伍建设，促进青年教师快速成长，附小利用学校内优势资源，实施“导师制”校本培训模式，充分发挥名优教师的示范引领作用。

针对新教师的特点，附小采取从校内挑选师德作风过硬、教学业务能力强、经验丰富、效果好的教师担任“导师”，对其实行一对一的指导，从备课、上课、课后辅导到作业批改，从组织班队活动到与个别学生交谈及家访等。对导师，学校给予报酬，但导师也要对学校和青年教师负责。

除了实施“以老带新”的方式外，附小还不断鼓励青年教师，使其在优秀教师的带领下，不断挑战自我，提升自我。下面是一些青年教师的肺腑之言。

——只有发自内心的对教育事业的爱、执著的追求，甘于清贫，甘于寂寞，才能更快地走向成功。

——做学生最亲密的朋友。一个受学生爱戴的教师，已经走向了成功的一半。

——做教学中的一匹“黑马”。要从内心渴望上课，争取别人的帮助，上出成功课，领略成功之道，走上成功之路。

专业引领，网络教研

“为了学校，在学校中，基于学校”的校本培训并不意味着仅局限于学校内部。单纯内部的交流与学习会使学校囿于同水平的反复，迈不开实质性的步伐，甚至会停滞不前，从而导致形式化、平庸化。校本培训中，与外部人员，尤其是专业研究人员的对话是不可缺少的，因为专业研究人员的参与是教师专业化成长不可或缺的因素，他们在信息和资源方面具有优势，他们的参与有利于校本研究向可持续性的方向发展，为教师输入新鲜血液。发挥专业人员的优势在附小得到了很好的重视。

附小领导每学期都会邀请专家学者到校讲学，选取不同的主题，以不同的形式与教师进行交流。近年来举办各类专题讲座有：北京师范大学教育学部钱志亮教授的《排解教师压力》，北京师范大学心理学院刘汝德教授的《解读教师》，知心姐姐卢勤老师的《爱的教育》，北京大学副校长刘伟教授的《经济教育讲座》，本校高晨老师的《美国经济与创业教育》，GKE 教育集团的项目总监 RON 的《项目合作教学课程》以及《语文快速阅读》和《信息技术与教育平台的搭建》等。除了专业研究者的讲座外，学校还请张思明、赵谦祥、窦桂梅等特级教师到校讲课、座谈，介绍他们的教学经验。另外，学校还会不定期地邀请国外（如美国、日本等）教师来做报告、参与研讨。不同领域、不同学校、不同国别间的学习与交流，对于北大附小教师不断接触新的教育教学理论、学习他人的教学经验等起到了很好的作用，教师的理论素养提升也很快。

除了向他人学习外，学校还布置理论学习作业，让教师根据自己的研究方向选取学习内容。五年来，北大附小教师的理论学习笔记、论文、案例每人平均 3 万多字。学校还运用激励杠杆，对论文获奖者、发表者不仅进行大力表扬，而且给予高奖励，以鼓励教师进行不断的理论学习。

在同专家的学习中，在不断汲取理论知识的过程中，附小教师不断地丰富自己、提高自己、完善自己，其思维得到了拓展、理念得到更新与提升，专业水平也逐步提高。

互联网时代的到来给教育事业带来了契机，如何充分利用互联网的丰富资源开展基于网络的校本培训，促进教师队伍建设的现代化和提高教师实施素质教育的能力与水平，是每个学校都需要关注的问题。附小领导充分认识了网络在校本培训中的重要作用，于2000年建立了自己的网站，实现了学校资源、北大教育资源以及社会各种资源的共享，建立了网络教研室，为全体教师学习进修、开拓思路、转变观念开辟了新的渠道。

校本培训的网络化渠道开通后，学校把校内已有的优秀录像课（含全国、市区学校及本校老师）、课件及各种音像资料、教师的教案、各组研究与总结等资料放在校园网上，以便于教师相互查阅借鉴，真正达到资源共享。这既可以避免重复劳动，又可以不断生成新资源。例如，已有的课件可以拿来就用，或对不足之处加以修改完善，在原有基础上去粗取精。又如，在自我备课的基础上，新教师可以学习老教师的教案，而老教师则根据自己的思考，或改变思路和策略，或加入精华，生成新教案。另外，校园网和北大网的链接，使学校图书藏书量扩大了成千上百万倍，而且便捷好用。例如，对“新课标把0作为自然数”这个结论的原因，倘若过去我们也许还要讨论一番，而如今只需要用鼠标在网上点几下，几篇相关文章出现在眼前，一下子就赫然明白了。

为充分发挥网络的价值，提高教师的研究能力，学校还要求教师在写自己的文章前，要先到网上查一查，看上20篇同类文章，看看别人已有的观点，已得出的研究成果。在这个基础上构思自己的文章，就能避免重复劳动，而有所前进，有所不同，高人一筹。如果从多个网站都查不到自己要写的内容，那你就是“第一个尝番茄的人”。看别人的文章，是学习；想自己的文章，是研究；写出自己的文章，是创造。同时，学校开设了数学、语文、科任教师开放的网上研修空间，使教师可以随时在网上与同事共同研讨、交流、反思，共享资源，并能第一时间获得最新信息，从而初步形成了学校独特的教师“网上研修”文化。

学校“网络教研室”的建立，充分利用网络环境，打破时空限制，教师可以利用业余时间，上网参加教研活动。教研不再限于本校，拓展了教研的空间。在网络环境下，教师之间、师生之间、学生之间、教师和家长以及学校和家长之间的沟通与交流方便了很多，从而使得教育资源形成一种合力，发挥教育最大的功效。学校教师在群体交流中取人之长，补己之短，开阔视野，共同促进，形成了一种轻松、和谐、愉悦的交流文化，促进自身的进步与提高。同时，教师可以不用实名与非本校教师互动交流，可以坦言自己的观点，在与同学科教师、县级以上骨干教师和学科带头人、专业研究人员的对话中，获得有效的指导帮助，从而增强参与网上教研的主动性、积极性。

总之，“网络教研室”为教师提供了平等、互动的平台，为教师团队的发展开辟了新的途径；它有利于激发教师的参研热情，有助于提高校本培训的质效，促进学校这个学习型组织的形成。学校教师更是亲切地称这个平台为“教师之家”，他们在“家”中自由、愉快地畅谈、感悟、体验和享受，不断提升着自己的能力。

国际交流，拓展视野

了解世界上其他国家的教育思想、教育内容、教育方法，汲取其中适于我国国情的精华，并创造性地运用，对培养具有国际意识、国际交往能力、国际竞争能力的人才十分重要，也是教师素质不断提升的重要途径之一。附小领导能够站在国际的视角来审视自己，正确看待和分析学校所面临的各种机遇和挑战，积极参加国内与国际的交流活动，实施“走出去”和“引进来”的战略。

目前，北大附小已与美国宾州大学教育学院、加拿大圣乔治学校、日本岩手大学附属小学、韩国首尔大学附属小学、新加坡公教中学附属小学、美国长岛公学、美国 GKE 国际教育公司等国外学校和教育机构以及我国香港特别行政区保良局蔡继有学校建立了长期的交流培训计划，双方通过派教师互访等形式加强交流。例如，学校选派了英语组范冰、刘桂红老师赴伦敦参加了为期两个月的暑期英语培训，派高晨老师赴美国特拉华大学经济学院攻读硕士课程。学校还与美国 GKE 公司进

图 17　北大附小教师赴美讲授中国传统文化

行信息技术交流，这进一步促进了教师国际化教育理念的形成。

这些国际间的学术交流与科研合作，营造了学校浓厚的学术氛围，使教师享受到其他国家和地区学校异种风格的学术陶冶，开阔了眼界，从而激发其上进心、事业心和求知欲，促使其不断进步。例如，1996年，附小和美国宾夕法尼亚大学俞大维博士合作，运用美国心理学会主席马丁先生的研究成果，由学校两位教师为学生举办了 30 学时的“乐观人生课程训练”。这次训练使学生受到了很大益处；同时教师也受益匪浅，其心理教育方面的知识得到了升华，后来编写了小学《心理导向课程》。

附小校本培训制度的创新，培育了教师团队精神和群体意识，鼓励教师打破学科壁垒与偏见，互相学习，共同提高，改善知识结构，全面提高了教师的素质和能力；同时，还为教师营造了民主、积极、向上、和谐的教研生态环境，为教师的智慧和才能的发挥创造了各种机会和条件。

二、民主管理营造和谐文化

在学校管理的诸要素中，教师管理是很重要的一部分。教师管理的目的不是为了向他们“灌输”学校的诸项规章制度，不是为了对教师的自由进行约束，而是为了促进教师发展，提高学校教育质量。所以，在教师管理中，校长应该树立全新的教师管理理念——回归生命，关注生命，实现从“工作体”向“生命体”回归，全力营造和谐的教师管理文化。这样才有助于提高教师管理的效度，营造和谐校园风气。为此，学校领导从制度保障、教师任用机制、榜样引领等诸多层面着手，加强民主管理，完善学校制度。经历任校长、历代教师的努力与培植，附小形成了民主化的教师管理氛围，积极向上的校风，民主和谐渗透于学校的每一个角落。

完善制度，民主管理

“民主和谐”并非一味地追求自由、崇尚个性，它同样需要制度的保障。学校要为师生营造民主和谐的校园，首先需要有科学合理的制度来规范人的行为，并使这些规范内化为人的自觉行为，促使学校不断向前发展。

在以人为本理念的指引下，附小不断创新着自己的制度：从最初的禁止恶语伤人、拉帮结伙、搞好组内与校内团结的基本要求开始，到教师要通过自己人格魅力做学生心中最完美的偶像，使校内各项制度要求细化、完善和落实，并随着《教师法》、《中小学教师职业道德规范》等法规的颁布实施，我们不断对制度予以修订和完善，为营造民主和谐风气打下坚实的基础。

另外，学校制度的形成建立在广大教职员工意见的基础上，经历着“将理念形成制度文本→将制度付诸实施→反馈”三个过程。这使得制度易于被教师接受，并贯穿到自己的日常行为之中。

学校制度的制定并不是要改造教师和学生，而是要唤醒教师和学生；主要不是用来约束教师和学生，而是为了激励教师和学生。将学校的管理目标内化为教师认同的理想，把纪律内化为教师认同的规范，实现规章制度与教师的理想、追求、情感的统一，最终实现民主立校、和谐育人——这些激发着附小教师不断奋斗，并且享受着其中的快乐，在民主和谐校园文化中不断成长。

革新人事管理，公平善待教师

做好教师人事管理是搞好教育教学工作的前提，附小在这方面实行教师队伍的流动性，坚持能者上，使全校教师保持向上的涌动、充满奋斗的精神。多年来，附小不断革新教师人事管理制度，为教师发展提供了宽松的环境。

1. 人事管理制度由单一制走向双轨制

最初，附小教职工管理权限都在北京大学人事部，人员属于北大编制，享受北大教职工的待遇，但是北大对附小教职工人数卡得很死，随着学生人数的增加，师资严重不足。20 世纪末，附小实施双轨制的管理模式，即一部分人员关系在北大，一部分人员关系在北京市人才交流中心。外来的极优秀人才关系直接进北大，关系在北京市人才交流中心的人员，根据其各方面能力逐步转入北大。不过，两部分人员在附小享受着同样的待遇。这种管理模式保证了附小对教师的需求，同时也使教师队伍得到逐步优化。

2. 坚持严把入门关与广用人才相结合

附小重视人才，给人以广阔的发展空间，它具有优秀的办学条件和高质量的教学，在社会上享有良好的声誉。这使得很多人员希望调入北大附小来工作。对此，附小实行招聘制，择优录用，严把教师入门关。对于每一个调入学校的人员都要进行严格的考核：试讲、谈话、看业绩、看师德、看教学水平等，优中选优。

在“严把入门关”的同时，学校还不拘一格用人才，实现教师的多元化。例如，学校招聘新毕业大学生不限于北京，有北京师范大学、首都师范大学的毕业生，同时也从东北师大、陕西师大、河南师大等其他师范大学招聘优秀毕业生到校任教；同时也不囿于师范院校的学生，综合类大学中知识面广、热爱小学教育、愿意到附小工作的毕业生，北大附小同样录用。附小聘用的教师也是来自五湖四海，学校曾聘用过5位美国小学教师任教，目的是提高学生的英语口语水平，同时让全体教师了解美国教师教育的方法和形式。这种“广用人才”的理念使得学校教学呈现多种风格，教师各显其才，校园呈现出“百花争艳”的局面。

对于教师，不管其原来担任什么职务，到附小都要从做一名普通教师开始，然后不断发展、成长为优秀教师。附小的领导也都是从教师中“拳打脚踢”出来的，从来不从外校直接调任。这样的好处是，干部是从群体中脱颖而出的，大家认可；干部自身已经熟悉附小情况，已经了解附小老师，上来就可以开展工作；校长已对干部进行了全面考察，了解其个性和能力，且能上能下，益于合作，益于附小领导班子任期制的常态化。这种做法优化了学校人事管理，易于校领导开展工作，有利于激发教师的上进心。

3. 竞争上岗

学校以慎重的态度对教职工队伍进行优化重组，实行全员聘任合同制。对于学历相对低、精力相对弱的老教师，学校将其调入住宿部，因为那里同样需要善于管理的教学人员，待遇不变。而对于那些不适合在附小任教的青年教师，或转岗或解聘，学校“给时间，留余地，垫台阶”、“一碗水端平”，使这些教师心服口服，愿意服从安排。这种方式强化了教师们的竞争意识和责任意识，有利于教师队伍整体素质的提高。

北大附小实行的一系列人事制度改革，既规范了管理，又为教师们提供了宽松、和谐的发展空间，调动了其工作的积极性和热情，促进了学校管理水平与教育教学水平的提高，使学校逐步形成了成熟的、有生命力的人事管理机制。

牛军娜是一个有着14年教龄教师，调入北大附小不到两年的时间，她一直在观察着这所学校，感悟着这所学校，最后写出《用我的视角带你看——北大附小的与众不同》这篇体会。

用我的视角带你看——北大附小的与众不同

教师　　牛军娜

从小就惧怕写作的我，今天居然有一种冲动，想写点什么……

我是一个工作了近 14 年的数学教师，刚调入附小不到两年。初次踏入附小大门，竟感到这所学校如此亲近，一点儿也不陌生。很多学校都在提倡“家园式的校园文化建设”，而我还未曾真正感受到。就在我踏进北大附小大门的那一天起，我才感受到什么是真正家园式的校园。起初我不能理解大家对我这样一个新人为何会如此热情，而且不只对我，从领导到老师到保安再到临时工作人员对每一位新进入北大附小的老师都以诚相待，相互尊重。他们彼此间也和睦融洽，甚至大家在一起看不出谁是校长，谁是主任，谁是普通老师。后来在一次次的校长讲话中我渐渐明白了，校长的管理理念中最看重的便是“诚”字，无论是上下级之间还是同事之间，无论是师生之间还是老师与家长之间，“真诚”是一切的前提。在举手投足间我找到了我一直向往的那种感觉，我知道，这是我想要的，我决定要在这里奉献……

来附小之前我就听说这儿的孩子不好“收拾”，我心想，在原来的学校我是出了名的厉害，什么样的学生没见过，我带着“自信”，开始了新的工作——我要改变他们。附小的学生非常热情，活泼好动，敢说敢干。第一天上课，班上两个数学课代表就趴在我身边说：“牛老师，您上课讲得挺清楚的，但是得多叫那些不爱举手的同学。”我一愣，没错吧，是学生在跟我说话吧，我怎么觉得像与同事在交流教学经验啊。我还没来得及说话，另一个课代表急忙说：“没关系，您现在还不熟悉，慢慢就好了，有什么需要您说话。”看着她们稚嫩的脸庞，听着她们成熟的话语，我不知应该用怎样的眼光看附小的学生，这一定是在宽松的校园氛围、平等的师生关系中成长起来的孩子。接下来的日子，让我真真切切地感受了附小学生独有的特质。我在思考，我该怎样做呢？严格管理会不会压制了他们的天性，我以前的教育方式可以照搬过来吗？能不能让学生保留他们的“自由”？没想到，我竟然工作了近14年后又会重新审视自己的教育理念，附小的孩子带给了我新的冲击，我原想去改变他们，没想到，我还没开始竟先被他们改变了……

在附小教学楼前的书形石雕上有这样一句话“专心地学习，痛快地游玩”，这是大作家冰心老人的题词，附小的确有这样的校园氛围。老师们不断追求课堂40分钟的效率，课后作业不多，甚至有很多老师不留家庭作业，孩子们有充裕的时间做自己喜欢的事。学校当然重视教学成绩，但并不过分看重，在学生成绩上不给老师过重的压力，用灵活宽松的尺度衡量每位老师的教学水平，最后落到学生身上压力当然不会很大。附小各班的早读内容很宽泛，不做统一的要求，有看课外书的，有读语文、英语课文的，有背古诗的，有在操场上跑步、踢足球的。学校每学期至少要组织学生两次以上外出游玩，让学生走出校园，感受大自然的美，感受到自己是社会中的人。附小的科任老师深受学生们的喜爱，专业的教师、专业的教室，一丝不苟，毫不敷衍的课堂，为学生提供了驰骋的天地，学海无涯，只有让学生真正跨越学科的边界，才能让他们感受到知识的魅力，宇宙的广阔。

进入北大附小，我发现这里有许多男老师。我从小就希望有男老师给我上课，因为男老师有着与女老师不同的特质，他们思维方式奇特，说话幽默，处理问题粗线条，充满着阳刚之气……这些都是我小时候向往的，也是现在我们的孩子非常需要的。在附小的校园里活跃着一支高水平的教师队伍，他们是北大附小的魂。研究生学历的老师在北大附小并不罕见，他们的存在提高了整个附小的教学水平，给老师们带来了思维的冲击。附小的老师是在用心教学，用头脑工作，举个体育老师的小例子吧：你想过在二百米跑道的操场上举行接力赛如何让14个班的学生同时参加吗？还是在这二百米跑道的操场上又如何让近30个班的学生同时进行冬季长跑练习吗？当我亲眼看到那一幕幕时，我惊讶，我感叹老师们的智慧，他们在竭力地服务于学生的发展。宽松民主的校园氛围让每一位老师都能够施展出他们的才华，释放他们的个性，无论年龄大小，每一张脸上都洋溢着青春的旋律，而附小可爱的孩子们便是这旋律中跳动的音符。附小老师的目标是把学校办成国际一流的学校，培养出的学生不仅全面而且有个性，既有很强的独立性又善于与人合作，创造力和想象力非同一般。孩子们在自由宽松的环境里愉快地成长着，他们活跃，但不乏修养；他们竞争，但不乏礼让。

说到北大附小的与众不同，不得不提到一个人，那就是正直、豁达、有魄力、有远见、有魅力的尹超校长。她率领的领导班子与老师们平起平坐，没有一点架子，我们一同在食堂吃早餐，一同说笑，一同享受着在一起的美好时光。校长最看重的是教师团队的发展，她希望每位老师张扬个性，敢于创新；她把能否给老师给学生带来快乐、幸福看的比什么都重要。我们经常能听到校长说："家长选择了北大附小，我们就不能辜负家长对我们的这份信赖与重托。"校长对老师像家人，由于我调入附小时刚生完小孩，校长为了照顾我，特意为我安排了合适的工作，还亲自给我打了两次电话问还有什么困难，让我受宠若惊感动不已。当然校长批评老师时也是"毫不留情"，但事后发现若老师有苦衷就主动道歉，还帮助老师解决了实际困难，如此仗义的校长太难得了。她的管理理念、做人做事的态度都深深地影响着学校的每位老师，而每位老师又将其传递放大，影响着每一位附小的学生。

北大附小是一所令许多孩子都向往的学校，也是一所令许多学生都流连忘返的学校。我已经是这个集体中的一员了，我的工作态度、生活态度因进入北大附小而改变，我在了解着她的过去，感受着她的现在，向往着她的未来……

率先垂范，整体高效

人本管理的实质是保护人的自尊心，激励人的情感，彰显人的价值。学校的风气和氛围既是校长的人生观、价值观和师生观的反映，也是校长工作作风的具体体现。北大附小要实现以民主和谐发展为根本的教师管理机制，校长和管理团队首先要具有民主和谐的理念，要作教师们的榜样。

1. 身先士卒，率先垂范

在一所学校内，凡是要求教师做到的，校长、管理团队应该带头做到，模范执行学校各项制度。为此，学校制定了附小校长“十要”与副职“四忌”，即校长要：虚怀大志，无私奉献，勇于开拓，严于律己，虚怀若谷，任人唯贤，勤政务实，宽于待人，清正廉明，实事求是；副职则要：忌副而“附”，忌副而“负”，忌副而“混”，忌副而“浮”。管理团队以身作则，讲科学民主，求团结进步，拼搏创新，为教职工作出榜样。

在附小，校长言行光明磊落，讲诚信，坚持公正无私，平等地对待每一位教职工，特别是在分配工作、考核评优、晋级升职等敏感问题上，一视同仁，不厚此薄彼。学校总是事先制定并提出标准或准则，交由行政班子和全体教师讨论统一后再实施，以同样的标准来衡量每位教师的德、能、勤、绩等方面的情况，使整个教师群体有一种大家都是“自己人”的感觉。这种做法使校长赢得了教职工的信任，成为大家的知心朋友。同时，校长还要善于倾听，从教师正反两方面的意见中总结经验，随时改进工作。

正是有了校长的率先垂范，北大附小形成了齐心合力、配合默契、协同作战的管理团队，形成了能办事、会办事、办好事、办大事的管理团队；也正是有了这样的校长和管理团队，附小才拥有了一批尽职尽责的教师，他们在民主和谐的氛围下努力为附小的发展奋斗着。

2. 树立公仆意识

从某种意义上说，领导就是服务。校长权力的真正作用就在于服务：为学生的发展服务，为教师的发展服务，为学校的发展服务。所以，校长必须树立公仆意识，这是构建和谐校园的关键。因为校长有了服务意识，才能增强自身的情感意识，才能具有民主作风，进而营造校园的和谐氛围。因此，附小将教职工和学生得到完善的发展作为管理的核心，把为教职工和学生的发展服务作为管理的根本目的。

校长的领导力体现在做正确的事情；中层干部的执行力体现在不仅要做好校长布置的事情，而且要做好该做的事情。最有效的管理是不断创新，管理的最高境界是激励人。也就是说力争达到校长、管理团队和教师都能够自我管理，大家在适当的时间做恰当的事情，让有效的资源成就有效的业绩。

一个能把大家积极性充分调动起来的校长就是一个好公仆。学校管理者努力发掘每一个教职工的独特价值，发现其闪光点和不同点，并加以激励和弘扬，把教师们的工作潜能最大程度地转化为实际效能，成为推动学校各方面工作进步的积极力量。另外，学校还努力去发现每个教师的兴趣、需要，充分考虑教师之间的个别差异，积极调整教育教学管理活动，创造相应的条件和环境，营造适于每个教师发展的空间和氛围；并根据教师的学识个性、爱好特长、能力水平，合理配置，优化组合，人尽其才，整体高效，从而做到最大限度地发挥每位教师的聪明才智，进而促进全体教师和整个学校的健康发展。

附小校长及管理团队的公仆意识、其“心系于民，勤政为民”的精神，在为教师们营造了愉悦、和谐的环境时，也在学校内产生了广泛的“倚同作用”。教师们在校领导精神的感召下，不断约束自我，完善自我，为学生、学校的发展作出自己的贡献。

附小领导的奉献精神以及学校管理机制的改革，为附小营造和谐的氛围奠定了很好的基础，增强了学校的凝聚力、亲和力、向心力，促使教师们用一种感恩和珍惜的心态面对身边的人和事，始终保持积极、合理和自信的心态，向前奋进。

三、人文关怀引领教师幸福成长

波特—劳勒综合激励模型中谈道：“人总是希望达到一定目标，取得一定成绩之后能得到期望的报酬和奖励，得到社会的承认和同事的赞许，如果只要求人们作出贡献而没有行之有效的物质和精神上的奖励，久而久之，人们的奋斗精神就会消退。”所以，学校管理中对教师的激励是不可缺少的。所谓教师激励是指运用各种有效的激励方法去正确地诱导教师的工作动机，从而调动教师的积极性和创造性，通过实现个体自身的需要来最大限度地实现组织目标。附小非常重视激励在教师发展中的作用，创新教师激励机制，灵活运用即时肯定、人文关怀、科学评价、结构工资制等多种手段激发教师工作的积极性、主动性、创造性，促进其不断发展。

及时肯定，不断提升

人都希望被认可，认可是激励教师攀登事业高峰的加速器。附小十分重视对教职工的及时肯定与表扬。为全面掌握教师的教学状况，学校历任校长和领导班子成员的精力都扑在教育教学和学校的管理上。这些使得校长和管理层比较全面地了解了每一位教师的工作态度、教学能力和水平。对于有所进步的教师，学校会及时给予肯定和表扬，使教师感到自己的付出得到认可，有利于激发教师的积极性和主动性；并且学校还会根据教师的能力为教师创造提升的机会，包括福利待遇、职位等的提升，从而使教师时时处于“上台阶”的精神状态。

同时，为不断促进教师的专业发展，学校还为教师建立了成长记录袋作为教师绩效评估的依据，将教师在教育教学过程中反映其成长发展的资料，包括学历、职称、优秀的教案设计、精彩的教学实录和教学案例、课题研究的情况与论文、教学反思、个人才艺作品、获得的各种奖励等都存入记录袋，定期展示。学校每年还把教师的论文、教学案例结集成书，供教师间交流。学校鼓励教师通过实际的调查研究，如向学生发放调查问卷，以实证的方式将自己的教学经验加以理论总结，从而不断提升个人在教育教学上的理论水平。

人文关怀，激发热情

关心和被关心是人类的基本需要，在人生的每一个阶段，都需要被他人关心，随时需要被理解、被接受、被认同。学校管理者对教师的人文关怀同样会激起教师巨大的工作热情。附小管理者就做到了这一点，给予教师全面的关怀。学校领导随时随地、全方位地关怀教师，不但关心教师的教学工作，还关心教师的生活、关心教师的发展。学校处处以人为本，为教师做好服务工作。

1. 关注教师的身体健康

学校定期组织教师体检，请专家作健康保健讲座，强化健康意识。工会开展健身活动，举办教职工运动会，参加北大举办的教工团体操表演和文艺演出等，丰富多彩的活动，使教师享受生活，强健体魄。

2. 关注教师的心理健康

由于长时间和高强度的工作，焦虑、抑郁等同样会侵蚀教师心灵，造成烦躁、失眠，甚至心理失衡，有时直接影响工作，造成师生关系紧张，如不解决，就会恶性循环。除了积极的思想工作外，他人关心、自我调节是很重要的。学校请来北京师范大学教育学部钱志亮教授讲《排解教师压力》，北京师范大学心理学院刘汝德教授讲《解读教师》，指导大家自行排减压力，保持好心情。

3. 关注教师的社会健康

教师是社会群体中的一部分，在社会中有自己的角色和交往特点。学校请理财专家作《理财知识讲座》，指导教师治家理财；关注教师日常生活中人际关系的和谐等。

总之，附小校长和管理团队用“心”关怀着学校的每一个人，用“心”体贴着每一个人，用“心”理解着每一个人；关心教师的内心体验、情感、个性、人格的发展，关心其工作、疾苦、家庭……当“关心”成为每个成员的共同行为准则，生活在这个集体之中的每一个人会感到一种安全，会得到心灵的慰藉，也会从内心流淌出爱的暖流。这种无微不至的关怀将会换来教师的真情回报，会使教师从感动到激动，直至完全投入到工作中去。

科学评价，促进发展

时代的发展向教师评价的功能提出挑战，评价不能只是进行甄别、选拔，评价更重要的是为了促进被评价者的改进与发展。教师评价本身不是目的而是手段，即通过评价建立激励机制，激发教师工作的积极性，促进教师的专业成长，提高教学质量。

在教学管理中，附小创新评价机制，对教师的评价由传统的以评价所教学生的学业水平为主的模式转变为全方位、多角度、定性定量相结合的评价模式。学校将评价的基本出发点定位于：倡导敬业精神、探索精神、创新精神；帮助学生树立学习的信心，提高学习的兴趣；通过新观念、新方法的引入运用，使课堂教学的每一个环节和流程更有助于培养学生思维的创造性，使学生的学习更具有探索兴趣，促进教与学双方良性互动提高；注重教学活动结果与过程的统一；关注教师情感、态度、人格等的发展。每学期期末，除了让教师自己对所教学科和班级的学业成绩作定量和定性分析外，我们还对教师撰写的论文、发表的文章、辅导学生获奖、学困生的转化、社会兼职等进行较详尽的统计，并根据奖励制度进行精神和经济上的奖励。评价内容的全面性与评价方法的多样性使具有不同特长的教师都能充分发挥自己的长处，都能享受到成功的喜悦，激励其不断努力，给予其创新的动力。

同时，学校还实现评价主体的多元化。除了学校管理人员外，学校还强调同行教师、学生以及教师本人对教师活动的评价，重视沟通、交流，重视自觉、自我评价。对教师的考核，学校只是模糊地分为“合格”与“不合格”。在期末总结评先进时，让教师客观地摆出自己的业绩与不足，观察其他教师的优点和长处，并向其学习。评价主体的多元化体现了教师的主体地位，使教师积极地对自己的教育教学活动进行反思，不断地对自己的活动进行自我修正、自我完善，学校的教育质量也因此得以提高。

学校这种科学的评价模式使教师们能感觉到自己在一天天进步，感觉到自己越来越得到领导、同事和学生的认可与尊重，使其心情舒畅，有了进一步发展的动力。

绩效管理，实现公平

结构工资制是为了加强学校管理，提高教师工作积极性，将教职工工资待遇与其岗位职责、工作数量和工作绩效挂钩的一种管理制度。它打破了以往的平均主义分配方式，实行按劳分配、多劳多得、优质优酬的分配原则，工资收入与个人的贡献紧密挂钩，形成有效的激励机制。这种随个人贡献大小而上下浮动的增长机制，不仅使这种工资制度具有激励作用，还具有约束和调节功能，有助于调动广大教师的积极性。因此，附小除了对教师进行精神激励外，还很重视这种物质激励的作用，在校内实施结构工资制。

在校内结构工资方案制订上，由于其涉及每一个教职员工的切身利益，学校坚持科学和民主的态度，通过深入细致的调查研究，调动全员参与，几经修改，稳步推进，使工资方案符合实际、尽量公平。在结构工资制实施上，学校对各类人员分别量化、分岗算账、分项记钱、综合计算，按月向教职工发放工资。对先进组和个人一、二、三等奖条件明确，数额清楚，同样对违规事宜、扣除金额也明文规定。

明确的规定、合理的结构工资为附小教师建立了一种长效的激励机制，通过经济杠杆激发教师们不断努力，引导其向着愿景前进。

体制创新推动着教师发展。附小经过校本培训制度、教师管理体制及教师激励机制的改革，极大地调动了教师各方面的积极性，使其不断提高自身素质，附小也因此涌现出一批高素质的教师，学校教学质量更加辉煌。目前，北大附小教师整体力量雄厚，其专业精神、专业道德、专业情感、专业知识和专业技能都是很优秀的，他们以全心全意为学生发展服务的高尚师德、真才实学、独特的教学风格和特色施教，在社会上享有很高声望。北京市、海淀区、西苑中心学区三级学科带头人在教师中占很高比例。青年教师融入学校后，能在较短时间从新手教师发展为成熟教师，更进一步达到资深教师的水平。北大附小成为会聚和造就优秀教师的基地，成为不断产生新思想、新理论、新经验的学术殿堂。

但是，面临着不同的人、不同时代的需求，教师需要不断有理论上的突破、实践中的升华；附小“国内领先、世界一流”的办学目标的实现亦需要学校教师队伍整体素质的不断提升。因此，加强教师队伍建设是一个永不停歇的工作，附小在这方面还需要付出艰辛的努力。

第七章 六种角色诠释校长领导力

对于学校发展来说，校长具有不可替代的作用，所以有人讲，有一个好校长，就有一所好学校。校长对学校发展的这种特殊作用，首先是因为校长是学校权力的核心。权力是职位的产物，一个人一旦成为校长，那么职位本身就赋予了他或她一定的权力。但是，任何一位优秀的校长或成功的校长，都不是单凭职位上赋予的权力管理学校，而是靠领导力领导学校。领导力并非完全附着于职位上的，校长领导力和校长职位权力并不等同，校长只有在获得全校教职员工认同和拥护的基础上，才具有领导力，否则只是权力。

校长领导力是权力性领导力和非权力性领导力的统一。现代学校领导理论突出了校长领导的主要功能是影响力，也就是通常意义上校长在教职工中的威信以及对下属的感召力、号召力和支配力。权力性领导力，指的是由组织赋予的要求被领导者服从的影响力，其核心是权力，是一种强制性的影响力。非权力性领导力，指的是领导者的品质、作风、知识、能力、业绩以及行为榜样等非权力因素对被领导者形成的影响力。这种影响力表面上并没有职位权力那样明显，但实际上它常常能发挥权力性领导力所不能达到的作用。以下即为北大附小校长尹超用六种角色诠释的校长领导力。

长期教育一线的工作实践，8 年校长的亲历感受，让我认识到，校长能不能领导好一所学校关键看其领导力如何。领导力较弱的校长，把握不住工作全局与重点，学校发展目标不明确，不能较好地协调人际关系，使学校内部矛盾重重，教师工作消极，校长无法感召、激励教师，每天都是毫无头绪的奔忙，学校工作打不开局面。反之，领导力较强的校长，能够运筹帷幄把握全局，富有远见，能开发出清晰的未来愿景，确定前进方向，并善于把这种远景规划与下属进行交流。能够创设一种情境，使他人心情舒畅地在其中工作，或者跟其在一起时，他人能够感到开心。教职工都有一种归属感和使命感。因此，校长领导力直接关系到学校的工作效率及领导效能。

我是土生土长的北大附小人，2002 年，在老一辈北大附小人爱戴与关怀下，承担着北京大学领导的重托，带着全校教职工的期许，走上

图 18　北大附小现任校长尹超

了北大附小校长的岗位。说实话，走上校长这个岗位，我心里是沉甸甸的，因为我清楚，这既是一种荣誉，更是一种责任。

北大附小作为世界著名的北京大学附属小学，如何把它建成与北京大学相匹配的“国内领先、国际一流”的学校？如何改造 50 年没变的陈旧校舍？如何在继承学校传统上又不断创新发展……一系列问题摆在我的眼前。那么，面对挑战，作为一校之长，我该如何扮演好的自己的角色，从而充分发挥领导力呢？

一、胸怀全局的领航者

作为校长，要站得高些，看得远些。我走上校长岗位后，做的第一件事就是统一思想、鼓舞和凝聚人心、为北大附小的未来发展勾画蓝图。因为我深深地懂得，校长不仅仅是一个管理者，首先应是一个思想的领导者。这样才有可能营造一种积极向上、和谐温馨的心理环境；才有可能形成人人参与、事事关心、力求完善、追求卓越的文化特征；才有可能使校园成为凝聚力强、向心力大、上下目标一致的精神乐园。

受北京大学源远流长的民主、科学、进步思想的熏陶，北大附小几十年来十分重视人文思想。早在20世纪80年代初，学校就提出“教育不仅是为了学生的今天，更是为了学生的明天”的办学理念。90年代，学校又把办学思想总结为“全面贯彻党的教育方针，力求通过民主和谐的学校管理、自主探究的课堂教学、丰富多彩的课余活动、以美育人的校园环境，创设宽松充实的学校生活，最大限度地开发学生的资质和潜能，使之具有良好的品德和个性，身心健康，快乐地学习和生活，为持续发展打好基础。”

2002年7月，学校新一届领导班子正式换届，为了统一思想、达成共识，我们在河北省南戴河召开了3天的教职工代表大会，会上确立了学校五年规划及奋斗目标。在继承发扬北大附小先进的教育理念和光荣传统的基础上，紧跟北京大学“建设世界一流名校”的发展目标，确立北大附小“国内领先，世界一流”的办学方向及“以人为本，和谐快乐发展”的办学指导思想。同时，我们明确指出，要实现这个目标就必须“解放思想、实事求是、与时俱进、开拓创新”。要把这种共同理想或核心价值内化为我们的行为准则。在发展上也必须有我们的战略选择，做到有所为，有所不为。

以“国内领先，世界一流”的办学方向，以“以人为本，和谐快乐发展”的教育理念为办学指导思想，并以“夯实基础（硬件、软件）”“苦练内功（德、勤、技、能）”“广泛汲取（博采众家之长。他山之石，可以攻玉。取人之长，补己之短，借鉴别人的经验，不断创新。）”“韬光养‘慧’（收敛锋芒，滋养智慧）”、“蓄势待发（积攒智慧能量，再创辉煌）”这20字作为2002—2006年五年工作指导方针。在2007年教职工代表大会上，我们认真地总结和回顾了学校五年来的发展，针对成绩和问题，对学校未来五年的发展又提出了“抓细节，促内涵发展；搭舞台，推名师梯队；拓视野，与国际接轨！”新的24字方针，将此作为下一个五年的发展目标和规划。我们就是这样不断与时俱进，根据时事的变化发展，调整我们的目标，跟上时代的步伐，作出超前的规划。

实现学校的发展目标，必须走和谐发展之路。学校的和谐发展，就是要真正地坚持以人为本，面向全体学生，树立全方位育人观；使学生受到充分的尊重，在自由愉悦的氛围中全面发展而富有个性，享受学习，同时具有深厚的人文素养；教师得到公平的对待，在宽松民主的环境里，通过合作增强竞争能力，挖掘潜能，展示自我，在辛勤的工作中得到快乐，获得自豪，并拥有享受生活的能力。

学校的和谐发展，必须是充满活力的。畏首畏尾，一事无成；故步自封，满盘皆输；鼠目寸光，必遭淘汰。因此，我们是理直气壮谋发展，千方百计打开校门，接受八面来风，让学校始终处于向上发展的涌动之中。学校的和谐发展，必须是协调有序的。要遵守法纪法规，遵循教育规律，适应社会现实，探索发展之路，最终目的是为社会服务。

二、脚踏实地的追梦人

我出生于20世纪60年代，1984年在师范学校毕业后，被分到了北大附小，从此与北大附小紧密相依，20多年没有离开过。从语文教师、班主任、语文教研组长、年级组长、教学副主任到2002年，我走上北大附小校长岗位，每一步，都走得很踏实。北大附小是我耕耘教育的沃土，也是我发挥才智的舞台。

北大附小是北京大学的子弟学校，其前身是京师大学堂附属小学堂，有着深厚的人文底蕴和历史积淀。耳濡目染北大的风气，北大附小一贯秉承北大兼容并包的学术理念，自由民主的学术精神。但是与近些年蒸蒸日上的北大相比，附小的发展却稍显滞后，平房漏雨，楼房塌角，上课时分，天花板坠落；全校2000多名学生挤在6个不同区域做操，体育课上学生只能围着教室跑步。这种状况严重制约了学校的发展。看着50年未曾改变过的校园，我的心隐隐地有点痛，改造校园环境，建设一流的硬件环境，成为我必须要跨越的一步。

自筹资金新思路

大规模的整体改造，一体化的建设，需要大量的资金投入。2003

年，通过北大 6 天的中层干部会，我深深地感到，北大要创建世界一流大学，处处需要钱，为了筹集资金，大学领导已经殚精竭虑。所以改造附小校园，指望大学全部投资是不可能的。但是学校要发展，我们不能等，我们没有时间等待；不能怨，埋怨无济于事，而放弃则是庸人哲学，唯一可行的就是我们应该主动出击，去寻找自己发展的空间和资源。我们要走出井底，跳出去、蹦出去、闯出去，去张开我们自己的大网，去开辟我们自己的一片天地。

该花的钱要花，该办的事要办，我们要广开渠道，多条腿走路，也可以花未来的钱，办我们现在急需的事。如果我们还抱着老观点等着上级拨款，或攒够了钱再办事，那我们终将被淘汰。我反复思考调研之后，认为在市场经济的大背景下，依靠我们的品牌效应，自筹资金改造校园是有可能的。如果我们墨守陈规，将永远望洋兴叹！校长和班子的同事们付出了更多的热情、激情和勇气，精诚所至，金石为开，北大领导批准了附小改建计划，建立了附小发展基金会；七部委也明确批文，北大附小自筹资金改建校舍。从 2003 年 2 月开始，我们经历了无数不眠之夜，参加无数次会议，其间的辛苦与辛酸难以尽述。但是，我们深信，只要努力就会有收获。

依树建校新设想

北大附小历史悠久，校园里有许多国槐、栾树的树龄都在百年以上，我们觉得这些古树是学校的财富，在建校过程中要保留下来，所以我们提出新校舍必须依树而建。细心的人都会发现，北大附小现有的建筑都是不规则的。在整体风格上，北大附小沿用了北大建筑的特点，以青灰为主色调，彰显着古朴、深厚、凝重、典雅的人文气息，同时，又为其注入了现代的生机和活力。我们还别具匠心地设计了“校园十二景”—— 奇石萌发、南极标赞、励志箴言、古松情深、乳燕初飞、百草嬉戏、五色沃土、水墨柽柳、海棠春韵、翦老故居、王家花园，错落有致地分布于校园之中，与北大的“一塔湖图”遥相呼应。

生态建筑新尝试

北大附小在全国的学校中率先建起了 4000 平方米的生态楼，学生们一年四季不出教室就能呼吸到清新的空气。对于新校舍的建设，我提出的一个基本原则是：即使新校舍不能保证在 50 年内不落伍也要保证在 20 年内不落伍。

知道我们学校的这个设想后，设计师向我们提出了建设生态楼的建议，而生态楼建设多数还处在研发阶段，当时只有吉林省长春图书馆进行了尝试。面对生态楼的种种诱惑，我决定要在北大附小建生态楼。而这个决定却在学校引起了巨大的争议，争议的中心问题有两个：一是资金问题，建生态楼要多花好多钱，二是建成后万一达不到预期的效果怎么办？面对激烈的争论，我考虑再三还是坚持了原来的选择。如果说有压力，那么压力最大的应该是校长了，因为如果出现什么问题，要追究责任，那么作为学校的校长，作为学校的法人，我首当其冲。但是我认为职、责、权是统一的，所谓在其位谋其政，既然选择了做学校的法人，就注定要为学校担责任，如果怕担责任，怕有压力，就不要在这个职位上，在这个职位一天就得负责任一天，不能因为怕这个怕那个而畏首畏尾不敢前行。可能墨守成规是最安全的，但是在校长这个位置上不能仅考虑学校的当前，还要为学校的长远发展规划作打算，不能因为资金的压力和需要承担的一点风险就退缩。现在多投资一笔钱建生态楼，不仅能保证附小的校舍在未来几十年内不落伍，而且能减轻后继附小人的工作负担和经济负担，难道这个风险不值得冒吗？至于我们可能会失败的问题，我认为，做任何事情都是需要冒一定风险的，如果我们连尝试的勇气都没有，那么百分之百是不会成功的，所以我们要做的不是担心会不会失败，而是尽最大的努力降低失败的概率。

这个过程当然很累很苦，压力很大，但是因为有梦想，我们始终坚信一切都会好的。那段时间，我几乎每天都六点半左右就到校，图纸、设计这方面的知识我原来一点都不懂，但学校的图纸我一张张地看，光笔记就记了 4 大本。我坚信：责任不怕，压力不怕，怕的是不肯下工夫，不肯坚持，不肯吃苦。

内部设施创先进

为了适应现代化教育发展，学校又投入巨资改善内部设施。完善的校园网保证了师生信息的畅通无阻；每个教室配置的液晶电视和电脑实投，使老师教书更方便，学生学习更便捷；专门用于国际交流的 GKE 教室凸显着现代时尚；28 个专用教室把孩子们带进色彩缤纷的知识世界；现代化的小讲堂更是为教师开展教科研活动提供了方便的场所。

精心打造重细节

北大附小作为北大的子弟校，应该和北大有着一样的氛围，所以我们决定把学校建成古朴、典雅与现代相结合的学校。在建校的过程中我们投入了很大的心血，单是瓷砖颜色的选择我们就很下工夫，北大整体上都是灰色的，但我们毕竟是小学，又不能太死板，所以我们在 10 多种灰色中进行选择，最终选择了现在这种亮灰色。在设计的时候曾有人建议我们，要建成七彩光的，但是都被我们否决了，我认为学校应该有学习的氛围，应该能体现安静的一面，是内在的东西使学生阳光活泼。同时，我们保留了学校原来就有的红色廊柱。这样，既与北大整体的灰色调保持一致，又使整个学校不失活力。

学校还分三层次精心设计了“墙壁文化”。院子里每幅电脑合成壁画和体育造型图的人物形象都取自于本校学生，蕴涵着我们对育人的追求；楼道内四幅大型水粉画和与之搭配“四育赋”，对同学们“知”与“行”提出明确要求；走廊和教室墙壁张贴着学生们的各种作品，给孩子展示自己的天地。同时我们让古树“开口说话”、花草宣传“环保”……使校园成为无声的老师。

在学校建设的过程中，我们精心规划每一个布局，楼房高度、教室宽度、讲台弧度、教室应有多少插头、网线以及鞋柜、书柜等，每一个细节都倾注了心思。我们创造性地使用地砖铺教室的墙，因为地砖容易擦洗，这样孩子们可以在上面随意地展现自己的作品，不用担心损坏教室环境。

三、统筹谋划的经营者

如何扬长避短，充分利用我们得天独厚的自然资源和人力资源，把它进行重新整合、整体规划，把北大附小办成一所与北京大学相匹配的国内领先、国际一流的小学是我上任后首要思考的问题，这也成为学校领导班子及全体教师矢志不渝的追求！我一次又一次地憧憬着要让孩子们在宽敞明亮、安全的教室里读书，在平坦的塑胶操场上奔跑跳跃，在花园般的校园里畅谈理想，在图书馆的书海中徜徉，要让老师借助最先进的设备与世界同行沟通，要让校园成为师生们舍不得离开的地方！

学校要发展，必须要有强大的物质基础作保证，在目前市场经济条件下，没有雄厚资金的支持，就不可能有一流的附小。面对巨大的经济压力，我平静地算了一笔账：1 万多平方米新教学楼的建设，仅外结构就不少于 3000 万，那么内部还要添置一流的教学设备，包括多功能厅的设备、计算机、网络等，没有 1000 万拿不下来；3 栋教授小楼虽都归附小使用，但已成文物，必须保护，至少 300 万；旧教学楼的改造，包括内外装饰、严重超载的电路改造，没有 1000 万拿不下来；再加上我们还要翻建旧平房，建标准的塑胶操场，这又需要 1000 万；顶层轻体房的重建，二层周转房的建设，西南角库房、体育办公室，北面库房、工厂厂房建设，拆除 3 排库房、危房，花掉 200 万。所有这一切，如果没有七八千万资金的支持，我们所有的志向、理想就会成为空想和幻想。

虽然理想和蓝图美好，但摆在面前的现实却是真正地近乎到了残酷无情的地步：“钱”从哪来？8000 万啊！一笔不小的“天文”数字；“地”从哪来？寸土寸金；“政策”从哪来？遗留十年的问题，岂是一日之功！为了早日改变学校面貌，我满怀深情地一次次地给大学校长打报告，找有关领导汇报、沟通，让他们了解附小的现状，周边学校的发展，目前中小学的状况，我们的思考、追求、憧憬与渴望，并承诺不要大学一分钱自筹资金对50年未变的附小进行彻底改造。

我们的执著终于感动了北大领导，2002年12月31日学校的申请得到了批准，兴建11 666.6平方米的生态教学楼及学生宿舍楼。2002年暑假，附小二层周转房开始动工，于11月完工。此周转房共8间教室，为附小新教学楼及宿舍楼施工期间的周转教室，以缓解附小用房的压力。6月底至9月上旬，附小拆除了近700平方米的危旧平房，只根据需要在原址新建了300多平方米的新平房，其余一部分作为操场，扩大了学生的活动空间；另一部分进行了绿化，美化了校园环境。经过此次整改，附小校园变得宽敞、通透、整洁。

自2003年2月20日开始，我亲自参与了50多次有详细记录的与基建工程部、水电、园林协调会，解决了外线电缆、树、电、勘探、人防、两栋小楼、消防通道、地下管线、雨水的排向、规划方案、地质勘探、初步设计、初步设计概算、变电室的协调、暖沟、通风、天然气、上下水管的改造、29号小楼及附小4排旧平房的拆除、报批等问题。期间亦同航空设计院召开了协调会，解决了总图问题、接建部分、厨房货梯、厨房的流程及各种厨具的摆放、食堂增加一个小食梯、中庭玻璃（必做防火玻璃）、学生宿舍、多功能厅、地下室、屋顶暖房、大晒台、淋浴采用太阳能、教学楼电梯、配电室、古树测量与保护等问题。此后，附小拆除了教室10间，办公室5间和传达室，粉刷了42号小楼。

学期末，由于面积超标，大家奋斗了一年眼看就要开工的新楼，迟迟拿不到规划许可证（春节前只拿到了新楼部分，接建部分被卡下），这时区消防局又提出不同的意见，使工程陷入困境。当时我真是又气又急，马上召开班子会，通过紧急应对措施，利用假期各个突破，终于在2003年3月16日拿到了所有规划证。接着报批建委等待开工证，协调水、电、园林、资产部、力学系拆除旧供电中心，做好开工前的一切准备。虽然我们没有决定权，但我们积极参与北大附小工程招投标的全部过程，明确提出我们的要求，据理力争，最大限度地维护了学校利益。由于在招标之前就与3家建筑单位签订了让利协议，开标后为整个工程造价节约了50万元。终于，使附小人盼望已久的工程在2003年6月2

日得以破土动工了。

接着，我给大学各位校长、书记、有关领导打报告，动之以情，晓之以理，从不同侧面阐述新教学楼与旧楼改造，同期改造、分批施工的重要性与必要性以及附小人办国际一流小学的信心与决心，争取大学领导的理解、支持与帮助。给规划部打报告，提出我们旧楼改造的方案，终于在 6 月得以批准，推进了学校整体规划、彻底改造的进程。同时我们又对学校的内部设施投入近 1000 万元，进行了彻底的更新换代，使之更好地服务于教育教学。经过 15 个月的奋战，终于使 50 年未变的附小硬件设施达到了国内和国际先进水平。

我们深知，这是一次校园环境的重塑和校园文化的再造，全校师生都格外珍惜。无论是外立面的设计，还是内部设施的配备，我们都进行了精心的构思，以将其办成一所与北大相匹配，既古朴典雅、充满人文色彩，又具有现代气息的一流小学。特别是我们要以此为契机，重新审视、挖掘、打造北大附小的文化内涵，营造独特的校园文化氛围，创设一个温馨舒畅、处处体现儒雅、充满人文色彩的校园文化氛围，让师生在处处充满人情味和浓浓的文化气息中感受校园精神的滋养和文化底蕴的积蓄，使学校成为教师成长、学生求知的乐园。

改造校园落后的面貌，建设和谐美丽、适于师生成长发展的新校园，其过程充满了艰辛，庆幸的是由于我们的坚持和努力，我们最终成功了。2005 年新学年，学生全部搬进了被誉为全国第一座生态教学楼的新楼上课，一年四季不出教室就能呼吸到清新的空气。一幢幢蓝瓦灰砖的教学楼掩映在在苍松翠柏中，典雅、凝重，传统与现代在这里得到了完美的融合。当你欣赏着青松白杨，踏着青砖铺地的幽静小路步入附小，就会感到一份天然的绿色，一份自然的美丽，一种激动人心的沉醉和骄傲。

亲身感受着学校的变化，老师们感慨地说："以前不敢想、不敢做的事，短短这几年，全都想到了，也做到了。"孩子们像一群群欢乐的小鸟，在迷宫般的大楼里转来转去，眼睛发光。

四、以人为本的黏合剂

秉承着北大民主、科学、开放的办学理念，北大附小始终坚持以人为本，实行以“人和”为契机的宽松、民主、和谐的管理模式，坚定不移地实行校务民主，努力激活和优化内部管理机制，精心打造情系附小的团队精神，用科学的评价带给教师自信和快乐，让每一个教师都能实现自己的人生价值。在北大附小，每个人都是独一无二的，没有一个人是最重要的，附小是我们共同的家。

真情为人

作为校长，我把“情”作为联系学校教职工的最大法宝。让人尊重的办法有很多种，唯有因为真情付出而收获的尊重才是永恒、持久的。情是可以传染的，当彼此间都有了真情，就会产生感动；感动多了，就会形成一种情感场效应，即感动效应。真情的牵系造就甘于奉献、团结一心的团队，这样就能奏出美好和谐的学校交响曲。非权力影响、自觉自愿、自然而然、不遗余力的持久性敬业、奉献，形成北大附小独特的群体氛围，对每一个成员都产生磁石般的吸引力。真情管理，感动化人，真正实现了“黏合剂”的作用，把北大附小的教师紧紧团结在一起，为北大附小的发展无私奉献。近年来，没有一个老师主动离开，有即将退休的老师激动地说：“换了这么多届，只有这些年我不想退休。”

正人先正己，要树立良好的学校风气，校长一定要正，有正义，以身作则，公平对事，平等待人，用欣赏的眼光真诚对待每一个人。我觉得我和学校每个人一样，只是北大附小普普通通的一员，校长的位子是别人给的，随时都可以被拿走，所以没有什么值得炫耀的，或是高高在上的。在山东威海举行教代会时，我没有校长的“威严”，和老师们一起“疯狂”，见有一个临时工悄悄地躲在队伍后面，我拉起老师傅的手，一起唱歌跳舞，让他融入到队伍中来。我之所以这么做，是想让每个人都能感受到集体的关爱，无论是临时工还是正式职工，只要在北大附小就是我们北大附小的人。我的工作需要同事的支持与帮助，我希望工作在一个温暖、真情流动环境中，我相信学校的每一位老师也都有这样的愿望，所以我们应该共同打造这样的环境。附小是我们大家的附小，我们每个人都是其中不可缺少的一个因子。正是因为有了这样的理念，我们坚持在工作中实行民主，大家的附小大家管理，没有该与不该的问题，只要是适合的，只要是为了附小的发展，每个人都有责任出谋划策。

虚情换假意，真情换真情，校长真诚对待每一位教师、员工，教师和员工也会真诚待你，会处处为你着想，为你分忧解难，所以想得到什么就付出什么。我喜欢附小有家的感觉，喜欢每位老师都把我当做亲人、朋友的感觉。有的老师对亲人不可言说的隐私，我愿意满怀同情地听她倾诉；有的老师家庭不和，深夜两点给我打电话，我立即驾车赶去调解；有的教师出现心理障碍，我几次三番家访谈心，使其重新振作起来……每个人的天空都不会永远晴朗，有喜有忧，有笑有泪是正常的。但是对教师心灵的哭泣、灵魂的无助，只要发现，我就一帮到底。对个别老师，即使批评、处分乃至劝转，均求做到以情感人，以理服人，使之心悦诚服；即使离开附小，仍对附小保留美好的回忆。我还倡导教师之间也要宽容、理解、信任与合作。我们不仅为自己的成功而拼搏，更应为别人的成功而快乐，一方有困难，个个肯支援。“真情”二字把我们联系在一起，全校上下一条心，无须行政指令，全校一盘棋。2005年，临时工赵师傅不幸罹患食道癌，全校教职工一天内为其捐款3万多元，凑齐了手术费用，感动得赵师傅热泪盈眶地说：“北大附小就是我的救命恩人!”

真诚待人，换位思考，设身处地为每一位老师着想。曾经学校一批老教师的工作问题很让我犯难。由于时代的变化一批老教师不得不离开一线岗位，虽然他们很勤奋、很努力、很敬业，但是社会的原因他们只有初中文化水平，而且年龄的原因使他们也不太可能去学习新的理念。但是他们却把自己的一生全奉献给了附小，如果这时候因为要调整师资队伍就把他们退下去，在我看来这是一件很不人道的事情。在这样的年龄让他们退下去，他们很难再找到一种新的谋生方式，那么他们怎么生活，靠什么来维持生活？做人做事都不能无情，不能绝情，我们应该为他们负责。于是经过讨论，我们在学校建立了寄宿制，让老教师担任寄宿制学生的管理老师，这样终于圆满地解决了老教师的工作岗位问题，而且保持他们的待遇不变。在新的岗位上，老教师不仅一如既往地做好本职工作，努力为学校付出，而且还经常主动值夜班，减轻年轻教师的负担。这又一次使我们感到真诚是相互的，你真诚待别人，别人也会真诚待你。一位老教师感慨地说，该想的校长都帮我们想到了，我们还有什么可说的，只能尽最大的努力来工作。

为教师发展助力

学校把教师的发展作为管理核心。为教师创设平等竞争的擂台，搭建展示才华的舞台，打造信息交流的平台。为每一位教师的发展创造条件，规划蓝图。强调教师根据自己的特质，选准突破口，努力成为独一无二的自己。

首先，创设一种民主、宽松的人文氛围，使教师乐于成长。引导教师在教学教研中享受工作的乐趣，启发教师从孩子快乐的微笑、家长感激的目光、一堂得意的好课、一份获奖的案例、数次失败后的顿悟、开卷有益的偶获中感受成功，体会快乐！教研中提倡百家争鸣，百花齐放，各抒己见，畅所欲言。一位青年教师在参加完一次全校研讨会后写道：“今天的研讨会真是让我受益匪浅。‘新教学’如同每一位老师心中最美的画卷。大家时而为一个教学亮点拍案叫绝，时而为一处教学设计激烈辩论，时而为一个观点质疑沉思，时而为个性鲜明的主观感受频频点头。大家‘敢言’更‘乐言’，新视角、新观念，可趋同亦可求异，在自由漫谈、相互启迪中句句‘真言’更是令人动容，让人汲取，给人思考，催人奋进!”这样把教学研究的过程变成开放、群言、探究的过程。我们坚信每一位教师都是一座心之芳园，而孕育这心之禾苗茁壮成长的沃土是民主科学开放的研究氛围。

其次，以人为本，努力促进每个人提升，激励和帮助教师实现自我成功。我和学校领导班子成员，每学期无论多忙，听课都不会少于100节，做到对每个教师的业务水平心中有数。我们为每一位教师的发展创造条件，规划蓝图，为他们充分发挥自己的潜能、形成自身教育教学特色出谋划策。我们强调教师根据自己的特质，选准突破口，努力成为独一无二的自己。我们的教师不是要“照亮别人，熄灭自己”，是要在照亮别人的同时，闪烁出更加明亮的光芒！

我们不断提高教师更新观念和知识、学习实践教育教学理论的自觉性，推进教师的专业化，在推进教师专业化的过程中我们采取了以下措施：一是充分利用榜样的力量。树立了俞涛、郭琼等“学习型教师”榜样；二是布置理论学习作业；三是动用激励杠杆，对论文获奖者给予奖励；四是物质保证。图书馆配置大量图书，每个教研组都配教学杂志，教师个人配备电脑图书系列、词典、字典等常用书籍，我们的原则是“只要对提高教育教学水平有好处，费用保证需求”；五是创造各种学习机会。我校组织教学研讨会、论文交流会、校本优质课交流等大型教科研活动十余次，有效提高了教科研水平。一批又一批的教师赴外省市、外国进修学习；学校充分利用GKE教室多次请来美国教育专家弗劳伦斯亲自给孩子们上课，使中外教育思想、教育观念发生碰撞。同时请张思明、赵谦祥、窦桂梅等中小学特级教师到校讲课、座谈；充分利用北大资源，请历史学家到校介绍中国的文化史，请经济学博士对当前中国经济形势进行分析，以帮助老师近距离接触最新的思想知识，营造高雅文化的氛围。

我们坚持激励教师学习和提高必需的业务技能，持续不断地进行信息技术培训，中青年教师都通过了计算机模块考试，还出现了一批电脑高手；英语教师不止一人口语高达十级，非英语教师也有一批通过国家四、六级考试。我们还注重发挥骨干教师在学校教科研中的重要作用。特级教师每周要做两节公开课，市区学科带头人每学期要做公开课，他们的风格百花齐放，给我们的教坛带来缕缕春风，促进了全体教师的发展。在教师中形成了浓郁的学习氛围，每个任课教师都努力投身到教科研中。教师的理论学习笔记、论文、案例每人平均3万多字，论文获海淀区、北京市和国家级奖项以及在正规刊物上发表的有百余人次。几十名青年教师在区市级评优课中获奖。

多为教师生活着想

我们都希望过着幸福快乐的生活，可家庭中总是会有矛盾纷争，工作上总会有烦恼，这些不可避免的事情会影响我们的生活质量和工作质量，所以无论是真心、发自肺腑地关心老师的生活，还是怕老师的坏情绪会影响工作，我们都应该关注教师的生活，关心老师立体、多面的生活。伍德罗·威尔逊曾说过："领导者的耳朵必须听到人民的声音"。校长应该倾听老师的声音，了解老师的需求，追随可能出现的问题，及早采取措施，满足需求，解决问题。

一个好校长可以带好一所学校，但是具体工作是教师来做的，所以教师是学校的支柱，校长要保证每位教师都能全身心、快乐地投入工作中，使每位教师都有责任感，觉得自己有价值，此外，校长还十分注意教师心态的调节与健康。我是从语文教师、班主任、语文教研组长、年级组长、教学副主任到校长一步一步走过来的，所以我知道老师有怎样的困惑，需要的是什么。曾有一段时间，学校一些老师受社会影响也热衷于炒股，面对这样的情形，我没有强力阻挠，反而请专家到学校给老师做关于炒股、理财的报告，老师们听了都很高兴，而此后，工作时间内再没热衷于炒股的了。面对时不时出现的新情况，我们只要以关心老师为本，就一定能想出合情合理的解决办法。

我的基本理念是希望我们的教师不仅仅是知识的传播者，而且是"文化的使者"，是指引学生"终身幸福的播种者"。在教学中，教材与学生、学生与老师将不是生命与符号的相遇，更不是生命与逻辑的相遇，而是通过文字，通过课堂，生命与生命的相遇。教师应以人为本，引导学生积极解读文本，质疑文本，在与文本的心灵碰撞中体验人之为人的一切：爱与恨、笑与泪、幸福与苦难、短暂与永恒……我们希望通过我们的努力，帮助学生塑造优美、高尚的人格，使他们将来成为推动社会进步的骨干力量。因此我们的老师首先应是一个幸福而阳光灿烂的人，是一个具有高尚人格和有生活品位的人，是一个视野开阔而充满活力的人。因此学校在管理中有意识地引导教师从更高、更广的层面了解知识、了解生活、了解世界、了解人生。

老师们感觉到自己在一天天进步，感觉到自己越来越得到领导同事和学生的认可与尊重，心情都很舒畅。一位老师的总结说出了大家的心声："我累，但我成功，我快乐!"

不拘一格聘英才

一般学校在选拔引进教师时，都倾向于选择师范院校毕业生。因为师范生不仅很敬业，而且由于受过专业的教育，对教育、心理、教学法等方面的知识了解得也比较多，成长起来比较快，遇到的问题也较少。我校在应聘教师时，则不局限于这些条条框框，欢迎更多不同背景的优秀人才来学校应聘。因为师范生在比较专业的同时也已经形成了许多框架、定式，思维无意识中受到束缚，而非师范类的学生因为没有定式，更善于对现有的方式提出质疑并大胆尝试创新，这样能为学校带来活力与创新点，促进学校教学的发展进步。

曾经，北大数学系一名研究生来我校应聘，这在学校内引起了很大的争议，多数人认为这个研究生来了肯定待不长，他肯定只是以此作为跳板，不久就会跳走，所以多数人都反对。但最终我们还是选择了他，当时我认为，无论他待多久，只要他的到来能为学校激起一点点涟漪，带来一丝新鲜的空气就足够了。现在这位老师已经成为附小骨干，事实证明我们的选择是对的，他为我们学校数学教学研究带来了很多变化，即使现在他选择离开，对我们学校来说也已经是超值了。从另外一个角度考虑，或者换位思考，我觉得他的离开也是值得尊重的，每个人都有选择的自由，也都有发展的权利，年纪轻轻的一个小伙子，他也没必要把自己束缚在这样一个小环境中。

凭借我们良好的声誉，我校成为许多"凤凰"落脚的"梧桐树"——北京大学的研究生来了，不少市区骨干教师来了，还吸引了特级教师，这无疑为我校的发展插上翅膀。

五、淡泊从容的平凡者

生活中有些事情是很奇怪的，有些东西不仅是争不来的，而且可能是你越想要得到就越是偏偏不可能属于你的，而一些东西如果是你的，即使你不争最终还会是你的。我不会花费心思争取或企图拥有一些没有实际意义的事情，我喜欢做一名默默无闻的实干者，做我该做的，我相信我的付出大家会看到，附小的成绩大家也会看到，当这些付出得到大家认可了，一些荣誉、光环自然会飞奔而来。可能更多的努力与付出一时得不到社会或集体的认可，这也没关系，只要你认为是对的，值得坚持的，那么还要继续，因为我们不是为了别人的认可而工作，工作的过程对于我们就是一个享受快乐的过程。

作为北大附小的校长，这些年我也得到了一些荣誉，但是我觉得这荣誉不是给我本人的，而是属于北大附小全体教职工的，是属于附小这个集体的，我现在之所以能得到这些，只是因为我是北大附小的法人，是附小的代名词。我没有想过应该去追求什么荣誉，要得到什么奖项，学校的发展就是校长的发展，我只要做好分内的事情，平凡着、快乐着就好。

面对荣誉需要淡泊名利，面对困难需要淡定从容。对领导者最重要的就是心中永存希望。这是我作为校长秉持的信条。领导者永远不要否定困难，是困难让自信永存。领导者不只是问题解决者，还是问题探索者，他们生来就是为了攀登而非享受安逸，不论身处山谷还是巅峰。北大附小在发展过程中遇到过很多的困难，从校舍的改造、资金的筹备、建设过程到师资队伍的调整等，每一步都面临很多的困难，如果遇到困难，就胆怯，就退缩，那么我们什么事情都做不成，只能在原地踏步。

领导者需要勇气，这种勇气不是指一时的勇敢，而是经常地去迎接挑战，并能够在漫长的困境中依然保持良好的状态。在困难面前保持平常心，持淡定从容的乐观态度，这就是最好的状态，有些事情胜就是胜在了好的心态上。现在北大附小虽然发展已经比较好了，但是也免不了一些家长还会指责，会挑毛病，有些甚至在网站上公开指责某个老师，闹得学校不安宁。面对这样的情况，我对大家说，我们不能硬碰硬，只能从容面对。我们不怕提意见，指缺点，有缺点不怕，有了就改，改了才能进步。而对那些无端指责者，我们不用理会。这时校长的态度是很重要的，校长从容面对，无疑就给了老师一颗定心丸，全校上下态度一致，就不会影响学校的工作。

六、快乐幸福的智慧女子

曾有报社记者采访我时讲道："每次看见您总是这样快乐、充满活力……"，我回应道："不止你这么说，我们学校的老师，还有一些朋友，见我时也说，看你老像喜事不断似的，总那么高兴，走到哪儿就把快乐带到哪儿。"我觉得，快乐是一种生活方式，也是一种心态。快乐能够传染人、感染人，作为校长，如果能够始终保持一种快乐的心态，那么必能营造一种积极的集体氛围。

诠释快乐

我是一个笑对生活的人，我希望我的同事也都是快乐的。我喜欢和老师们聚餐、神聊、打球、开怀大笑，急他们所急，乐他们所乐，老师们对我的评价是"性情中人"。假日旅游，我喜欢和大家挤在一铺大炕上，你逗我，我逗你，乐成一团。学校搬家，我带头搬桌子扛椅子背门板，和老师们连喊带笑地比着干。有一位老教师说，校长总是人还未到，笑声就传过来了，她总是那么开心、乐观，并把她的好心情传染给我们，让我们一起乐。即使是在建校筹资的艰难时期，在处理一些大纠纷的时候，我也保持着这样的心态。因为愁事、困难事总无法避免，与其唉声叹气于事无补，倒不如积极乐观面对。我相信解决的方法总比困难要多，要努力大事化小，小事化了。

当然，我强调的快乐，还是具有深刻内涵、体现人生价值、高层次的精神愉悦，是让全校师生的生活充满情趣，富有精神的追求，对自然和人类充满善意，懂得感恩，追求进步，追求光明，自信而乐观地面对生活的挫折和困难。

家庭事业并重

在大多数人的想法中，事业有成的女子多半是以牺牲了家庭幸福为代价的，但我不这样认为。在我的生命中，家庭与事业是人生中不可或缺的两部分，不应该为了一个而牺牲另一个，我们既应该享受家庭的天伦之乐，也不能缺少同事之间的关切之情。虽然这么多年为了工作对家里的付出相对少些，但在我的心里，家永远占有重要的位置，家中的每位成员永远是我心中最深的牵挂。有一次，学校老师在商店里看到我搀扶着年迈的母亲为其试鞋，惊讶地说："校长，我第一次见到你在家中温情的一面。"其实，校长对我来说是一个符号，我就是一个普通人，也为人女，为人妻，为人母，哪一种温情能缺少呢？

作为校长，工作确实非常忙，这就需要善于协调工作和家庭关系的能力。有一次丈夫病了要做手术，开学前 3 天，我就把学校的事情安排好，在丈夫手术时一刻不离左右。我对丈夫说："在事业和家庭上选择，我会永远选择你，不选择校长。"在英国学习期间，由于把家里的事情交给丈夫一人承担，我一直心怀内疚，便发信息给丈夫说："我从心里特别感激你，因为这么多年是你一直在支撑着我，我是一校之长，我是北大附小的一棵大树，大树枝繁叶茂，才能撑起学校的天。但在家里，你却是我的大树……"同事们说，这是见校长平生第一次对丈夫"酸"，可是这"酸"又何尝不是一种"甜"呢。

我觉得，女人就是女人，应该学会变换角色。在学校，要成为好校长；在家里，要做好女儿，好儿媳，好妻子，好母亲。

专心地工作，痛快地享受生活，积极乐观地生活，这是我的人生理想。每周末，如果你在香山或颐和园看到一个独自驾车飞驰，行走于山路上的阳光女子，那就是我。

第八章 学校发展的未来展望

在我们追寻北大附小百年历史足迹、探求它发展的成就与经验、提炼它的办学特色之时，正是《国家中长期教育改革和发展规划纲要（2010—2020年）》紧张研制的时候；当我们集中反映北大附小创新发展的成果——《绽放和谐快乐之光》这本书行将成稿时，《国家中长期教育改革和发展规划纲要（2010—2020年）》（征求意见稿）正式向社会公布并征求意见。这是一个指导我国未来10年教育改革和发展的纲领性文件。我们认真学习这个文件，欣喜与压力交织，挑战与动力并存。欣喜的是，承袭北京大学优良文化传统的北大附小在创新发展中探索的不少做法，都可以在这部规划纲要中找到印记；压力与挑战，来自规划纲要提出的宏伟目标，到2020年，我国要基本实现教育现代化，基本形成学习型社会，进入人力资源强国行列。我们深知，只有一所所学校实现教育现代化，才能最终构建起基础稳固的教育现代化大厦；也只有一所所学校源源不断地为社会输送综合素质高、创新精神与能力强、具有强烈社会责任感的人才，才能会聚滔滔不息的人力资源强国的洪流。因此说，我们责任重大，使命崇高！

《国家中长期教育改革和发展规划纲要（2010—2020年）》是我国未来10年教育改革和发展的行动指南，规划北大附小未来的发展，我们一定要紧紧围绕规划纲要的精神来思考。正如当前我国教育发展面临的一个基本矛盾，就是人民群众对优质教育资源的强烈需求与优质教育资源不足，北大附小今天同样面临着需求强烈与资源供给不足的矛盾。但是，新形势、新阶段、新要求，对教育改革和发展提出了诸多新任务，其中“提高教育质量”成为教育改革发展的核心任务。因此，北大附小在坚持规范办学与努力拓展办学空间服务更多家长需求的同时，始终抓住“教育质量”这根主线不放松。《国家中长期教育改革和发展规划纲要（2010—2020年）》指出：“树立科学的教育质量观，把促进人的全面发展、适应社会需要作为衡量教育质量的根本标准。树立以提高质量为核心的教育发展观，注重教育内涵发展，鼓励学校办出特色、办出水平，出名师，育英才。”为此，北大附小在未来发展中要凸显以下几方面。

一、学生学有特色，富有个性

《国家中长期教育改革和发展规划纲要（2010—2020年）》指出，以学生为主体，以教师为主导，充分发挥学生的主动性，把促进学生成长成才作为学校一切工作的出发点和落脚点；关心每个学生，促进每个学生主动地、生动活泼地发展；尊重教育规律和学生身心发展规律，为每个学生提供适合的教育。适合的教育是公平的教育。教育公平包含教育起点、教育过程和教育结果的公平，三者是一个统一体。教育起点公平是指尊重和保护每个人的受教育权利，亦即教育机会公平。教育过程公平体现在整个教育活动过程中。其衡量标准就是让受教育者都有机会获得适合个人特点的教育。教育结果公平是指每个人都能有效利用所提供的教育机会，取得符合其个性、智力、能力的学业成就，从而为其未来发展创造条件，最终体现为学业成就和教育质量的平等。

如果说保证教育机会公平主要是政府责任的话，那么落实教育过程公平、从而达到教育结果公平，学校承担着重要的使命。北大附小在长期办学实践中，注重关注学生不同特点和个性差异，发展每一个学生的优势潜能。那么，北大附小在未来的发展中，会更加坚持“适合的教育”这样一种理念，始终注意激发和保持学生的学习兴趣，不但在课堂教学中做到因材施教，而且要为学生个性发展拓展充分的学习空间，为学生创造具有充分选择机会的学习环境，以满足不同学生的发展需要。

学生具有独立思考、百折不挠以及推崇创新等适应时代发展潮流的个性品质，是未来社会对人才的基本要求。为此，学校要实行教育民主，对学生的教育不能回避矛盾，也不要压制观点，做到“严而不死，活而不乱，引而不牵，开而弗达”，让学生有参与学校各项活动的自由，有发表自己不同看法的权利，逐步使学生养成尊重事实、不迷信书本、不迷信权威、独立思考的优良个性。

二、教师教有艺术，形成个人风格

《国家中长期教育改革和发展规划纲要（2010—2020年）》指出，创造有利条件，鼓励教师和校长在实践中大胆探索，创新教育思想、教育模式和教育方法，形成教学特色和办学风格，造就一批教育家。“教师特色”是指教师的教学风格，它是一名教师的教学理念、价值取向、教学艺术和个性倾向的综合反映，是教师的自身素质和教学行为个性化的集中表现。为此，我们一要广开师源，多方引进人才，以实现教师队伍的文化互补；二要兼容并蓄，学术自由，人尽其才，才尽其用，把教师的潜能充分地发挥出来，让更多的教师成为在北京市内外乃至国内外享有较高声誉的学者、专家和名人。

三、充盈学校文化，锤炼学校品牌

学校特色是校园文化长期积淀的结果，是学校办学个性化的表现。一所学校的质量和特色就好比是一棵树的根和叶，没有根，树就会丧失生命；没有叶，树虽有活的可能，但却无法生长，也难以让世人感受到树的生命力之所在；只有根深叶茂，最后才能长成参天大树，才能给大自然增添生机与活力。要努力营造充满深厚文化底蕴，体现人文精神的校园文化。北大附小有深厚文化底蕴，近年来办学特色日益明显。我们要不断推进北大附小“以人为本，和谐快乐发展”的育人文化特色。

首先，要努力创造学校人文氛围，让师生每天都有鲜活的体验，每天心灵都充满阳光，以积极的心态去面对困难、挫折和挑战。“满足人的爱和受尊重的需要，人就会觉得自己在世界上有价值、有用处、有能力而焕发出自尊、自强、自我实现的需要，也易于迸发出创新思维的火花。”理解尊重教师，培育认同感，关心信任，提升自身价值，让师生每天都有鲜活的体验，每天心灵都充满阳光，以积极的心态去面对困难、挫折和挑战。

其次，要加强学校特色的建设，打造优质教育品牌。第一，保持教学科研、教改先进校的光荣称号，有区、市、国家级研究课题，有计划、有落实、有阶段性终结性成果，众多的教师论文获奖，研究成果得到上级部门的表彰认可。第二，艺术教育再上新台阶，民族艺术的三朵小花越来越艳，走出校门、市门、国门。第三，科技教育（计算机、机器人、无线电制作）等在区、市名列前茅。第四，充分利用少先队网络活动，开展德育工作。

为在未来打造北大附小的优质教育品牌，我们还将进一步提高办学声誉，不断深化学校文化建设。北京大学附属小学秉承了北京大学爱国、进步、民主、科学的传统精神和勤奋、严谨、求实、创新的良好学风，北大附小也充满了深厚的文化底蕴和浓浓的人文关怀。悠久的历史，优雅的环境，爱国主义的优良传统，民主科学的文化氛围生生不息、一脉相传，这些都是我们北大附小得天独厚的文化优势与精神资源。

在校园文化建设方面也将努力突出北大附小的教育理念和自己的特色。校训、校徽、校歌充分体现了北大附小良好的校风。学校的办学条件和办学规模达到世界先进水平。

四、加强国际教育，创建世界名校

为创世界名校，北大附小树立了国际化的新型办学理念，吸收多元文化丰富自我，并以人性化的管理和创新的体制改革把学校建成了真正兼容并包的文化交流基地。在以后的发展中，附小将继续不断扩大交流国家和范围，如拓展和加深与欧洲、东南亚等地区、国家以及我国港澳台等地区的交流。通过学校网站国际交流的建设与更新，浏览国外网站、卫星直播、书信往来和教师、学生互访、互换等多种方式进行更加深入的合作交流，让世界认识中国，了解中国，认识北大附小。通过与其他国家和地区的广泛接触和交流，继续吸收国外先进的教育理论与经验，促进学生发展，教师发展，学校发展，创世界名校。通过交流，让学生们了解世界，开阔视野，培养地球公民的意识，强化运用语言的能力，进而激发他们努力学习，积极进取的精神，而学校则从对外交流中积极与国际接轨，逐渐走上国际化办学的道路并取得良好的成效。

五、提升校长领导力，让校长以教育家的气质和情怀引领学校航船

《国家中长期教育改革和发展规划纲要（2010—2020年）》指出，倡导教育家办学。教育家是教育人的最高境界，是教育人的最高追求。毋庸讳言，能戴上教育家这顶桂冠的必定是少数，但是作为教育人独特群体——校长一定要以教育家的气质和情怀引领学校航船。所谓具有教育家气质的校长，一定是具有办学思想的学校领导者。“校长有思想”，就是指校长要有正确的办学思想，科学的办学理念，对教育规律、管理规律能独到地把握。校长是学校的灵魂。人云亦云的校长是没有思想的校长，学校拥有一个没有思想的校长，就等于学校失去了灵魂，这样的学校也难以成为“理想学校”。办学思想决定办学理念，办学理念指导办学实践，它应是学校全体教职员工集体智慧的结晶。

“校长有思想”还表现在具有较强的“三感一识”，即成就感、危机感、新意感和勇于开拓的胆识。“成就感”就是指不甘守成、努力上进的进取心，善于把工作做大、做新，有超越前人、他人和实现自己教育理想的雄心。“危机感”是指对学校生存和发展面临的威胁所产生的忧患与抗争意识。“新意感”包括两个方面：一是不愿简单重复传统的观念、行为和方法，总想在新思想的基础上有所作为；二是对新理论和新经验保持敏感，愿意研究和接受。勇于开拓的胆识是校长有将新理论和新经验在自己管辖的范围内进行尝试的冲动，善于在深入思考的基础上组织实验，不怕挫折。

北京大学附属小学勇于改革、锐意进取，在实践中已逐步形成了自己崭新、独特的办学理念。

北大附小人一定会保持快乐和谐的心态，用北大附小——“团结、凝聚、豁达、开拓、向上、进取”的精神，取得更大的进步，更好的成绩，为孩子们、为中国的基础教育添上更新更美的图景！

责任编辑　庄　严　李　芳
版式设计　宗沅雅轩　杨玲玲
责任校对　曲凤玲
责任印制　曲凤玲

图书在版编目(CIP)数据

绽放和谐快乐之光:北京大学附属小学教育创新研究/尹超等著. —北京: 教育科学出版社,2010.11(2012.7重印)
("守望者的凝思:读懂学校、读懂校长"系列论丛/裴娣娜主编)
ISBN 978-7-5041-5344-9

Ⅰ.①绽…　Ⅱ.①尹…　Ⅲ.①小学教育—研究　Ⅳ.①G62

中国版本图书馆CIP数据核字(2010)第218440号

出版发行	教育科学出版社		
社　　址	北京·朝阳区安慧北里安园甲9号	市场部电话	010-64989009
邮　　编	100101	编辑部电话	010-64989235
传　　真	010-64891796	网　　址	http://www.esph.com.cn
经　　销	各地新华书店		
制　　作	北京金奥都图文制作中心		
印　　刷	保定市中画美凯印刷有限公司	版　　次	2010年11月第1版
开　　本	169毫米×239毫米　16开	印　　次	2012年7月第2次印刷
印　　张	20.5	印　　数	3 001-45 00册
字　　数	280千	定　　价	41.00元